UM EXPERIMENTO DE AMOR EM NOVA YORK

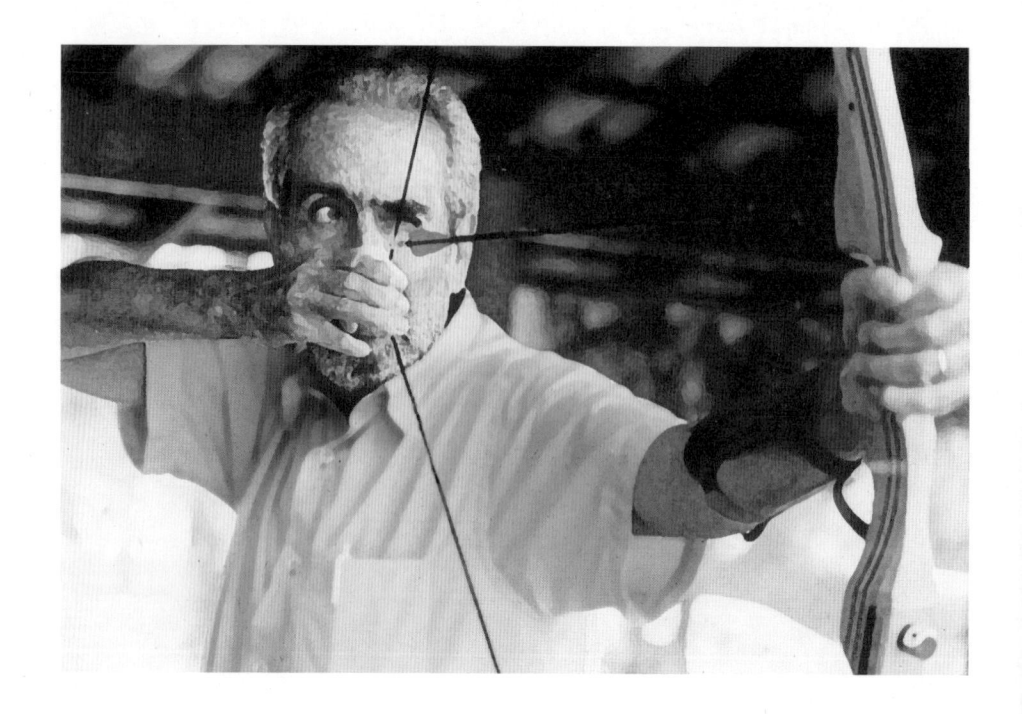

O Arqueiro

GERALDO JORDÃO PEREIRA (1938-2008) começou sua carreira aos 17 anos, quando foi trabalhar com seu pai, o célebre editor José Olympio, publicando obras marcantes como *O menino do dedo verde*, de Maurice Druon, e *Minha vida*, de Charles Chaplin.

Em 1976, fundou a Editora Salamandra com o propósito de formar uma nova geração de leitores e acabou criando um dos catálogos infantis mais premiados do Brasil. Em 1992, fugindo de sua linha editorial, lançou *Muitas vidas, muitos mestres*, de Brian Weiss, livro que deu origem à Editora Sextante.

Fã de histórias de suspense, Geraldo descobriu *O Código Da Vinci* antes mesmo de ele ser lançado nos Estados Unidos. A aposta em ficção, que não era o foco da Sextante, foi certeira: o título se transformou em um dos maiores fenômenos editoriais de todos os tempos.

Mas não foi só aos livros que se dedicou. Com seu desejo de ajudar o próximo, Geraldo desenvolveu diversos projetos sociais que se tornaram sua grande paixão.

Com a missão de publicar histórias empolgantes, tornar os livros cada vez mais acessíveis e despertar o amor pela leitura, a Editora Arqueiro é uma homenagem a esta figura extraordinária, capaz de enxergar mais além, mirar nas coisas verdadeiramente importantes e não perder o idealismo e a esperança diante dos desafios e contratempos da vida.

UM EXPERIMENTO DE AMOR em Nova York

ELENA ARMAS

ARQUEIRO

Título original: *The American Roommate Experiment*

Copyright © 2022 por Elena Armas
Copyright da tradução © 2023 por Editora Arqueiro Ltda.

tradução: Alessandra Esteche
preparo de originais: Marina Góes
revisão: Carolina Rodrigues e Pedro Staite
diagramação: Ana Paula Daudt Brandão
adaptação de capa: Gustavo Cardozo
imagens de capa: Marcela Herrera; porta: happyvector071 / Adobe Stock;
notas musicais: olegganko / Adobe Stock
impressão e acabamento: Bartira Gráfica

CIP-BRASIL. CATALOGAÇÃO NA PUBLICAÇÃO
SINDICATO NACIONAL DOS EDITORES DE LIVROS, RJ

A758e

Armas, Elena
        Um experimento de amor em Nova York / Elena Armas ;
[tradução Alessandra Esteche]. - 1. ed. - São Paulo : Arqueiro, 2023.
        400 p. ; 23 cm.

        Tradução de: The american roommate experiment
        ISBN 978-65-5565-474-5

        1. Ficção espanhola. I. Esteche, Alessandra. II. Título.

23-82002   CDD: 863
                                  CDU: 82-3(460)

Gabriela Faray Ferreira Lopes - Bibliotecária - CRB-7/6643

Todos os direitos reservados, no Brasil, por
Editora Arqueiro Ltda.
Rua Funchal, 538 – conjuntos 52 e 54 – Vila Olímpia
04551-060 – São Paulo – SP
Tel.: (11) 3868-4492 – Fax: (11) 3862-5818
E-mail: atendimento@editoraarqueiro.com.br
www.editoraarqueiro.com.br

Aos que estão à espera do amor,
sejam pacientes.
O amor é uma diva
só aguardando para fazer aquela entrada triunfal.

UM

Rosie

Alguém estava tentando invadir meu apartamento.

Tá. Tecnicamente, não era *meu* apartamento, era o apartamento onde eu estava passando um tempo. Mas isso não mudava nada. Porque, se eu aprendi alguma coisa morando em alguns bairros não muito seguros de Nova York, foi que, se a pessoa não bate, ela não está muito interessada em pedir autorização para entrar.

Evidência número um: o barulho insistente na porta – que felizmente estava trancada.

O barulho parou, e enfim soltei todo o ar que estava prendendo.

Com o olhar fixo na fechadura, esperei.

Tudo bem. Talvez eu estivesse enganada. Talvez fosse um vizinho que errou de apartamento. Ou talvez a pessoa que estava ali ia mesmo bater e…

Fui surpreendida por outro barulho, que parecia alguém batendo na porta com o ombro, e dei um pulo para trás.

Não.

Não era uma batida. Provavelmente também não era um vizinho.

Minha respiração acelerou, o oxigênio mal chegando ao seu destino. Mas, droga, eu não podia culpar meus pulmões. Não podia nem culpar meu cérebro por não ser capaz de realizar funções básicas como respirar depois do dia que eu tive.

Algumas horas antes, o que tinha sido meu apartamento lindo e bem arrumado pelos últimos cinco anos quase desabou na minha cabeça. Literalmente. E não estou falando de uma rachadura no teto e uma poeirinha caindo.

Parte do teto cedeu. *Caiu.* Bem diante dos meus olhos. Quase em cima de mim. Criando um buraco tão grande que fui presenteada com uma visão clara das partes íntimas do meu vizinho, o Sr. Brown, olhando para mim lá de cima. E permitindo que eu descobrisse algo que nunca precisei nem quis saber: meu vizinho de meia-idade não usa nada por baixo do roupão. Nadinha.

Uma visão tão traumatizante quanto quase ser nocauteada por um pedaço de cimento a caminho do sofá.

E agora isso. A invasão. Depois que eu me recompus o mínimo para pegar minhas coisas – sob o escrutínio atento e as… partes íntimas e pendentes… do Sr. Brown – e ir até o único lugar em que consegui pensar, dadas as circunstâncias, agora alguém estava tentando entrar à força.

Ouvi algo que pareceu um palavrão em uma língua estrangeira, e de novo o barulho na fechadura.

Ah, merda.

Entre todos os apartamentos de uma cidade gigantesca como Nova York, tinham que querer arrombar logo a *minha* porta?

Girando na ponta dos pés, me afastei da porta do estúdio para onde eu tinha fugido em busca de abrigo e deixei meu olhar percorrer aquele lugar familiar, analisando minhas opções.

Graças à planta aberta do apartamento, não havia nenhum esconderijo decente. O único cômodo com porta, o banheiro, não tinha nem tranca. Também não havia nenhum objeto que pudesse ser usado como arma, exceto um castiçal torto de argila, resultado de um projeto "faça você mesmo" em um domingo preguiçoso, e uma luminária de chão estilo boho que me pareceu meio frágil. Fugir pela janela também não era uma opção, uma vez que eu estava no segundo andar e não havia escada de incêndio.

Os palavrões de frustração ficavam mais nítidos. A voz era grave, musical, e as palavras que eu não reconhecia nem entendia vieram acompanhadas de uma bufada bem alta.

Com o coração acelerado, levei as mãos à cabeça tentando conter o pânico crescente.

Podia ser pior, pensei. *A pessoa que está lá fora claramente não é muito boa em arrombamentos. E não sabe que eu estou aqui dentro. Até onde ela sabe, o apartamento está vazio. Isso me garante…*

Meu celular apitou com uma notificação, o som alto e agudo quebrando o silêncio.

E entregando minha presença.

Merda.

Tremendo, voei até o aparelho, que estava na ilha da cozinha. Eu não devia estar a mais de três ou quatro passos de distância. Mas meu cérebro, ainda com dificuldade para realizar funções básicas, como dar três ou quatro passos, calculou mal a distância, e bati o quadril em uma banqueta.

– Não, não, não. – Ouvi essas palavras saírem da minha boca como um choramingo e estendi uma das mãos.

Sem sucesso. Porque…

A banqueta caiu no chão.

Fechei os olhos. Parecia que meu cérebro estava tentando ao menos me poupar de ver a confusão que eu estava aprontando.

Um silêncio seguiu o estrondo, preenchendo o lugar com uma sensação de calma que eu sabia que era falsa.

Abri um dos olhos, espiando na direção da porta.

Talvez isso fosse bom. Talvez tivesse assustado… o ladrão? Os ladrões?

– Olá? – chamou a voz grave do outro lado da porta. – Tem alguém em casa?

Droga.

Me recompus e virei bem devagar. Ainda existia uma chance de…

O toque que eu tinha configurado para aquele aplicativo motivacional ridículo que baixei mais cedo ecoou pelo apartamento uma segunda vez.

Meu Deus. Alguém estava mesmo querendo acertar as contas comigo hoje. Carma, sina, fortuna, sorte ou alguma entidade todo-poderosa que eu claramente tinha irritado.

Talvez até Murphy e sua lei imbecil.

Finalmente peguei o celular para colocar aquela coisa idiota no silencioso.

Sem querer, meus olhos leram a frase supostamente motivacional na tela: "Se a oportunidade não bater, construa uma porta."

– Sério mesmo? – me escutei sussurrar.

– Eu ouvi isso, sabia? – disse o invasor. – O celular, a batida e o celular de novo. – Uma pausa. – Você… está bem?

Franzi o cenho. Para um possível invasor, ele era bem atencioso.

Ele insistiu:

– Eu sei que tem alguém aí dentro. Estou ouvindo a sua respiração.

Soltei uma arfada de indignação. Eu *não* respirava alto.

– Olha só – disse ele, com uma risadinha. Uma *risadinha*. Ele estava rindo? À minha custa? – Eu só...

– Não, olha só você – deixei escapar finalmente, ouvindo minha voz irregular. – Não sei o que você está fazendo e também não quero saber. Eu... eu... – Eu estava ali que nem uma idiota, sem fazer nada. E isso não podia ficar assim. – Eu vou chamar a polícia.

– *A polícia?*

– Isso mesmo. – Desbloqueei o celular com os dedos trêmulos. Já estava cheia daquela... situação. Inferno, eu estava cheia daquele *dia*. – Você tem só alguns minutos para ir embora antes que eles cheguem. Tem uma delegacia na esquina. – Não tinha, e eu estava torcendo para que ele não soubesse disso. – Então eu, se fosse você, fugiria agora.

Dei um passinho minúsculo e hesitante em direção à porta, então parei para ouvir sua reação. Com sorte, seria o som de seus passos em fuga.

Mas não escutei nada.

– Você está me ouvindo? – perguntei, e endureci a voz antes de continuar. – Eu tenho amigos na polícia. – Não tinha. O mais próximo de um policial que eu conhecia era meu tio Al, segurança de uma empresa na Quinta Avenida. Mas isso não pareceu impressionar o invasor, porque o silêncio continuou. – Então tá. Eu avisei. Estou ligando, você é quem sabe, seu... *invasor de uma figa!*

– *Quê?*

Ignorando minha escolha infeliz e nada ameaçadora de palavras, coloquei o celular no viva-voz e em alguns segundos a pergunta feita pelo atendente preencheu o apartamento:

– Qual é a sua emergência?

– Oi. – Limpei a garganta. – Alô. Tem... tem alguém invadindo o apartamento onde eu estou.

– *Espera*, você ligou mesmo? – gritou o invasor. Então, disse: – Ah, entendi. – E deu mais uma risadinha. *Mais. Uma. Risadinha.* Ele estava achando engraçado? – É uma piada.

A indignação encheu meu peito.

– Uma *piada*?

– Alô? – chamou a voz ao telefone. – Senhora? Se isso é uma emergência...

– Ah, é, sim – respondi imediatamente. – Como eu estava dizendo, estou ligando por causa de uma invasão.

O sujeito falou antes do atendente:

– Eu estou no corredor. Como posso estar invadindo o apartamento? Eu nem consegui entrar.

Agora que ele estava emitindo mais que duas palavras por vez, ouvi o sotaque com mais clareza. O modo como ele pronunciava certas palavras era familiar e fez soar um alarme na minha cabeça. Mas eu não tinha tempo nem energia para alarmes naquele momento.

– *Tentativa de invasão* – corrigi.

– Certo, senhora – respondeu o atendente. – Preciso do seu nome e do seu endereço.

– Já entendi – disse o invasor, tão alto que eu dei um passo para trás. – É uma pegadinha dessas de programa de TV. Já vi esse tipo de brincadeira na TV lá no meu país. Como é mesmo o nome daquele cara? Um que é apresentador. Que tem o cabelo bonito. – Uma pausa. – Bom, não importa. – Mais uma pausa. – Você me pegou! Essa foi boa. Olha só, estou morrendo de rir – acrescentou ele antes de dar uma gargalhada que quase fez o celular despencar da minha mão. – Agora você pode, por favor, abrir a porta e parar com isso? Já passou da meia-noite e eu estou exausto. – O bom humor desapareceu de sua voz. – Diz a ela que foi hilário. Vamos lembrar disso pra sempre como a melhor pegadinha da história.

Diz a ela?

Ela quem?

Franzindo o cenho, falei baixinho no telefone:

– Você ouviu isso? Acho que talvez ele seja louco.

– *Louco?* – zombou o invasor. – Não sou louco, só estou... cansado.

Alguma coisa caiu no chão do outro lado da porta e eu rezei para que não fosse ele, porque eu não estava a fim de ainda ter que lidar com um homem inconsciente.

– Eu ouvi – disse o atendente. – E, senhora, eu...

– Será que eu estou na porta errada ou algo assim? – interrompeu o invasor.

Na porta... errada?

Isso chamou minha atenção.

– *Senhora* – chamou o atendente. – Seu nome e endereço, por favor.

– Rosie – respondi rápido. – Meu nome é Rosalyn Graham e... Bom, na verdade esse endereço não é meu. Estou na casa da minha melhor amiga. Ela está viajando no momento, e eu precisava... de um lugar para ficar. Mas eu não invadi o apartamento, obviamente. Eu tenho a chave.

– Eu também tenho a chave – disse o invasor.

Mais um alarme soou em minha cabeça.

– Impossível. – Fiz uma careta olhando para a porta. – Eu tenho a única chave extra.

– Sra. Graham. – A voz do atendente tinha um quê de irritação. – Quero que a senhora pare de interagir com o indivíduo à porta e me diga sua localização. Vamos mandar uma unidade para fazer uma verificação.

Minha boca se abriu, mas, antes que as palavras saíssem, o invasor voltou a falar:

– Ela se superou mesmo.

Ela. De novo aquele *ela.*

Por um tempo, nenhum de nós falou. Então, o silêncio foi rompido por um barulho forte. Parecia muito que ele tinha acabado de se agachar se escorando na porta, derrotado.

– *Ela?* – perguntei finalmente, ignorando o "Sra. Graham?" no celular.

– É – respondeu o invasor, simplesmente. – Minha priminha muito engraçada e criativa.

Minha respiração congelou em algum lugar entre o pulmão e a boca.

Priminha.

Ela.

O sotaque forte do invasor que era tão familiar.

A única explicação possível tomou forma em minha cabeça.

Eu tinha mesmo...

Não. Eu não podia ser tão idiota assim.

– Sra. Graham? – Ouvi mais uma vez a voz vindo do celular. – Se não for uma emergência...

– Desculpe, eu... – Fechei os olhos. – Eu volto a ligar se... precisar. Muito obrigada.

Priminha.

Ah, meu Deus. Ah, não. Se era mesmo um dos primos da Lina, eu tinha acabado de fazer uma besteira. Das grandes.

Desliguei, coloquei o celular no bolso de trás da calça e me obriguei a respirar fundo, esperando que o oxigênio chegasse a meus neurônios claramente defeituosos.

– Quem é sua prima? – perguntei, embora já tivesse quase certeza de que sabia a resposta.

– A Catalina.

Pronto. Eu tinha feito uma besteira. Mesmo assim, como ainda estávamos em Nova York e eu já tinha lidado com uma boa dose de pessoas estranhas e situações mais estranhas ainda, acrescentei:

– Vou precisar de mais informações. Você pode ter visto o nome dela na caixa de correspondência.

Ouvi um suspiro longo e alto do outro lado da porta de madeira que nos separava, o que fez meu estômago, que já estava embrulhado, revirar.

– Desculpa – deixei escapar, incapaz de me conter. Porque eu estava *mesmo* arrependida. – Só estou tentando ter certeza que...

– Que eu não sou um louco – respondeu o invasor antes que eu pudesse terminar o pedido de desculpas. – Catalina Martín. Data de nascimento, 22 de novembro. Cabelo castanho, olhos castanhos, risada escandalosa. – Meus olhos voltaram a se fechar, o embrulho no estômago subindo para a garganta. – Ela é baixinha, mas, se te der um chute entre as pernas, vai te deixar sem fôlego. Sei disso por experiência própria. – Uma breve pausa. – O que mais? Vamos ver... Ah, ela odeia cobras ou qualquer coisa que pareça uma. Mesmo que sejam só umas meias costuradas e preenchidas com papel higiênico. Ardiloso, né? Bom, foi isso que levou ao chute entre as pernas. Então acho que quem se deu mal fui eu.

É.

Eu tinha feito uma besteira. Bem grande.

Enorme, enorme, enorme.

E estava me sentindo muito mal. Péssima.

Tanto que nem consegui interrompê-lo e impedir que continuasse.

– Ela está passando umas semanas fora. Curtindo a lua de mel em... era no Peru? – Ele esperou que eu confirmasse, mas não respondi. Estava sem palavras. Mortificada. – O nome do sortudo é Aaron. Um cara alto e ameaçador, pelas fotos que eu vi.

Espera. Isso queria dizer que...

– Não nos conhecemos pessoalmente. Ainda.

Ele *ainda* não tinha conhecido Aaron?

Eu...

Não. Não, não, não. Aquilo não podia estar acontecendo.

Então, ele disse:

– Não tive o prazer de ir ao casamento.

Confirmando que aquilo estava, sim, acontecendo. E de repente o choque e a vergonha que eu tinha sentido antes não chegavam nem aos pés do que eu estava sentindo agora.

Porque aquele homem não era um invasor qualquer, ou um louco que por acaso tinha ido parar no apartamento da minha melhor amiga.

Aquele homem que tinha me levado a chamar a polícia era parente da Lina.

E não era só isso. *Não*. Ele era *o* primo que ainda não tinha conhecido Aaron.

A única pessoa daquela longa lista de parentes espanhóis da Lina que não tinha ido ao casamento.

Só podia ser *ele*.

– Fiquei sabendo que foi uma festa e tanto – continuou. E foi como um soco no meu peito. – Uma pena eu ter perdido.

Sem saber exatamente como, percebi que eu estava segurando a maçaneta. Como se as palavras dele – a percepção de que era *ele* – tivessem me levado até ali e feito com que os dedos da minha mão livre a agarrassem com força.

Não é possível que seja ele, disse uma voz na minha cabeça. *Eu não posso ser tão azarada assim.*

Mas era. Eu sabia que era. E a sina, a fortuna, a sorte ou qualquer força encarregada de decidir meu destino tinha feito as malas e me abandonado.

Porque aquele homem era o primo que eu esperava, secretamente, que estivesse no casamento. O único que me fazia sentir um frio danado na barriga só de pensar em encontrá-lo. Em receber aqueles dois beijinhos obrigatórios no rosto. Em trocar gentilezas. Em, quem sabe, dançar com ele. Em aparecer na frente dele com aquele vestido de madrinha. Em finalmente vê-lo na minha frente.

Nas possibilidades.

Meus dedos se mexeram e a porta destrancou com um *clique*.

Com o coração acelerado de pensar que era *mesmo* ele, segurei a maçaneta. Ansiosa, ávida, a esperança fechando minha garganta. Toda a loucura que minha cabeça tinha imaginado naqueles meses anteriores ao casamento misturada às novas emoções causadas pela besteira que eu tinha acabado de fazer. Ansiedade misturada com culpa. Vergonha com entusiasmo.

Com o coração martelando, abri a porta e...

Algo caiu aos meus pés.

Olhei para baixo e imediatamente vi o que era.

Ele estava deitado de barriga para cima. Devia estar apoiado na porta e caiu para trás quando a abri.

O ar mal parecia entrar em meus pulmões enquanto eu olhava para aquela cabeça com cachos castanhos tombada. Não combinava com a imagem nítida em minha memória. No caso, minha memória era a captura de tela que eu guardava em segredo.

Eu só o conhecia de cabelo bem curtinho.

– É você mesmo – me ouvi murmurar ao olhar para ele. – Você está mesmo aqui. E seu cabelo está diferente. Mais comprido e...

Fechei a boca, sentindo um rubor intenso se espalhar pelas minhas bochechas.

O lindo rosto que eu apreciava pela tela do celular mais vezes do que gostaria de admitir se contorceu em uma expressão confusa. Mas, com a mesma rapidez, os olhos castanho-escuros brilharam com um sorriso.

– A gente... a gente se conhece?

– Não – respondi rápido. – Claro que não. Eu quis dizer que você é diferente do que eu esperava. Sabe, pela sua voz. Só isso. – Balancei a cabeça. – E eu... *meu Deus*. Me desculpa. Por tudo isso. Eu só...

Você só o quê, Rosie?

O rubor tinha se espalhado até a ponta das minhas orelhas, e pensei que, se o chão se abrisse naquele instante e me engolisse – algo que eu sabia que não era tão improvável assim –, eu iria feliz.

– Me desculpe mesmo – falei em voz baixa. – Posso te ajudar? Por favor.

Mas *ele* – o homem que nem sabia que eu existia, mas cujo rosto eu era capaz de evocar em minha mente sempre que fechava os olhos – não deu nenhuma demonstração de estar com pressa de se levantar. Em vez disso, seu olhar inspecionou meu rosto, devagar, como se eu é que tivesse surgido do nada e caído a seus pés.

E, quando eu achei que tinha me recomposto o bastante para dizer mais alguma coisa – com sorte, minimamente inteligente –, seus lábios se esticaram. A expressão de confusão se dissolveu, dando lugar a um sorriso, e quaisquer palavras que tivessem conseguido chegar até minha boca despencaram de volta.

Porque ele sorria. E era um sorriso largo, luminoso e, para falar a verdade, lindo de um jeito tão descarado que deixa a gente sem nem saber direito o que fazer.

Mais lindo ainda que o sorriso daquela única captura de tela que eu tinha me permitido guardar e talvez ainda olhasse de vez em quando.

– Nesse caso – disse ele, ainda com aquele sorriso ensolarado e de ponta-cabeça –, já que não nos conhecemos: oi. Meu nome é Lucas Martín. Sou primo da Lina.

Sim.

Eu sabia disso. Eu sabia exatamente quem ele era. Ele nem imaginava o quanto eu sabia.

DOIS

Rosie

Do chão, Lucas olhou para cima, provavelmente se perguntando qual era o meu problema.

– Eu…

Argh. Definitivamente *não* era assim que eu imaginava conhecê-lo. Não chegava nem perto de como eu tinha construído aquele momento na minha cabeça. E olha que eu tive tempo – mais de um ano – para criar dezenas de cenários diferentes.

– Oi, Lucas – falei. – É… é um prazer finalmente conhecer você.

Finalmente?

Aham. Eu disse "finalmente".

As sobrancelhas dele se uniram, e senti a ponta das minhas orelhas esquentando ainda mais. Meu rosto devia estar da cor de um tomate.

– Você realmente não é um ladrão! – deixei escapar para desviar a atenção daquele "finalmente" idiota. – E peço mil desculpas por ter pensado que fosse. Com certeza não foi assim que você imaginou sua chegada a Nova York. Ou ao apartamento da Lina. Enfim, me deixa te ajudar a levantar.

Mas Lucas continuou deitado de costas, brandindo aquele sorriso que tinha se formado minutos antes. Como se tudo aquilo fosse banal. *Normal*. E não era. Não era mesmo. Porque Lucas Martín estava ali. Na minha porta… na porta da Lina, na verdade. E eu estava causando uma péssima primeira impressão.

– É, eu não estava exatamente esperando por isso – disse ele, estendendo o braço, deixando a mão pairar no ar, bem na altura da minha barriga. – Mas, de qualquer forma, é um prazer conhecer você, Rosalyn Graham.

Fiquei olhando para aquela mão, observando aqueles dedos compridos. Então, meus olhos saltaram para a pele bronzeada em seu punho, envolto por uma pulseira de couro já gasta.

Uma pequena parte de mim se perguntou como seria tocar naquela pele, mas meus braços permanecerem bem colados junto ao corpo.

– Como você... sabe meu nome? – perguntei.

Porque Lucas tinha dito meu nome completo.

A mão dele ainda estava no ar, esperando. Assim como o sorriso.

– Ouvi você dizer – respondeu ele, casual. – Sabe, quando você ligou para a emergência. Logo depois de ter me chamado de louco.

Meu Deus.

– Ai, meu Deus, eu fiz isso mesmo, né? – perguntei, suspirando. – Me desculpe por isso também.

Meus olhos agora estavam fixos na faixa de pele em seu antebraço que foi se revelando à medida que a manga do moletom deslizava para baixo. Pisquei algumas vezes. Mas ainda assim não peguei a mão que ele estendia, e ele enfim desistiu.

– Juro que eu não fazia a menor ideia de que você ia chegar hoje. A Lina não disse nada. Se soubesse, eu não teria chamado a polícia. Caramba, eu nem estaria aqui se soubesse que você viria.

Lucas inclinou a cabeça em um gesto que interpretei como curiosidade. Provavelmente querendo perguntar por quê. *Por que você está aqui, então?*

– Mas pode me chamar de Rosie – continuei. – É como todo mundo me chama. Você também pode. Se quiser, é claro. Mas também pode me chamar de Rosalyn.

Uma risada suave escapou por entre o sorriso permanente, seguida de um simples:

– Rosie.

Como se ele estivesse experimentando meu nome em sua boca.

E, meu Deus, o jeito como ele pronunciou, revestido daquele sotaque espanhol forte, enrolando o *R* como se seu corpo inteiro estivesse produzindo o som, não só a língua e as cordas vocais. Era tão... diferente de todas as maneiras como meu nome já tinha sido pronunciado. Interessante. De tirar a concentração.

– Rosie – repetiu ele após alguns segundos. – *Qué dulce* – acrescentou em seu idioma nativo, que eu sabia ser espanhol, ainda que não soubesse exatamente o significado das palavras. – Gostei. Combina com você.

– Obrigada – consegui responder.

Eu sentia meu corpo inteiro ficar cada vez mais quente. Alternei o peso entre as pernas, inquieta.

– Seu nome também é bonito, Lucas. É bem… bacana.

Bacana.

Meu Deus. Senhor amado.

Eu tinha mesmo acabado de dizer que o nome dele era *bacana*? Como… um… um… globo de discoteca? Ou uma festa anos setenta?

– Obrigado, eu acho – disse ele, com uma risadinha. – Bom, por mais confortável que eu esteja no chão, estou cansado de ficar olhando para o seu rosto de ponta-cabeça, Rosie.

E antes mesmo que eu pudesse assimilar o que ele disse, Lucas levantou com uma manobra rápida e totalmente surpreendente. Distraída pelo movimento, pelo tamanho dele, por aquele /r/ vibrante encantador que ainda ecoava em minha cabeça e, sobretudo, pelo efeito de ter Lucas Martín – em carne e osso – na minha frente, quase perdi a cabeça quando ele se esquivou e se dobrou.

– Cuidado!

Eu me lancei para a frente e agarrei seus braços alguns segundos tarde demais. Ele estava com a cabeça baixa, e eu não conseguia ver seu rosto.

– Você está bem?

– *Estoy bien* – respondeu ele, expirando, como se a frase em espanhol tivesse escapado sem querer.

Ele balançou a cabeça.

– Estou bem. Tudo sob controle.

Devagar, Lucas olhou para mim por baixo daqueles cílios, encontrando meu olhar e fazendo todo o sangue do meu corpo voltar ao rosto. Logo antes de olhar para baixo novamente, como se algo tivesse chamado sua atenção.

Imitei seu movimento.

Minhas mãos. Agarradas aos braços dele em um aperto mortal. Envolvendo o que eu agora percebia serem braços muito firmes. Cheios de músculos. Rígidos. Flexionados.

Levantamos o olhar ao mesmo tempo, meus olhos arregalados encontrando os dele. Vi sua expressão divertida.

– Bela pegada, Rosie.

Soltei imediatamente, como se tivesse sido empurrada por aquelas três palavrinhas.

– Ah, sim – respondi, apressada, juntando as mãos em frente ao corpo e desviando o olhar para um ponto fixo logo abaixo do queixo dele. – Você tem certeza de que está bem?

– Claro, nada com que se preocupar – disse ele, fazendo um gesto descontraído com a mão. – Eu deveria ter levantado um pouco para esticar as pernas em vez de dormir quase o voo inteiro.

– Verdade. Você acabou de sair de um voo que atravessou o oceano.

Sim, aquele era Lucas Martín e ele tinha acabado de cruzar metade do mundo para estar ali. Vindo da Espanha, de onde ele era. E o que eu tinha feito? Tinha deixado o cara trancado do lado de fora, chamado a polícia e, depois, deixado ele deitado no chão por um tempão.

– Ah, não – respondeu ele. – Estou vindo de Phoenix.

Ah.

Como assim?

– Foi só escala ou você já estava…

Parei de falar, percebendo que não era da minha conta o fato de Lucas estar no país ou não.

– Enfim, olha eu aqui de novo, deixando você do lado de fora. Por favor, entre.

Dei um passo para o lado para deixar que ele entrasse no apartamento da prima, me sentindo completamente… deslocada.

Lucas levantou do chão uma mochila que parecia pesada e entrou, permitindo que eu observasse melhor sua bunda. Agora que seus olhos não estavam em mim, finalmente me permiti observá-lo. Observá-lo de verdade, percorrendo de cima a baixo toda a extensão de seu corpo algumas vezes.

E meu Deus. Ele tinha pernas compridas e esguias. Lucas era mais alto do que eu imaginava com base no que tinha visto em minhas stalkeadas. Até seus ombros eram mais largos do que eu imaginava. E o moletom surrado que ele estava vestindo não os escondia – nem os músculos que senti quando estava segurando seus braços. Nem escondia o fato de que só de olhar para suas costas dava para perceber que ele era um atleta profissional. Que surfava em competições. E estamos falando de competições e torneios e ondas lindas e assustadoras, incrivelmente grandes. Lucas provavelmente tinha passado a maior parte da vida na água e seu corpo devia ser capaz de suportar...

O baque da mochila dele caindo chamou minha atenção. Ele tinha parado ao lado da ilha que separava a cozinha da sala no estúdio aconchegante.

– Então, Rosie.

Lucas se abaixou para pegar a banqueta que eu tinha derrubado. Ele a colocou ao lado de outra, seu par.

– Se você não sabia que eu vinha... – disse ele, olhando para mim com um sorriso fácil. – E, se disse que não estaria aqui se soubesse que eu viria, imagino que você não faça parte do meu comitê de boas-vindas, certo?

A voz grave dele, seu tom gentil, mas brincalhão, me deu um frio barriga, que eu suprimi na mesma hora.

– Uma pena, eu estava começando a pensar que devia agradecer à minha prima.

O frio na barriga voltou e foi difícil encontrar uma resposta, o que nos mergulhou em um silêncio estranho.

O sorriso de Lucas se desfez.

– Era uma piada – explicou ele. – Uma piada bem ruim, pelo jeito. Desculpe, eu geralmente sou mais desenvolto.

Eu só consegui piscar.

Pense, Rosie. Pense. Diga alguma coisa. Qualquer coisa.

– Ashton Kutcher – foi o que meu cérebro decidiu dizer.

Lucas franziu a testa.

– Ele é o apresentador daquele programa *Punk'd*, de pegadinhas. Que você não conseguia lembrar – expliquei, e então joguei as mãos para o alto e fiz uma voz mais grave. – Você está no *Punk'd*!

Ele inclinou a cabeça, e eu quis desfazer os últimos dez segundos da minha vida. Voltar no tempo, dizer outra coisa. Algo inteligente. Dar uma flertada. Era pedir demais? Eu nem estava pedindo para desfazer os últimos dez minutos. Ou as últimas dez horas.

Mas Lucas riu. Uma risada profunda e feliz. E, por algum motivo estranho, eu soube que era genuína e que ele não estava rindo da minha cara.

– Sim – disse ele, o corpo chacoalhando de tanto rir. – Era desse programa que eu estava falando. E é esse mesmo, o cara do cabelo bonito.

Ao olhar para ele – para seu rosto, seus lábios risonhos, seu cabelo, que era muito, muito mais bonito que o do Ashton Kutcher –, notei que eu também estava rindo. Não consegui me conter.

Mas, quando o olhar dele desceu até meus lábios, isso meio que arrancou o sorriso do meu rosto.

– Então tá – falei, endireitando os ombros e desviando o olhar. – Isso foi divertido.

Mentira.

– Mas acho que é hora de eu ir e deixar você… à vontade.

Sem perder tempo ou pensar na testa profundamente franzida dele, fui até onde estavam meus pertences e ajoelhei diante das minhas duas malas – uma delas aberta, e já quase vazia –, uma ecobag grande cheia até a boca e uma caixa com tudo o que havia de perecível na minha casa.

Ouvi alguns passos à minha direita. Então, um par de tênis brancos entrou no meu campo de visão.

– Você vai embora… – comentou Lucas, quando peguei um sapato perdido que não lembrava de ter tirado da mala. – Com tudo… isso.

Não era uma pergunta, eu sabia, mas respondi assim mesmo.

– É claro.

Peguei a pilha de blusas que aparentemente também tinha tirado da mala.

– Eu só dei uma passadinha aqui na casa da Lina porque… porque…

Porque pretendia usar seu apartamento – que claramente não estava vago – enquanto ela estivesse em lua de mel, já que o meu estava inabitável no momento.

– Eu precisava regar as plantas. Pegar a correspondência. Esse tipo de coisa.

Um momento de silêncio.

– Não parece que você estava só dando uma passadinha, Rosie.

– Ah.

Fiz um gesto descontraído com uma das mãos e comecei a colocar as blusas dentro da mala aberta com a outra. *Meu Deus, por que fui tirar tanta coisa da mala?*

– Isso aqui? Não é nada.

Sou só eu tentando não ser inconveniente com um cara por quem eu talvez tenha uma quedinhazinha de nada.

Ele se sentou no chão à minha frente. Como se estivéssemos de bobeira, jogando conversa fora.

Fechei e abri a boca algumas vezes até finalmente ser capaz de dizer alguma coisa.

– O que você está fazendo?

Alguma coisa inteligente, Rosie.

Lucas riu, o som leve e despreocupado e nada parecido com o que eu estava sentindo.

– Eu ia perguntar o que você veio fazer aqui de verdade, no apartamento da minha prima. Eu teria perguntado antes, mas nós estávamos... ocupados. – Ele deu de ombros e acrescentou: – Não acho que você me deva uma explicação. Tudo isso – disse ele, girando um dedo no ar – é claramente culpa da Lina. Você não fazia nem ideia de que eu viria.

– Não mesmo.

– Mas ela sabe que você está aqui?

Soltei um suspiro.

– Não...

Hesitei, embora eu achasse que devia uma explicação a Lucas, sim.

– Mas não foi por falta de tentativa. Eu liguei para ela e para o Aaron, para ver se eu podia usar minha chave extra e passar a noite aqui.

Na verdade, algumas noites, no plural.

– Mas nenhum dos dois atendeu. Ou os celulares estão fora da área.

Lucas analisava meu rosto, como se estivesse tentando juntar as peças. Então ele tirou um pequeno objeto do bolso.

– Falando em chave – disse ele, segurando o objeto entre os dedos. – Eu não estava mentindo. Eu tenho uma.

Meus lábios se abriram para mais um pedido desculpas, mas Lucas me deteve, balançando a cabeça.

– A Lina deixou na pizzaria no fim da rua. Alessandro's? Ela me deu instruções para buscar a chave lá.

Aquilo fazia... sentido. Mas não mudava o fato de ela não ter me dito que Lucas viria.

– Sujeito bacana, o tal Sandro – disse Lucas, assentindo. – Devo estar parecendo mesmo exausto, porque ele até me ofereceu comida.

O rosto de Lucas se iluminou de repente e lembrei de uma foto do Instagram em que ele está olhando para um bife como se aquele pedaço suculento de carne tivesse acabado de pendurar a lua e as estrelas no céu só para ele.

– Provavelmente a melhor pizza que eu comi em um bom tempo.

– O Sandro é assim mesmo – respondi, pensando no homem de meia-idade e cabelo escuro. – E não me surpreende que você tenha gostado tanto. A gente pede pizza lá pelo menos uma vez por semana desde que a Lina se mudou para cá, há alguns anos.

Provavelmente foi por isso que minha melhor amiga se sentiu segura para deixar a chave do apartamento com o dono da pizzaria.

– Estou sabendo – disse Lucas.

Notei um brilho nos olhos dele. O que será que Sandro tinha dito a nosso respeito, não é mesmo? Bem, espero que não tenha contado que sempre pedíamos comida suficiente para alimentar um pequeno batalhão.

Ficamos nos entreolhando por um bom tempo. E, embora não fosse tão constrangedor quanto tinha sido minutos antes, também não era exatamente um silêncio confortável. Não quando meu crush secreto por aquele homem sentado no chão à minha frente parecia inchar como um balão, preenchendo todo o espaço entre nós. E certamente não quando todos aqueles fatos e detalhes que eu vinha coletando havia mais de um ano e guardando em um compartimento secreto e selado do meu cérebro começaram a extravasar.

Como o fato de eu saber que Lucas *amava* abacaxi na pizza, porque não deixava de ser comida – algo que nunca entendi. Ou que aquela cicatriz minúscula em seu queixo era de quando ele tropeçou na coleira do Taco – seu lindo pastor belga – e caiu de cara. Ou que ele prefere o nascer ao pôr do sol.

Meu Deus. A quantidade de informação que é possível descobrir nas redes sociais quando acessamos muito um perfil é assustadora.

– Rosie – disse ele, de um jeito tão doce que senti uma bola de vergonha subindo pela garganta.

O que eu estava pensando, stalkeando o cara assim?

– Sim? – resmunguei.

– Por que você está aqui? Falando sério.

Fiquei me perguntando se deveria responder com sinceridade. Não que eu não quisesse que o Lucas soubesse a verdade, mas aquele encontro já tinha sido suficientemente dramático e acrescentar um relato do meu dia infeliz talvez fosse passar dos limites.

– Teve um probleminha no meu prédio – respondi, engolindo em seco, escolhendo uma meia-verdade. – Nada de mais, mas achei que seria melhor passar a noite fora.

Ele arqueou as sobrancelhas.

– E que probleminha foi esse?

– Um problema no encanamento – eu disse, dando de ombros. – Nada que não possam consertar. Logo eu vou poder voltar.

– Hummm... E ainda assim você decidiu trazer todas as suas coisas?

Ele abaixou a cabeça, apontando para as malas e as coisas espalhadas entre nós.

– E toda a sua... comida também? Só para passar uma noite?

– Eu gosto de poder fazer um lanchinho – respondi, olhando para o apartamento inteiro, menos para ele. – Gosto muito. Sou bem capaz de comer tudo isso em uma noite.

– Sei – disse ele, mas pareceu não acreditar.

Justo, porque eu estava mentindo.

Olhei para ele e não sei o que tinha em sua expressão, mas me ouvi dizer:

– Tá. Não foi um *probleminha*. Abriu uma rachadura no teto. Grande o bastante para me fazer empacotar todas as minhas coisas, chamar um táxi e vir passar a noite aqui.

Aqui, porque meu pai tinha se mudado para a Filadélfia, e meu irmão, Olly, não atendeu quando liguei. E também porque eu estava mentindo para os dois havia meses – seis para ser exata – e ir passar a noite com eles revelaria minhas mentiras.

– Desculpe, nada disso é problema seu. Está tudo bem, juro.

Olhei ao redor, observando o estúdio pequeno da minha melhor amiga.

– Aqui só tem uma cama, então eu acho... eu *sei* que não podemos ficar os dois aqui.

Sendo sincera, eu teria dormido no sofá de bom grado, mas colocar Lucas nessa situação não era algo que ele merecia depois de tudo. Eu já estava bem constrangida.

– Vou passar a noite em um hotel.

Olhei para ele e vi seus lábios contraídos. Não era um sorriso. Estava mais para uma careta.

– Mas você está bem? – perguntou ele.

Fiquei um pouco surpresa com a pergunta.

– O quê?

– A rachadura no teto – continuou ele. – Parece sério. Você está bem?

– Ah... – eu disse, e engoli em seco. – Estou... bem, sim.

Mas Lucas não pareceu acreditar em mim. De novo.

– Juro. Sou nova-iorquina. Sou durona.

Torci para que minha risada parecesse sincera e trouxe algumas das coisas espalhadas para mais perto.

– Só vou juntar tudo e chamar um Uber.

Inspecionei minha bagunça e comecei a jogar tudo dentro das malas e sacolas o mais rápido possível.

Talvez por isso eu não tenha percebido que Lucas tinha se mexido até ficar em pé e se afastar. Ele parou ao chegar perto da mochila, pegou-a do chão e pendurou-a no ombro.

– O quê...

Eu também levantei.

– Aonde você está indo?

Lucas ajeitou o peso da mochila nas costas. O sorriso tinha voltado, tortinho e... sim, com o mesmo poder de me distrair.

– Para outro lugar. Não vou ficar aqui.

– O quê? – perguntei, olhando para ele, boquiaberta. – Por quê?

Ele deu um passo em direção à porta.

– Porque já passou da meia-noite e você está com uma cara de quem pode desmaiar a qualquer momento.

Pisquei várias vezes e percebi minha mão indo até meu cabelo, de repente. Eu estava...

Interrompi o gesto, porque minha aparência não importava. Primeiro porque não havia nada que eu pudesse fazer a respeito no momento. Segundo porque... não havia mesmo nada que eu pudesse fazer.

– Você tem para onde ir? – perguntei finalmente. – Algum lugar que não seja a casa da Lina?

– Claro – disse ele, dando de ombros. – Estamos em Nova York, as opções são infinitas.

– Não.

Balancei a cabeça, dando um passo para o lado e bloqueando o caminho até a porta.

– Não posso permitir uma coisa dessas, Lucas. Eu é que vou embora. Esse apartamento é da sua prima. Você tem até a chave. Você... não pode passar a noite em um hotel.

O sorriso dele ficou mais caloroso.

– Você é um amor, Rosie. Mas não tem problema.

Ele deu a volta em mim, me fazendo virar nos calcanhares para não perdê-lo de vista.

– Além do mais, vai ser mais fácil assim. Eu só trouxe uma mochila, e você trouxe...

Ele olhou para o tamanho da minha bagunça.

– Muito mais do que isso.

– Mas...

Ele voltou a olhar para mim, e a forma como suas sobrancelhas se curvaram em uma espécie de careta, bem distante do sorriso fácil de antes, quase me fez perder a linha de raciocínio.

– Olha só – disse ele, com calma. – Eu sou direto, então vou falar abertamente, tá?

Engoli em seco.

– Estou com a impressão de que a minha presença aqui está te deixando muito constrangida. Na verdade, tenho certeza disso. E tudo bem, acabamos de nos conhecer.

O quê? Ah, meu Deus, era por isso que ele estava indo embora? Ele...

– Não estou constrangida – respondi do jeito mais constrangido possível. – Não é pelo motivo que você está pensando.

Ele inclinou a cabeça e minha boca se abriu mais uma vez para dizer outra coisa, qualquer coisa. Mas não saiu nada. Só um gaguejo.

– É... Não é...

– Eu proponho um acordo – disse ele, me interrompendo, e por algum motivo tive a sensação de que ele tinha feito isso para me salvar de mim mesma. – Você passa a noite aqui, descansa um pouco, e amanhã eu volto.

Começamos de novo. Esquecemos esta noite. E aí vemos o que fazer a respeito da acomodação.

Uma pausa cautelosa.

– O que você acha?

Começamos de novo. Esquecemos esta noite.

O que eu não daria para que isso fosse possível.

– Mas não há nada para ver, Lucas. Lina prometeu o apartamento para você. Então você deveria ficar.

– Tudo bem – disse ele. – Mas não hoje.

Não estava tudo bem. Não estava *nada* bem. Estava tudo errado e eu... eu só percebi que estava soltando o ar pela boca quando ouvi o barulho.

A risada de Lucas saiu grave, masculina.

– Eu volto amanhã, prometo.

Meus lábios se abriram, prontos para argumentar mais um pouco, para jogá-lo no chão e obrigá-lo a ficar se fosse preciso.

– Eu vou ficar bem, Rosie – disse ele, interrompendo meus pensamentos com uma expressão séria, sincera. – Vai ficar tudo bem.

E, com isso, toda a minha determinação de brigar se esvaiu, deixando que a exaustão tomasse conta. O peso de anos e anos tentando manter tudo organizado, contido, sempre sozinha, caiu sobre mim. Da cabeça aos pés, como uma onda. E pela primeira vez na vida, ao ouvir aquelas quatro palavras, *Vai ficar tudo bem*, sem que fosse eu a dizê-las para consolar outra pessoa, senti a necessidade de deixar rolar.

– Beleza, então. Obrigada – resmunguei, e o agradecimento era mais sincero do que Lucas poderia imaginar.

Ele assentiu discretamente e deu mais um passo.

– Vejo você amanhã, então. Desta vez vou bater, prometo.

Tentei pensar em algo inteligente e engraçado para dizer, mas qual seria o propósito? Eu já tinha estragado tudo. As primeiras impressões são como palavras escritas com tinta permanente: uma vez no papel, há pouco que possamos fazer para mudá-las. Então, fiquei só olhando para ele, que virou a maçaneta e abriu a porta.

– Ei, Rosie? – chamou ele, antes de sair. – Foi ótimo finalmente conhecer a melhor amiga da Lina.

Finalmente.

Ele disse *finalmente*.

Como eu mesma tinha dito um pouco antes. Embora por um motivo completamente diferente.

– Igualmente, Lucas. Foi... ótimo.

Na verdade, foi um desastre.

Um sorriso discreto apareceu nos lábios dele.

– Por favor, tranque a porta depois que eu sair, tá? – disse ele, então se virou para ir embora. – Nunca se sabe quem pode querer invadir o apartamento.

E, simples assim, vi Lucas Martín desaparecer escada abaixo tão rápido quanto tinha surgido à minha porta – ou à porta da Lina.

Como se aquilo tudo não passasse de um sonho, fruto da minha imaginação.

Um sonho bobo e bizarro sobre um homem que eu stalkeei pelo celular durante meses, graças à magia das mídias sociais.

Um homem por quem desenvolvi um crush ridículo, mesmo quando eu ainda não o conhecia pessoalmente e achava que nunca fosse conhecer.

TRÊS

Rosie

Quando acordei na manhã seguinte – exatamente às seis, exatamente como todos os dias de semana nos últimos cinco anos, ainda que não precisasse mais fazer isso –, havia um homem de olhos castanhos e sorridente em minha cabeça.

E por uma fração de segundo, tive certeza de que tinha sonhado aquilo tudo.

Lucas Martín à porta. O desastre que aconteceu em seguida.

Mas, à medida que os segundos foram passando e fui acordando direito, percebi que nada daquilo tinha sido criado pelo meu inconsciente: tinha acontecido de verdade. Lucas estava mesmo ali. Eu realmente tinha confundido o primo da Lina com um ladrão. E conseguido causar a pior primeira impressão da história das primeiras impressões.

Começamos de novo. Esquecemos esta noite.

Quem me dera ter essa sorte.

Soltei um gemido alto e cobri o rosto com um dos braços.

Para piorar ainda mais, meu cérebro agora menos confuso se deu conta de que eu tinha deixado Lucas ir embora – para se aventurar em uma cidade à qual tinha acabado de chegar –, quase sem fazer objeções. Eu fiquei no apartamento e deixei o cara por conta própria.

Meu Deus, eu fui péssima.

Rolei para o lado, me recusando a levantar e deixar a segurança confortável da cama da minha melhor amiga. Meu olhar pousou em um porta-retratos com uma foto da Lina com a avó que estava em uma prateleira, me lembrando como ela sempre foi próxima da família.

Mas por que ela não me contou sobre a visita do Lucas? Lina era uma pessoa que compartilhava até demais, especialmente comigo. Ela teria comentado algo do tipo pelo menos de passagem.

Em sua defesa, desde que tinha sido pedida em casamento por Aaron, em setembro do ano anterior, Lina andava enrolada com os preparativos da cerimônia.

Organizar um casamento na Espanha estando do outro lado do mundo não era exatamente fácil. E, depois do evento, que tinha acontecido dois meses antes, em um dia lindo de verão perto do mar, ela foi soterrada por tudo o que veio na sequência, embora eles só tivessem ido para a lua de mel agora, em outubro. Então, eu imagino… imagino que ela tenha esquecido.

Fechando os olhos, decidi que, fosse como fosse, isso não importava. Lucas estava em Nova York, e Aaron e Lina estavam no Peru, aproveitando sua merecida lua de mel. Eu não tinha por que ficar magoada.

Principalmente levando em consideração que eu não estava sendo sincera com as pessoas à minha volta. Lina não sabia do meu crush secreto pelo primo dela. E isso não era nada comparado à mentira que eu vinha contando ao meu pai e ao Olly a respeito do trabalho havia meses. *Meses.*

Fui tomada por uma onda de coragem.

Tudo isso acabaria hoje. Chega de mentiras.

Eu contaria para Lina o que tinha acontecido no dia anterior e depois iria até a Filadélfia ver meu pai. Talvez Olly pudesse nos encontrar lá. Isso se ele parasse de ignorar nossas ligações.

Eu me sentei com as costas apoiadas na cabeceira da cama, peguei o celular, abri o aplicativo de mensagem e comecei a digitar para ela.

> E aí, espero que os pombinhos estejam curtindo o Peru 🖤
> Olha só, ontem à noite…

Meus dedos pairavam sobre a tela, hesitantes.

> Ontem à noite… quase fiz seu primo Lucas ir preso.

> Olha que máximo!

Não. Definitivamente não.

Apaguei e comecei tudo de novo.

> Ontem à noite… o teto lá de casa cedeu, então peguei
> a chave reserva e fui para a sua casa (não consegui falar
> com você, mas sabia que você não se importaria). Enfim,
> tudo estava correndo bem até seu primo aparecer e eu por
> algum motivo achar que ele fosse um ladrão. Lembra do
> Lucas? Seu primo? Que você me mostrou no Instagram há
> uma eternidade? Bom, eu… dei uma olhada no perfil dele.
> Algumas vezes. Ok, mais do que só algumas vezes. Todos os
> dias, de repente? É difícil explicar… sabe o Joe Goldberg de
> *You*? Tirando os assassinatos.

É, melhor não. Longo demais para uma mensagem.

A palavra *assassinatos* talvez fosse um exagero também.

Com um suspiro longo e alto, apaguei a mensagem e deixei o celular cair no colo.

A verdade era que eu tinha meio que stalkeado Lucas esse tempo todo. De um jeito totalmente inofensivo.

Eu fiquei curiosa desde a primeira vez que Lina me mostrou um post dele. Então comecei a olhar o perfil dele com frequência, e aí Aaron pediu a mão da Lina no ano passado, e eu… comecei a ter esperança de encontrar Lucas no casamento. Simples assim, o que tinha começado como mera curiosidade virou algo mais.

Cada foto que ele publicava, quer ele aparecesse ou não, me dava frio na barriga. Cada legenda, curta mas sempre engraçada e sincera, me aproximava um pouco mais dele. Cada vídeo me dava a chance de conhecer um pouco da rotina dele com Taco. Da vida daquele homem charmoso e atraente.

Claro, o fato de ele ser surfista profissional e aparecer sem camisa na maioria das fotos ajudava um pouco.

Algumas pessoas seguiam celebridades como Chris Evans ou Chris Hemsworth – ou seja lá qual for o Chris da vez – em busca daquela injeçãozinha de serotonina antes de dormir. Um pouquinho de devaneio, um montão de desejos. Já eu… bem, acho que eu acompanhava Lucas Martín.

Era só um crush bobo e inocente por alguém que eu não conhecia de verdade. Além disso, esse crush parou de ser alimentado no instante em que ele desapareceu e parou de atualizar o perfil de repente – semanas antes do casamento de Lina e Aaron –, e acabou não indo à cerimônia. Naquele momento eu tinha enterrado toda aquela bobagem e dito a mim mesma que precisava parar.

O celular tocou em meu colo, e esqueci a questão imediatamente ao ver o rosto do meu irmão mais novo na tela.

– Olly? – chamei, o coração disparando no peito. – Por onde que você andou? Por que não retornou nenhuma das minhas ligações? Está tudo bem? Você está bem?

Um longo suspiro do outro lado da linha.

– Não aconteceu nada, Rosie.

A voz do meu irmão soou grave, me fazendo lembrar que ele não era mais criança. Ah, não, ele era um adulto de 19 anos que deixou minhas ligações irem parar na caixa postal por semanas.

– Me desculpe. Eu andei… ocupado. Mas estou voltando agora.

– Ocupado com quê? – perguntei, sem conseguir me conter.

Quando meu pai anunciou, havia quase um ano, que estava se mudando do Queens, onde tinha passado a maior parte da vida e onde Olly e eu fomos criados, para a Filadélfia, Olly disse que não iria. Também disse que, diferentemente de mim, não iria para a faculdade. Eu e meu pai apoiamos, incentivamos meu irmão a correr atrás da própria felicidade. Eu mesma havia ajudado com o aluguel e outras despesas até pouco tempo atrás. Mas Olly estava penando para encontrar uma vocação. Também tinha dificuldade de se manter no mesmo emprego por mais do que algumas semanas.

O silêncio na linha durou tanto tempo que fiquei com medo de que ele tivesse desligado.

– Olly?

Mais um suspiro.

– Olha só – falei, e todas as emoções que fervilhavam dentro de mim envolveram essas duas palavrinhas. – Não estou colocando você contra a parede, tá? Eu te amo. Amo mais do que tudo, você sabe disso. Mas faz semanas que você me ignora, só me manda mensagens curtas para evitar que eu perca a cabeça e registre um boletim de ocorrência pelo seu desaparecimento.

E eu teria feito isso. Teria *mesmo* se as coisas chegassem a esse ponto.

– Então, não me vem com essa de que andou *ocupado* achando que eu vou aceitar essa explicação, por favor. Não…

– Eu andei ocupado com o trabalho, Rosie.

Meu peito se encheu de esperança por um instante, mas ela logo foi sufocada por centenas de perguntas.

– Que bom – falei, tentando conter minha preocupação. – Que tipo de trabalho?

– É… em uma boate.

– Uma boate – repeti, me obrigando a manter a objetividade. – Como garçom? Você já tentou isso e…

Pediu demissão depois de três semanas.

– Você já tentou isso e não deu certo. Em um café, lembra?

– Não estou servindo bebidas – explicou ele. – Estou fazendo outra coisa. É… difícil de explicar. Mas estou ganhando bem, Rosie.

– Não me importo com quanto você ganha, Olly. O que me importa é que você seja feliz. Sobre…

– Eu estou bem, ok? Não sou mais criança e você não precisa se preocupar comigo.

Eu quase bufei ao ouvir esse *você não precisa se preocupar comigo*, mas me contive. Olly era adulto, e eu entendia a necessidade de impor limites. O desejo de não ser tratado como criança. Mas eu ainda era a irmã mais velha, e ele ainda era a criança para quem eu dava cereal colorido no jantar quando a geladeira estava vazia e nosso pai trabalhava à noite.

– Tá bom, tá bom. Eu paro – cedi, mas acrescentei: – Por hoje.

– Obrigado – resmungou ele, de má vontade.

Resolvi desviar a conversa para um terreno mais seguro.

– Olha só, eu estava pensando em comprar uns enroladinhos de salsicha e ir até a Filadélfia hoje. Fazer uma surpresa para o papai. Quer ir comigo? Você volta antes de anoitecer. Que tal nos encontrarmos na estação e irmos juntos?

Um instante de silêncio, então ele perguntou:

– Você não tem que trabalhar? Hoje é segunda.

Estremeci, me repreendendo em silêncio pelo descuido. *Ah, merda.*

– Eu… é. Você tem razão.

E, tecnicamente, ele tinha mesmo. O que Olly e meu pai não sabiam é que fazia seis meses que eu tinha parado de chamar a InTech Manhattan de *trabalho.*

– Mas eu tirei o dia de folga. Só hoje. Meu chefe anda… mais flexível com minhas folgas agora que sou, sabe, líder de equipe.

– Ah, sim. Minha irmã mais velha agora é chefe. Verdade.

Ele riu, e eu desejei ouvir aquele som com mais frequência. Queria não estar mentindo para ele e que ele também não estivesse escondendo coisas de mim.

– Então aquela promoção do ano passado anda bem, né? Está planejando subir ainda mais degraus, maninha?

– Ah, eu não tenho planos de fazer isso, pode acreditar.

Não agora que eu tinha, na verdade, descido da escada. Esticando as pernas, coloquei os pés no chão e saí da cama.

– Então, você vai comigo? Visitar o papai?

– Eu…

Ele hesitou, o que por si só já era indicativo de que eu estava prestes a me decepcionar.

– Por favor, Olly. Eu preciso contar uma coisa para você. Para vocês dois. E o papai está com saudade de você. Faz semanas que eu estou te dando cobertura, mas estou ficando sem desculpas. Por favor, vamos.

Ele soltou um suspiro.

– Tá, vou ver o que consigo fazer.

Ah, progresso, ou era o que eu esperava.

– Eu te mando os horários do trem, tá? Podemos nos encontrar na estação.

– Tá – respondeu ele, a esperança de antes irrompendo em meu peito. – Eu… eu te amo, Feijãozinho.

Feijãozinho. Fazia muito tempo que ele não me chamava assim.

– Eu também te amo, Olly.

E com essas palavras de despedida, resolvi me preparar e confessar a verdade ao homem que tinha mantido vários empregos para dar uma vida boa aos filhos depois de ter sido largado pela mulher. O homem que nos criou, sozinho, quando nossa mãe nos abandonou. O homem que pagou minha faculdade com o próprio suor e uma determinação de aço. O homem a quem eu devia a estabilidade financeira que o diploma de engenheira tinha me garantido até pouco tempo atrás. Até aquele dia, seis meses antes, quando decidi arriscar e mudar de vida. Mudar de carreira.

Meu Deus...

Como contar a esse homem que decidi abrir mão do cargo estável e com bom salário pelo qual ele trabalhou tanto – e eu também – para ir atrás de um sonho que não passava de um pouco de tinta em um papel?

Como contar a esse homem, que fez tantos sacrifícios, que eu tinha trocado uma carreira estável com perspectivas incríveis por uma sem qualquer garantia?

Eu não fazia ideia. E exatamente por isso vinha carregando esse segredo nos ombros por meses.

Mas isso estava prestes a acabar.

Fiquei repetindo esse mantra enquanto me preparava. Vesti a primeira coisa que consegui tirar da mala: uma calça jeans clara e um blusão cor de vinho. E, como em quase todas as manhãs, tentei, sem sucesso, domar meu cabelo cacheado e me contentei em prendê-lo frouxamente em um coque.

Ao sair, tracei um plano de ação.

Primeiro, eu compraria os enroladinhos de salsicha favoritos do meu pai na O'Brien's, uma padaria a alguns minutos do apartamento da Lina, no Brooklyn. Depois, esperaria até ele dar a primeira mordida naquela deliciosidade frita e, *bum*, soltaria a bomba.

Era um bom plano.

Pelo menos era disso que eu tentava me convencer quando entrei na padaria, fiz o pedido e peguei o suborno que ofereceria a meu pai. Deve ter sido por isso que quase tropecei quando, ao botar os pés na calçada, meu olhar pousou na janela da lanchonete do outro lado da rua.

Olhei de novo. E de novo. Devo ter olhado durante um minuto inteiro.

Como não olhar, se Lucas estava sentado bem ali, junto à janela da lanchonete, com o cabelo bagunçado e os braços fortes e definidos cruzados? A boca, que eu praticamente só tinha visto sorrindo, estava aberta e ele estava com cabeça apoiada no encosto do assento. Percebi que ele estava com a mesma roupa da noite anterior.

Mas eu devia estar ficando maluca. Não podia ser ele.

Lucas não podia estar dormindo em uma lanchonete, com uma caneca e um prato vazio à sua frente. Era para ele estar em um hotel. A não ser que...

O pensamento ficou incompleto, porque meus pés já estavam me levando ao outro lado da rua, até a lanchonete. Uma dúvida enorme se debatia contra as paredes da minha mente: *Será que ele passou a noite aqui? Se sim, por quê? Por que não foi para um hotel?*

Entrei na lanchonete com o pacote quente de enroladinhos pendurado nos dedos.

Fui até ele e examinei de perto. Lucas estava com olheiras, a roupa toda amassada e o que parecia... baba no canto da boca.

– Lucas – sussurrei.

Ele não se mexeu. Nem me ouviu.

Limpei a garganta e me abaixei um pouquinho.

– Lucas...

A culpa e a preocupação deram um nó no meu estômago, e eu quis chacoalhá-lo para exigir respostas e pedir mil desculpas. Tudo ao mesmo tempo. Porque ninguém dorme em uma lanchonete, a não ser se estritamente necessário. Eu não devia tê-lo deixado ir embora com tanta facilidade na noite anterior.

Hesitante, estendi a mão livre e toquei de leve no ombro dele.

– Ei.

Sacudi de leve, tentando não perder a concentração pensando no quanto sua pele era quente e o corpo, torneado.

– Lucas, acorda.

E... Nada. Meu Deus, ele dormia feito uma pedra.

Eu não tive alternativa, a não ser...

– ACORDA!

A boca de Lucas se fechou de uma vez e um de seus olhos se abriu.

Um olho castanho ficou olhando para mim. Então sua expressão voltou a relaxar, até uma versão sonolenta de seu sorriso surgir diante de mim.

– Rosie – disse ele, com uma voz arrastada e rouca. – É você mesmo ou eu morri?

QUATRO

Lucas

Eu fui um idiota. Um idiota sonolento.

É você mesmo ou eu morri?

Sério, Lucas? *Por Dios.*

Eu não precisava estar totalmente acordado para saber que me arrependeria de ter dito aquilo. Mas aquela cantada brega, sem originalidade e desnecessária saiu da minha boca antes mesmo que eu me desse conta do que estava acontecendo. Abri os olhos – ou um olho – e ali estava ela. Rosie. A melhor amiga da Lina. A garota que conquistou toda a família Martín. Rosto em formato de coração, traços delicados, lábios aveludados e olhos verdes encantadores. Meu cérebro privado de sono tentava determinar se a visão era real ou se ela era algum tipo de miragem. E vejam só o tipo de merda que sai da minha boca quando minha cabeça não está prestando atenção.

– Qu... quê? – resmungou Rosie, franzindo a testa porque eu não disse mais nada depois daquela frase espetacular. – Você está bem?

Pergunta do ano.

Abrindo o outro olho com esforço, balancei a cabeça, esperando que minha expressão estivesse leve, e falei:

– O sol estava brilhando atrás de você – expliquei, apontando para a janela. – Estava emoldurando seu rosto. Tipo uma auréola.

Rosie piscou – duas vezes – antes de responder com um:

– Ah. Obrigada?

Abafei uma risada ao ver a reação dela e me espreguicei. Todos os músculos das minhas costas reclamaram, rígidos após eu ter passado tantas horas sentado. Eu não deveria ter ficado tanto tempo ali. Provavelmente precisava ficar em pé, movimentar as pernas, as articulações, mas...

Rosie estava ali. Olhando para mim com uma cara engraçada. As sobrancelhas unidas em uma leve careta. Preocupada e um pouco irritada.

– Você está brava com... – comecei a dizer.

Mas ao mesmo tempo ela disse:

– Posso te perguntar...

Nossos olhares se encontraram e, sorrindo para mim mesmo, falei:

– Você pode me perguntar qualquer coisa.

– Sei que não é da minha conta, mas... O que você está fazendo aqui, Lucas? Parece que você... Por acaso você...

Rosie pigarreou como se estivesse tentando suavizar o tom de voz.

– Você passou a noite aqui?

Eu não queria mentir para ela. Nunca fui bom nisso. Então perguntei:

– Como estou?

– Bom, você está ótimo... – disse ela, mas emitiu um barulho estranho antes de continuar. – Você parece bem, mas também parece... alguém que dormiu em uma lanchonete.

– Atraente de um jeito casual e natural?

– Você estava babando.

– Putz.

– Estou falando sério – insistiu Rosie.

– Ah, eu acredito em você. E aposto que foi uma visão e tanto.

– Você... meio que era, sim, eu acho – admitiu ela, dando de ombros. – Para quem gosta de homens que babam quando dormem.

Uma pausa.

– Eu não gosto.

Inclinei a cabeça para o lado, fingindo pensar em alguma coisa.

– Do que você gosta, então, Rosalyn Graham?

Ela arregalou os olhos por um segundo. Depois, começou a falar, mas se conteve.

– Eu gosto de... você está mudando de assunto.

Rosie fez outra pausa e seus lábios se contorceram em um biquinho.

– Você disse que ia procurar um hotel. Deveria ter ficado na Lina se não tinha para onde ir. Deveria ter me falado em vez de deixar que eu te enxotasse.

Franzi a testa.

– Mas você não me enxotou – falei, sério e com sinceridade. – Eu é que fui embora.

Porque percebi o quanto ela ficou constrangida com a minha presença. Como ela ficou abalada quando cheguei. E eu não sou o tipo de cara que se sente confortável invadindo a privacidade e o espaço pessoal de uma garota sem nem ao menos conversar com ela.

– Esse sofazinho é mais confortável do que parece. Experimenta.

Estendi a mão, apontando para o que estava à minha frente.

– Senta e vê você mesma. Vou pegar alguma coisa pra gente beber.

Virei e chamei o garçom com um sorriso. Ele assentiu, sinalizando que já vinha.

Quando voltei a ficar de frente para Rosie, ela não tinha sentado.

Nem sequer se mexido.

Estava ocupada demais me olhando com uma cara feia.

Mas aquela cara feia... fez meus lábios se curvarem. Mais uma vez. Porque ela estava irritada comigo, um homem adulto que era basicamente um desconhecido, por ter dormido em uma lanchonete. O que era muito gentil da parte dela.

– Você disse que ia ficar bem – lembrou Rosie com a voz meio hesitante.

– E eu estou bem – respondi, apontando para mim mesmo com as duas mãos e me esforçando muito para manter a leveza e esconder a exaustão. – Nunca estive *tão bem*.

Olhei nos olhos dela e dei uma piscadinha.

As bochechas ficaram rosadas, e a careta se aprofundou.

– Suas olheiras estão dizendo o contrário.

Dei um tapinha no peito.

– Nossa, Rosie. Você precisa parar com esses golpes, se continuar assim meu ego nunca vai se recuperar.

Mas ela não cedeu – nem riu da minha tentativa de piada –, só cruzou os braços, o que me fez perceber que havia um pacote marrom pendendo de uma de suas mãos.

Depois do que acabou se tornando uma encarada de uns dez segundos, soltei o ar em um suspiro. Então, apontei mais uma vez para o assento à minha frente.

– Você precisa ir a algum lugar? Pode ficar um pouquinho? Toma um café comigo e eu explico.

Ela hesitou, mas deu um passo de nada à frente.

– Eu tenho um tempinho. Posso ficar um pouco.

O garçom apareceu com duas canecas limpas e uma jarra de café fresco assim que Rosie se curvou para caber no sofazinho.

– Eu não menti. Ontem à noite, eu procurei mesmo um hotel – admiti, vendo o café preencher nossas canecas. – Obrigado – disse ao garçom com um aceno de cabeça antes de ele sair. – Mas tive um problema com meu cartão de crédito quanto tentei fazer o check-in e fui gentilmente convidado a me retirar.

– Que tipo de problema?

Coloquei um pouco de açúcar no café, mexi e bebi um gole. O sabor profundamente amargo atingiu minhas papilas gustativas de um jeito nada agradável.

– Meu cartão não estava na minha carteira. E, pelo que parece, sou o idiota que viaja sem um cartão reserva, então...

Dei de ombros.

– Enfim, eu não faço a menor ideia de onde posso ter perdido ou esqueci-do o cartão, mas eu só estava com minha identidade e um pouco de dinheiro.

Cinquenta dólares, para ser exato.

Rosie arregalou os olhos e o biquinho estava de volta.

– Por que você não voltou para o apartamento da Lina? Eu estava lá.

– Era muito tarde, Rosie – respondi. – Entrei no primeiro lugar aberto que encontrei para fazer umas ligações e meio que acabei cochilando. Lembra da baba sexy?

Esperei por uma risada que nunca veio.

Plateia difícil.

– Mas antes de pegar no sono eu entrei em contato com o banco – expliquei –, avisando que perdi o cartão, e pedi para me mandarem um novo. Mas pode ser que demore para chegar da Espanha.

– Ah, Lucas – disse Rosie, finalmente, olhando para a caneca e curvando os ombros. – Que droga. Estou me sentindo...

– Você não tem motivo nenhum para se sentir culpada, Rosie.

Ela pareceu discordar, mas não disse nada. Em vez disso, limitou-se a beber um gole de café. Vi Rosie estremecer, tirando a caneca dos lábios.

Inclinando o tronco para a frente, falei em voz baixa:

– Graças a Deus você também não gostou. Eu estava começando a achar que era disso que vocês gostavam aqui.

– De jeito nenhum – sussurrou ela em resposta. – Esse café está horrível. Meu Deus. Quantas xícaras você tomou?

– Essa é a quinta desde ontem à noite.

A expressão que eu tinha quase certeza que era de culpa reapareceu.

– Sinto muito…

– Chega disso – interrompi, com o dedo em riste entre nós. – Chega de ficar pedindo desculpas, ou nunca vamos conseguir ser amigos, Rosalyn Graham.

– *Amigos?*

Assenti, decidindo não dar atenção ao modo como ela pronunciou a palavra. Como se fosse algo impossível de se imaginar.

– Então, o que trouxe você até aqui? Imagino que não tenha sido a decoração, as bebidas ou a vista, já que você não gosta de homens que babam.

Ela bufou. Um som rápido e agudo, mas fofo.

Me vi sorrindo quando ela balançou a cabeça.

– Eu saí da O'Brien's e vi você do outro lado da rua.

O braço dela desapareceu embaixo da mesa e reapareceu com o pacote coberto de manchas de gordura.

– Eles têm o melhor enroladinho de salsicha da cidade. Bom, talvez seja uma das poucas padarias de Nova York que fazem enroladinho de salsicha. De qualquer forma, é uma das comidas de café da manhã favoritas dos Graham.

Fascinado pelo cheiro que vinha do pacote, não pude evitar ficar boquiaberto quando ela tirou dali um salgadinho brilhoso e crocante.

Um aroma intenso de massa frita atingiu meus sentidos.

– Está com fome? – perguntou Rosie segurando o salgadinho entre nós dois.

– Não – respondi, embora estivesse, sim. – Não estou.

Rosie soltou um "humm", e fiquei chocado quando ela estendeu o braço na minha direção. Segui o movimento com o olhar, depois olhei para ela de novo.

– Pega – disse ela, o humor dançando em seus olhos. – Você precisa mais do que eu.

– Não posso, é seu café da manhã.

Bem devagar, ela deu de ombros e aproximou o salgadinho da boca. Fiquei olhando para seus lábios entreabertos, para o enroladinho brilhoso e igualmente sedutor. Ela parou antes de enfiá-lo na boca, segurando o enroladinho no ar. Levantei o olhar, voltando a encará-la.

Meu estômago roncou,

– Ah – disse ela. – Acho que acabei de ouvir seu estômago tentando me dizer alguma coisa.

Se eu não estivesse tão concentrado em fingir que não estava cobiçando o salgado, esse comentário não teria me pegado de surpresa. Mas pegou e me arrancou uma risada.

Rosie abriu um sorriso e começou a rir junto comigo. Rir de verdade, dava para perceber. *Finalmente.* Gostei da risada dela.

– Come – ordenou ela, com um sorriso. – Eu insisto, Lucas. Vou ficar feliz se você aceitar.

Nunca vou saber o que exatamente me convenceu, mas estendi o braço e peguei o salgadinho.

– Obrigado, Rosie.

Sob seu olhar atento, levei o enroladinho até os lábios, dei uma mordida e… soltei um gemido imediatamente.

– *Dios mío…* É uma das melhores… – disse, e dei mais uma mordida – coisas que já abençoou minhas papilas gustativas.

Outra risada.

Notei que ela olhava para mim. Para a minha boca.

– Gostou?

– *Se eu gostei?* – repeti, balançando a cabeça e lambendo o indicador. – Esse enroladinho merece mais que um "gostei". Merece um *amei* – falei, lambendo o dedão também. – Merece ser seduzido e adorado.

Rosie ficou vermelha, provavelmente constrangida com meu comportamento descarado. Mas eu sou um homem intenso no que diz respeito a comida. Principalmente em relação a coisas que envolvam massas.

Ela se recuperou, apenas a pontinha das orelhas continuava rosada.

– Vocês, Martíns, têm uma coisa com comida mesmo, né?

Abri um sorriso, sem me preocupar em limpar a gordura e as migalhas da boca.

– Não posso falar por todos, mas se me trouxer um desses todos os dias talvez eu caia de joelhos e jure lealdade eterna a você, Rosalyn Graham. Em cerca de uma semana. Talvez menos.

Isso pareceu deixá-la atordoada.

Inclinei a cabeça, intrigado. Ela era mesmo tão tímida ou só cautelosa com estranhos? De qualquer forma, não importava, porque nenhuma das duas coisas seria exatamente um desestímulo. Principalmente depois de ela ter me alimentado.

Para minha surpresa, Rosie tirou mais um enroladinho do pacote.

– Aqui. Come mais um.

– Você é mesmo um anjo que caiu do céu – falei, e até eu fiquei surpreso ao perceber que não era exatamente mentira. – Mas não mereço mais essa gentileza.

– Merece, sim – respondeu ela, olhando para mim, séria.

Levantei uma das mãos.

– Não posso e não vou aceitar.

– Aceite, ou… não vamos ser amigos. E você disse… você disse que queria, então…

Hum, não *tão* tímida assim.

Sorrindo como se ela estivesse me oferecendo o mundo, e não aquela massinha deliciosamente gordurosa, me apoiei nos cotovelos e cheguei mais perto do rosto dela, fazendo questão de olhar em seus olhos.

– Só se a gente dividir – propus, pegando metade do enroladinho. – Por mais que eu tenha gostado de fazer uma cena para você, prefiro não comer sozinho.

Rosie pareceu pensar na oferta, mas acabou levando a metade dela à boca. E, quando terminamos, ela pegou um terceiro, dividiu em dois e me deu mais uma metade, que aceitei com um sorriso ainda maior.

– Então, Rosie…

Bebi um gole do café agora morno, deixando meu olhar viajar até seu pescoço e observando a blusa que deixava o ombro dela de fora. Estaria indo para o trabalho?

– Você trabalha na mesma empresa que a Lina, né? Como é mesmo o nome… *Tech* alguma coisa?

– InTech – respondeu Rosie com uma espécie de careta. – E eu… trabalhava. Não trabalho mais. Eu… é uma longa história.

Esperei que ela explicasse, mas, embora ela tenha mexido a boca algumas vezes, a explicação não veio.

Soltei um "humm", tamborilando na mesa.

– Proponho um trato.

– Um trato? – perguntou ela, de testa franzida.

Fiz um bico.

– Um jogo. Pra gente se conhecer, sabe? Porque, se vamos ser amigos, precisamos quebrar esse gelo.

Eu estava tentando a sorte, sabia disso. Ela não precisava compartilhar nada comigo, mas eu sabia reconhecer quando a pessoa estava enrolando. E Rosie já podia ter ido embora, mas estava ali, sentada comigo.

Ela inclinou a cabeça, e um cacho preto caiu de seu coque.

– Nós dois temos direito a fazer perguntas?

– Aham. Uma resposta em troca de outra. Vamos revezando até cinco. E não importa o tamanho da resposta. Que tal?

Ficamos nos encarando por um bom tempo, e vi que ela debatia consigo mesma. Estava com medo, mas curiosa.

Finalmente, ela disse:

– Cinco perguntas. Beleza.

Assenti lentamente, tentando conter a ansiedade crescente.

– Como você me alimentou e estou te devendo uma, vou deixar você começar.

Com uma das sobrancelhas baixa, pensativa, ela analisou meu rosto como se estivesse se preparando para arrancar meus segredos mais profundos.

Uma expressão adorável. E um pouco assustadora.

Rosie entrelaçou os dedos e descansou as mãos sobre a mesa.

– Onde você estava? Antes de vir para Nova York? Você disse que veio de Phoenix.

Relaxei automaticamente.

– Faz seis semanas que estou viajando pelos Estados Unidos.

Não passou despercebido o fato de essa informação parecer surpreendê-la.

– Comecei no norte, em Portland, Oregon, depois aluguei um carro e vim descendo. Dirigi de Nova Orleans até Phoenix.

Rosie assentiu, assimilando minhas palavras. Então disse, simplesmente:

– Ok, sua vez.

– Fácil. Com quem você ia compartilhar esses enroladinhos? Eram três, então, a não ser que você tenha um apetite enorme...

Desviando o olhar para o pacote vazio amassado, ela soltou um suspiro.

– Com meu pai e, se tiver alguma sorte, com meu irmão, mas é uma longa...

– Nada disso. Nada de quebrar as regras. Longa ou curta, eu quero a resposta.

Ela soltou uma risada.

– Estou indo para a Filadélfia... meu pai mora lá. E espero que meu irmão mais novo, que anda evitando minhas ligações há semanas por algum motivo que imagino que vá me deixar chateada ou irritada, ou ambos, dê as caras. Preciso contar uma coisa importante para eles dois. Então, comprei o café da manhã – disse ela, soltando um suspiro suave. – Esses enroladinhos são os favoritos do meu pai. Ele é doido por eles.

Fiquei em silêncio até ela erguer os olhos do tampo da mesa e voltar a me olhar. Tinha alguma coisa que ela não estava me contando. Dava para perceber pela expressão.

Fingi que estava pensando, depois disse:

– Preciso me preocupar com seu pai vindo atrás de mim por convencer a filha dele a me alimentar com o salgado favorito dele?

Isso arrancou uma risada. Outra risada curta, mas... o suficiente para me deixar satisfeito. Por enquanto. Ela ficou séria e olhou para mim.

– Essa foi sua segunda pergunta?

– Não sou muito fã de pais irritados, então sim. Foi minha segunda pergunta.

– Você tem o hábito de sair por aí deixando pais irritados?

Sem romper o contato visual, me apoiei nos cotovelos.

– Essa foi a *sua* segunda pergunta?

Ela estreitou os olhos, mas fez que sim.

– Hoje não mais. Mas no passado talvez eu tenha irritado um ou outro pai – respondi, dando uma piscadinha (ela ficou corada de novo). – Você me deve uma resposta.

Rosie engoliu em seco.

– Não, meu pai não vai vir atrás de você. Ele nem sabe que eu estava indo. Era surpresa, e os enroladinhos eram um suborno emocional.

A última parte atraiu meu interesse, mas Rosie foi mais rápida.

– Minha vez – anunciou. – Quanto tempo você vai ficar? Em Nova York?

– Seis semanas. Sem visto eu só posso ficar três meses nos Estados Unidos, então decidi ficar mais tempo em Nova York porque Lina me ofereceu o apartamento. Ela disse que não podia romper o contrato antes de dezembro e que o apartamento ficaria vazio depois que ela fosse morar com Aaron, então...

Rosie estava fazendo seu beicinho, mas eu não sabia exatamente por que e não ia gastar uma pergunta com isso quando tinha algo mais importante que queria perguntar.

Apoiei o queixo em uma das mãos.

– Por que você precisava de um suborno emocional? Com seu pai.

Ela murchou com a pergunta. Rosie ficou tanto tempo em silêncio que achei que não fosse responder, que talvez estivesse cansada desse joguinho com um cara que tinha invadido sua vida havia menos de 24 horas.

– Eu larguei meu emprego – disse ela por fim, e as palavras que vieram na sequência pareceram ter tropeçado para fora da boca. – Meu emprego com salário bom e estável como líder de equipe em uma empresa de engenharia. Como eu disse, não trabalho mais na InTech. Pedi demissão seis meses atrás.

Fiz menção de falar, só que mais palavras apressadas se seguiram.

– Meu pai não sabe. Nem meu irmão. Só a Lina sabe. E o Aaron, claro. Não por ser marido dela, mas porque ele era meu chefe e foi para ele que eu entreguei a carta de demissão. E todo mundo do escritório, óbvio, porque não estou mais lá. Então, algumas pessoas sabem. O que elas não sabem é o que me levou a fazer isso.

Rosie mordeu o lábio.

– Enfim, é por isso que preciso subornar meu pai. Porque eu tenho... eu tenho guardado esse segredo enorme. E eu nunca menti para ele, nunca. Somos muito próximos. Sempre fomos uma equipe, meu pai e eu.

– Ele vai ficar chateado?

Algo inesperado se agitou dentro de mim. *Instinto protetor.* Ignorei, atribuindo isso ao fato de Rosie ser a melhor amiga da minha prima. E ao fato de eu odiar qualquer tipo de covardia.

– Por você ter pedido demissão? Foi por isso que você ainda não contou?

– Ah, não. Ele nunca ficaria chateado comigo por seguir meu sonho, mesmo que seja um sonho meio novo.

De alguma forma, a informação me tranquilizou, mas também me deixou ainda mais curioso. *Um sonho meio novo?*

– Mas eu também não acho que ele vai ficar feliz. Ele sempre morreu de orgulho de mim, a filha engenheira. Trabalhando em Manhattan. Nossa família nunca teve muito dinheiro... Quando me formei, foi a primeira vez que vi meu pai chorar. Lágrimas grandes, que não paravam de cair. Acho que ele chorou por horas. E, quando fui promovida ano passado, quando ele ainda morava no Queens, ele contou para a vizinhança inteira. "Meu Feijãozinho agora é líder de equipe. Líder!" Ele fez uma festa, convidou os vizinhos, como se... Sei lá, como se a filha dele tivesse acabado de ganhar o Nobel ou coisa assim.

Rosie balançou a cabeça com um sorriso triste.

– Ele vai ficar morrendo de medo que eu esteja jogando tudo fora por uma coisa que ele provavelmente não entende muito bem. Por isso não tive coragem de contar. Estou com medo de que ele não... entenda e não me apoie. E isso me deixaria arrasada.

– Então, o que é? – perguntei, incapaz de me conter, querendo saber mais. – Esse sonho novo?

Rosie se encolheu. Seus ombros caíram e ela não me encarava. Percebi que ela estava se fechando.

– Você vai achar idiota.

– Não existe sonho idiota. Por mais novo ou antigo que seja.

Aqueles olhos verde-esmeralda voltaram a me olhar, com um peso novo.

– Desembucha, Rosalyn Graham – continuei. – Você ainda não sabe isso sobre mim, mas eu não julgo ninguém. Nunca.

Ela encheu o peito, respirando fundo.

– Eu escrevi e publiquei um livro – respondeu ela, finalmente. – Um romance. Há mais de um ano. Mais ou menos quando fui promovida.

E falou como se estivesse dizendo a coisa mais trivial do mundo.

Franzi a testa.

– Isso é maravilhoso, Rosie. É mais que maravilhoso. É incrível e nada idiota.

– Tem... tem mais.

Assentindo, incentivei Rosie a continuar.

– Foi uma autopublicação, sob um pseudônimo, não usei meu nome de verdade. E eu não contei para ninguém no início, só para a Lina, porque...

Bom, eu tinha medo que meus colegas não me levassem a sério se soubessem que escrevo o que eles considerariam romances picantes para donas de casa entediadas.

Ela soltou um suspiro.

– Idiota, né? Em vez de ficar orgulhosa de mim mesma... – disse ela, balançando a cabeça. – Mas eu tinha medo que menosprezassem meu trabalho como engenheira, ou menosprezassem meu livro por ser de um gênero que as pessoas depreciam, ou me menosprezassem por uma coisa que eu amo. E não qualquer pessoa, eles, os caras do escritório. A maioria homens. Talvez até meu pai também. A sociedade em geral? Sei lá.

Rosie pareceu se perder em pensamentos por um segundo, mas sua expressão foi se iluminando aos poucos.

– Enfim, a questão é que o livro começou a chamar a atenção. Nada muito incrível, só que bem mais do que eu poderia imaginar. A coisa foi crescendo devagar, mas com alguma constância, e me ofereceram um contrato. E foi aí que alguma coisa dentro de mim se encaixou. Assinei com uma editora e pedi demissão, algo que não combina nem um pouco comigo. Arriscar não é do meu feitio. Tomar decisões sem minimizar os riscos, sem a segurança de que vai dar tudo certo, é totalmente novo pra mim. Mas, nossa, foi muito bom. Assustador, mas libertador. Como se eu tivesse passado a vida inteira esperando pra... ser livre.

Seu sorriso se desfez.

– Até que a coisa toda des...

Ela parou.

– A coisa toda o quê? – perguntei, só agora percebendo que eu tinha me inclinado por cima da mesa.

Rosie endireitou a postura.

– Você já atingiu sua cota de perguntas.

– *Quê?* – resmunguei.

– Você já fez suas cinco perguntas – explicou ela. – Então acabou para você.

Eu tinha esquecido que ainda estávamos jogando.

– Já eu – continuou ela, com uma expressão que eu tinha quase certeza que era de satisfação – tenho mais duas.

Eu me recostei no assento.

– Sinto que fui enganado.

Os lábios de Rosie se curvaram levemente.

– Eu sempre sigo as regras – disse ela, e ergueu o queixo. – Então... quais são seus planos, Lucas?

Embora fosse uma pergunta bem simples, foi como um soco no estômago. Porque me fez lembrar da verdade: eu não tinha um plano. Eu não era mais um cara que fazia planos. Eu era o *Lucas sem planos*.

– Nada de especial. Só... fazer turismo.

Um silêncio se instalou entre nós enquanto ela avaliava minha resposta curta.

Limpei a garganta.

– Você só tem mais uma pergunta.

Foram necessários mais alguns segundos de escrutínio para que ela dissesse:

– Por que você não foi ao casamento da Lina e do Aaron?

Arregalei os olhos. A pergunta me pegou totalmente de surpresa. Fui invadido – e sufocado – pelas lembranças das semanas anteriores ao casamento.

Rosie, que deve ter visto tudo isso em meu rosto, hesitou.

– Lucas...

– Tudo bem – interrompi.

Eu era capaz de seguir minhas próprias regras. Uma pergunta, uma resposta. Por mais longa ou difícil que fosse.

– Eu não pude ir – me obriguei a dizer, e parecia difícil respirar. – Eu não consegui chegar a tempo. Eu... Eu estava...

Balancei a cabeça e soltei o ar.

Longa, curta, fácil ou difícil, eu parecia não ter resposta. Como concluir uma afirmação que verbaliza tudo aquilo de que estamos fugindo? Eu não fazia ideia.

Algo quente tocou as costas da minha mão, me tirando dos meus próprios pensamentos. Encontrei cinco dedos longos e delicados segurando minha mão de leve.

Eu ainda estava com os olhos colados neles quando a ouvi dizer:

– Ei. "Eu não pude ir" é uma resposta válida, Lucas. Você seguiu as regras.

Dividido entre tirar a mão ou virá-la e entrelaçar meus dedos nos dela por nenhum motivo além do fato de que eu estava precisando de contato físico, de intimidade com outro ser humano, não escolhi nenhuma das duas coisas.

Escolhi o que faço de melhor: me recompus e dei um sorriso, torcendo para que fosse o bastante.

– Nossas cinco perguntas acabaram – falei. – Que horas você vai para a Filadélfia?

Ela abriu a boca, mas, antes que pudesse responder, seu celular tocou. Ela pegou o aparelho na bolsa e franziu a testa quando olhou para a tela.

– Desculpa, preciso atender. Oi, pai. O Olly…

Rosie foi interrompida por algo que foi dito do outro lado da linha.

E, de repente, o pânico transfigurou seus traços suaves.

– Você *o quê*? Uma ambulância?

Meu estômago pareceu despencar no instante em que ouvi a última palavra. E despencou mais um pouco quando ela desligou alguns segundos depois e levantou em um pulo, quase sem olhar para mim.

– Preciso ir – disse ela, juntando suas coisas. – Desculpa. É o meu pai.

Na pressa, Rosie deixou a bolsa cair e o conteúdo se espalhou pelo chão.

– Droga.

– Rosie…

Eu me ajoelhei com ela para ajudar a recolher as coisas que tinham caído. Minhas articulações reclamaram muito, mas ignorei a dor e peguei sua chave e algo que parecia um batom.

– Ei, Rosie?

Busquei seu olhar, entregando a ela tudo que eu tinha recolhido, mas, como ela não olhou para mim, deslizei meus dedos até seu pulso. Sua pele era quente, macia. Apertei de um jeito delicado, mas firme. O suficiente para chamar sua atenção.

Ela finalmente olhou para mim.

– Respira.

Ela obedeceu, enchendo os pulmões de ar ainda agachada no chão, de frente para mim.

– Você quer que eu vá junto? – perguntei devagar. – Você parece um pouco nervosa.

– *O quê?* – Sua expressão suavizou. – Isso… Não. Está tudo bem.

Ela respirou mais uma vez.

– É besteira minha. Meu pai provavelmente está bem. Ele tem uma lesão antiga no quadril e aí escorregou, e uma vizinha chamou a ambulância. Ele nem precisa de mim. Só telefonou porque a Sra. Hull ameaçou me ligar. De qualquer forma, eu já ia para lá hoje mesmo. Então tudo bem.

Eu tinha umas palavras de consolo na ponta da língua, mas me distraí quando ela ficou em pé.

Eu fiz o mesmo, com muito cuidado para não apoiar o peso na perna direita, para que a noite anterior não se repetisse.

Rosie pegou a carteira, tirou algumas notas de vinte e colocou em cima da mesa.

– Aqui – disse ela, sorrindo antes de me olhar com seriedade. – Acho que isso paga nossa conta.

Nossa conta?

Balancei a cabeça.

– Rosie, não. Não precisa.

– Aceita – insistiu ela. – Por favor, Lucas.

– Rosie…

Parei. Mas, também, o que eu esperava depois de ter contado que tinha perdido o cartão e que estava com pouco dinheiro? Meu Deus. Eu era um *zopenco*, como minha *abuela* amava me chamar quando eu fazia algo idiota assim.

Ela sorriu.

– Agora eu preciso ir – disse ela, afastando-se da mesa. – Volto para o apartamento para buscar minhas coisas à noite. Tá?

– Boa sorte – falei, e assenti. – Eu… obrigado, Rosie. Vou devolver esse dinheiro, prometo. Eu não estava brincando quando disse que estou te devendo uma.

O rosto dela registrou uma emoção diferente.

– A gente se vê, Lucas.

Observei Rosie ir até a porta e, segundos antes de ela sair, chamei:

– Ah, e por favor não conte ao seu pai que eu comi os enroladinhos de salsicha! Eu gostaria de causar uma boa primeira impressão.

Ela não virou, mas ouvi sua risada quando a porta fechou.

Era um som maravilhoso. Suave e reservado, como ela.

– Puta merda – falei baixinho, olhando para a caneca vazia e as notas emprestadas. – *Lina me va a cortar las pelotas.*

CINCO

Rosie

Olly não apareceu na estação.

Parte de mim nem ficou surpresa. Acho que eu já esperava que ele me desse o cano, mas isso não aliviou o golpe quando ele ignorou minha ligação – mais uma vez – e me mandou uma mensagem que dizia: "Não vou poder ir, mana. Desculpa."

Por sorte, quando cheguei à Filadélfia, descobri que meu pai estava bem, só um pouco dolorido da queda. Não que ele tenha admitido. Imagina. Em casa, ele se recusou a deitar, tomar analgésicos ou deixar que eu preparasse um chá ou algo para ele comer. Várias vezes. Mas Joe Graham é assim mesmo.

"Estou bem, Feijãozinho", foi o que ele repetiu umas mil vezes. E também: "Eu já te dei muito trabalho quando sua mãe foi embora, Feijãozinho." "Não precisa se preocupar, Feijãozinho." "Por que você tirou o dia de folga para vir até aqui ver seu velho, Feijãozinho?" "Você é líder de equipe agora, Feijãozinho. As pessoas dependem de você." "Aliás, tem notícias do Olly? Ele está bem, né, Feijãozinho?"

Então, quando peguei o trem de volta para Manhattan, o número de mentiras era o mesmo, se não maior depois de acobertar meu irmão – mais uma vez –, e eu estava tão esgotada emocionalmente após lidar com um pai teimoso que não tinha energia para culpar Olly.

E ainda tinha o Lucas.

Eu sentia um frio na barriga e ficava meio tonta, nervosa e bem agitada só de pensar nele.

Ali estava eu, uma mulher sensata e independente, me sentindo como uma garota de 16 anos na expectativa de encontrar o crush.

Mas Lucas Martín não era meu crush. Não. Ele era um cara que eu mal conhecia, cuja presença nas redes sociais eu tinha... *apreciado* em uma frequência totalmente normal.

Também era o homem em quem eu tinha despejado boa parte das minhas questões naquela manhã. O que tinha sido bom. Não corriqueiro, apenas, mas *bom*.

E agora ali estávamos nós. Ele, no apartamento da Lina, provavelmente se perguntando se eu ia aparecer, pois já era tarde, e, quem sabe, talvez considerando jogar toda a minha bagunça pela janela se eu não aparecesse. *Não, ele jamais faria isso*, uma voz dentro de mim respondeu. E eu, parada no corredor, olhando para aquela porta por tempo demais, querendo ter visão de raios X para poder... *Para poder fazer o quê?*

Balancei a cabeça e decidi entrar.

No instante em que virei a maçaneta, no entanto, me perguntei se não deveria ter batido. Como eu ia entrando desse jeito? E se o Lucas...

Eita.

Parei de repente com a porta escancarada, e o cheiro mais delicioso do universo me atingiu como uma onda.

– Rosie.

Meu nome, saindo dos lábios de Lucas com aquele *R* enrolado, atravessou a neblina.

– Você voltou, até que enfim.

Piscando algumas vezes, me aproximei dele. Ele estava na cozinha, na frente do fogão, de costas para mim. Usava uma camiseta limpa e o cabelo castanho caía sobre o rosto em uma bagunça desgrenhada de cachos úmidos. Devia ter acabado de sair do banho, imaginei, pois dava para ver gotinhas de água em sua nuca. Um pescoço forte. E a pele visível estava bronzeada e parecia macia e... eu estava olhando demais. Babando, na verdade.

Limpei a garganta e resmunguei um oi.

– Pois é, voltei. E você está aqui, como combinado. O que é ótimo e não deveria ser nenhuma surpresa.

Fechei a porta e entrei, me contorcendo por dentro por não ser capaz de disfarçar meu constrangimento na frente daquele homem que não tinha feito nada para merecer isso.

– O cheiro está maravilhoso.

Finalmente, algo *normal* saiu dos meus lábios.

– Que bom! – disse ele, rindo. – Espero que o gosto também esteja.

Observando tudo o que já estava em cima da estreita ilha da cozinha que também servia de balcão para o café da manhã, mesa de jantar e mesa de trabalho, era difícil acreditar que não estaria.

Como uma abelha atraída por uma flor, minhas pernas me levaram mais para perto, e devorei tudo com o olhar, fascinada. Um prato de arroz perfumado com vegetais coloridos salteados estava no centro. Alguma coisa que parecia queijo Feta tostado regado com o que parecia mel estava à direita. À esquerda, uma bandeja com fatias de pão torrado coberto de pimentão e cebola.

Me dei conta de outra risada e, com isso, que Lucas não estava mais no fogão, e sim do outro lado da ilha. Olhando para mim com uma expressão entusiasmada.

– Vamos – disse. – Sente antes que esfrie.

Meus olhos se arregalaram.

– Sentar?

– Onde mais você comeria?

– Você está me convidando para jantar?

Engoli em seco, com um misto de surpresa e vertigem nervosa que me dava frio na barriga.

– Com você?

Ele inclinou a cabeça para o lado, me analisando.

– Só se estiver com fome.

– Eu...

Não sabia o que dizer. E me dei conta de que isso acontecia com muita frequência quando eu estava com Lucas.

Eu queria sentar e aproveitar a oportunidade de passar mais tempo com ele – antes que cada um seguisse seu caminho – ou recusar educadamente, juntar minhas coisas, ir embora e traçar um plano de ação para aquela noite?

Antes que eu pudesse decidir, meu estômago roncou, oferecendo uma resposta a Lucas e me fazendo estremecer de horror.

– Ah – disse ele, achando graça. – Parece que o jogo virou, hein? Acho que dessa vez é o seu estômago que está tentando se comunicar comigo, Rosalyn Graham. E estou encarando como um elogio.

Com um sorriso largo e fácil, ele pegou dois pratos do balcão e colocou em cima da mesa. Então, foi até onde eu estava, estendeu a mão e puxou a banqueta mais para perto de mim. Depois, olhou nos meus olhos e deu um tapinha na superfície felpuda.

– Você está com fome, então está decidido. Senta. Me conta como está seu pai.

Eu abri e fechei a boca, muda.

Aquele convite e suas palavras eram doces. Atenciosos. E, o que não deve ser nenhuma surpresa – considerando meu histórico de stalker digital –, eu já tinha fantasiado tudo isso algumas vezes. Jantar com Lucas Martín. Um jantar preparado por ele. Um jantar juntos.

Mas hesitei. Fiquei ali imóvel, exceto pelos olhos, que estavam ocupados acompanhando os movimentos de Lucas enquanto ele preparava tudo.

– Rosie, senta? – repetiu ele. – Não posso prometer que não mordo, mas vou tentar.

A respiração ficou presa na minha garganta, meu rosto ficou quente e me obriguei a reagir. A levar aquilo tudo numa boa. Lucas era um cara sedutor, divertido, leve. Só estava sendo gentil.

Quando abri a boca, uma gargalhada alta e escandalosa saiu.

As sobrancelhas do Lucas dispararam até o topo da testa.

Exagerou, Rosie.

– Você é muito engraçado.

Coloquei a mão no peito, a gargalhada ainda ecoando em meus ouvidos.

– Uma piada ótima, é claro. Porque é óbvio que você não vai me morder.

Lucas balançou a cabeça.

– Estou começando a achar que perdi o jeito – resmungou ele.

Mas, quando finalmente me permiti sentar, ele deixou a cara feia de lado e suavizou um pouco a expressão, embora estivesse um tanto séria.

– Obrigado, Rosie.

– Por que você está me agradecendo? – respondi, a voz voltando ao normal, felizmente.

Ele deu de ombros.

– Já faz um tempo que eu não compartilho uma refeição com alguém. Viajar sozinho tem suas vantagens, mas também pode ser um pouco solitário. Acho que eu estava começando a me sentir sozinho, até hoje de manhã.

Seu olhar encontrou o meu.

– E agora.

Fiquei olhando para aqueles olhos castanhos por alguns segundos, sentindo algo dentro de mim derreter: minha hesitação, meu constrangimento e, provavelmente, mais alguma coisa.

– Obrigada por me convidar para jantar, Lucas. O prazer é meu. Mesmo.

E você nem imagina o quanto, eu queria ter acrescentado.

Ele sorriu de novo, aquele sorriso largo e feliz e... *alerta de problema*. Alerta de problemão, percebi de repente olhando para aqueles lábios. Eu estava correndo sérios riscos se ele ficasse abrindo aquele sorriso como se fosse uma coisa banal.

– Então, seu pai está bem? – perguntou ele mais uma vez, passando o prato de arroz.

Peguei o prato e me servi uma colherada grande.

– Está, sim. Como o quadril dele é meio ruim, ele tropeçou em um dos anões de jardim assustadores que ele tanto ama – expliquei, soltando uma bufada leve. – Mas, por sorte, está bem. Só com um pouco de dor no quadril. Podia ter sido bem pior. O anão foi a única vítima.

– Fico feliz, Rosie.

Eu também estava feliz. E, por algum motivo, não achei que Lucas estivesse falando apenas por educação.

Procurando me concentrar em outra coisa que não fosse seu rosto, peguei uma fatia de pão e levei direto até a boca.

– Meu Deus.

Praticamente gemi no instante em que dei a primeira mordida.

– O que você fez com esses pimentões? Estão... *Uau*. Estão deliciosos.

– Caramelizei com cebola roxa e alguns temperos que encontrei no armário da Lina – explicou ele, dando uma piscadinha; depois, mordeu um pedaço de pão. – O resto das coisas eu comprei com os trocados que tinha e um pouco do dinheiro que você me emprestou.

Lucas pareceu hesitante.

– Rosie, eu sinto que estou te devendo...

– Não se preocupe com isso, tá? – falei antes que ele tentasse se explicar. – Não vejo problema nenhum em te emprestar algum dinheiro enquanto seu cartão não chega. Você não conhece ninguém na cidade e é o mínimo que eu posso fazer. Além do mais, você me convidou para jantar.

Fiz um gesto indicando o banquete digno de admiração que ele tinha servido.

– Então, na verdade, parece um bom negócio para mim.

Servi um pouco do Feta brilhoso no meu prato.

– Eu sou capaz de cometer loucuras por um queijo como esse.

– Vou me lembrar disso. Para a próxima vez.

Próxima vez. Isso queria dizer que...

Não, Rosie. É só uma coisa que as pessoas dizem.

Ele continuou:

– Cozinhar, e comer o que eu preparo, é um dos poucos prazeres que conseguem arejar minha cabeça quando estou tendo um dia difícil.

Arrumei o guardanapo no colo e me concentrei na comida.

– Entendo perfeitamente – respondi.

Evitei perguntar sobre o dia ruim e imaginei que ele estivesse se referindo à noite anterior.

– Então, Rosie – disse Lucas após alguns minutos. – Eu já ouvi tudo sobre como você e a Lina se conheceram e vou ser sincero, não vejo a hora de ouvir a sua versão dos fatos.

Confusa, dei uma olhada rápida para ele. Aquele sorriso largo e que me deixava distraída estava de volta. *Droga.* Voltei a olhar para o prato.

– Minha versão dos fatos? A gente se conheceu na Semana de Apresentação da InTech.

– Ah, não é isso que a Lina anda dizendo por aí.

Ele deu uma risada, baixinha e profunda e... desconfiada.

– Você é quase uma lenda lá em casa.

– *Oi?*

– É, ué. Não é todo dia que uma alma gentil tira minha prima do caminho de um cavalo fujão e salva a vida dela.

– De um *o quê?*

E de repente os acontecimentos a que ele estava se referindo surgiram na minha cabeça e a única resposta possível me veio à mente.

Soltei uma gargalhada genuína e profunda.

– Foi isso que a Lina contou? – perguntei, e Lucas assentiu. – *Inacreditável.* Bom, na verdade, eu já devia esperar isso da Lina.

– Você está me dizendo que minha prima muito discreta e nada dramática aumentou um pouco as coisas? – perguntou ele, rindo. – Sabe, ela chega a descrever em detalhes assustadores o momento em que a vida passou diante dos olhos dela.

Lucas inclinou a cabeça para o lado.

– Tudo isso antes de abri-los e ver um anjo da guarda de olhos verdes na frente dela.

Comecei a rir.

– Acho que isso explica por que sua avó chorou quando me conheceu.

Sem desviar o olhar de mim, Lucas empurrou o prato de queijo na minha direção.

– Você está me dizendo, então, que não teve nenhum cavalo empinando dramaticamente?

Como eu não me servi, ele estendeu a mão e colocou uma colherada no meu prato.

– Que você não se jogou na frente e salvou a vida dela?

– Bom – respondi, vendo-o recolher as mãos com um olhar satisfeito. – Você já viu as carruagens do Central Park?

Lucas fez que sim, pegando uma das últimas fatias de pão tostado.

– Na verdade são para turistas, ou para um gesto romântico em um encontro, o que é um pouco… clichê, na minha opinião. Não que eu tenha alguma coisa contra gestos românticos, é claro, mas acho que esses gestos grandiosos deviam ser momentos íntimos. Bem pensados, como…

Nossos olhos voltaram a se encontrar, e parei de falar ao perceber o entusiasmo no olhar dele.

– Enfim.

Dei de ombros.

– Não me pergunte como, mas um dos cavalos estava solto e marchando pelo Central Park no ritmo mais lento possível. E veio a Lina, de fones de ouvido, claramente perdida, olhando o Google Maps no celular.

Só tempos depois eu ficaria sabendo que minha melhor amiga não tem senso de direção.

– Na mesma manhã, eu tinha visto a Lina derramar um bule de café na calça de alguém, então eu sabia que os reflexos dela não eram lá muito afiados.

Lucas riu.

– Ah, definitivamente não é o forte dela.

– Né? – concordei, dando risada. – Enfim, eu gritei para ela tomar cuidado e, como ela nem se mexeu, me aproximei e tirei a Lina do caminho.

Lucas soltou um "tsc".

– Essa *definitivamente* não é a versão que eu escuto todo Natal desde que vocês se conheceram.

Todo Natal?

Lucas ouvia Lina falando sobre aquela história – sobre mim – todo Natal?

– Sinto muito por decepcionar você.

Peguei o garfo e enchi de arroz.

– Não sou nenhum anjo da guarda. Nenhuma heroína. Só uma engenheira comum que virou escritora – falei, e, nesse momento, inclinei a cabeça para o lado. – Nossa, é a primeira vez que eu digo isso em voz alta.

O sorriso de Lucas ficou ainda mais caloroso.

– E qual foi a sensação?

Pensei antes de responder.

– Boa. Foi bom dizer. Foi bom ouvir.

Tudo que eu queria era me *sentir* confiante naquele novo papel. Mas não me sentia, não naquele momento. Principalmente porque… será que uma pessoa que só escreveu um livro pode ser considerada escritora? Como uma pessoa que mal terminou o primeiro capítulo do segundo livro pode *sentir* que é escritora?

Senti um frio na barriga ao pensar nisso.

Não sei se Lucas percebeu, mas ele disse:

– Posso fazer outra pergunta? É um pouco íntima.

– Claro – respondi com um suspiro, o resquício da dúvida ainda presente lá no fundo.

– Você não me contou como se sente tendo desistido da carreira de engenheira. Você disse como as pessoas à sua volta talvez se sentissem em relação a você ser escritora, e como esperava que seu pai reagisse. Mas nunca me disse como *você* se sente.

E aquela era… uma pergunta que eu não esperava. Uma pergunta que ninguém – das pessoas que sabiam – pensou em fazer.

Como eu me sentia? Eu sabia por que tinha pedido demissão. Mas será que tinha sido a coisa certa a fazer? Será que parte de mim estava arrependida? Será que o fato de eu não ter conseguido escrever uma só palavra desde então era um sinal de que aquilo tinha sido um erro?

– Não é da minha conta, eu sei. Não tem problema – disse ele depois de um longo silêncio da minha parte.

Lucas deu um sorrisinho torto, quase constrangido.

– Eu...

Não consegui concluir.

Ele ficou me observando por alguns segundos e, como continuei sem dizer nada, voltou a comer, como se não fosse nada de mais. Provavelmente por de fato achar que não era.

– Eu não estava infeliz – falei.

Lucas me olhou bem devagar, como se qualquer movimento brusco pudesse me assustar.

– Eu acho que ainda estaria feliz trabalhando na InTech se não tivesse encontrado algo que eu... realmente *amo*. Algo que me fez entender o que é amar de verdade o que se faz. Algo que me completa de um jeito que a engenharia nunca fez, mesmo que, por não saber disso, eu não fosse infeliz.

Soltei o ar dos pulmões, me sentindo como um balão furado, esvaziando.

– Talvez por isso seja tão difícil falar sobre esse assunto. Porque essa coisa nova, esse sonho novo, parece tão frágil, sabe? Como se eu tivesse ele nas mãos, mas a sensação fosse tão... nova, tão desconhecida que eu fico morrendo de medo de deixá-lo cair e quebrar, então eu só... fico ali parada, olhando para ele em silêncio.

E como a cada dia eu me aproximava do prazo de entrega – faltavam oito semanas – sem ter escrito uma única palavra ou sido capaz de acessar o que quer que havia dentro de mim pouco tempo antes, parecia que o sonho estava fracassando. Que eu estava fracassando.

– Ei.

Quando ouvi a voz de Lucas, me dei conta de que estava olhando para o nada.

– Você é corajosa, Rosie – disse ele, com um meio sorriso. – Isso é uma coisa que você nunca deve esquecer. E da qual deve se orgulhar.

Corajosa. Nunca tinham dito isso sobre mim. Nenhuma vez. Cautelosa, responsável, determinada, mas corajosa nunca.

– Obrigada – respondi, tão baixinho que nem soube se ele ouviu. – Mas chega de falar de mim.

Eu me endireitei na banqueta.

– O que, além da comida, faz você se sentir melhor quando as coisas não vão bem?

Lucas refletiu por um tempo. Depois, apoiou-se nos cotovelos bem devagar e baixou o tom de voz, como se estivesse me contando um segredo. Senti meu tronco se inclinar para a frente também.

– Uma coisa quase tão divertida quanto comer, mas que envolve muito menos roupas.

Minha respiração ficou presa na garganta, sem se importar com o fato de que eu estava engolindo a comida. Por conta disso, um grão de arroz fugitivo pegou o caminho errado, e tive um acesso de tosse.

– *Por Dios!* Rosie, você está bem?

Não, eu não estava. Obviamente. Porque a imagem mental de Lucas – usando *muito menos* roupas do que naquele momento, fazendo coisas *divertidas* – travou completamente minhas funções corporais mais básicas.

Como não respondi e continuei tossindo, ele soltou um palavrão em espanhol, levantou e correu na minha direção.

Antes que ele tivesse a ideia de me abraçar e fazer a manobra de Heimlich, tomei as rédeas da situação: estendi a mão até o outro lado da mesa e peguei um copo de água.

– Espera, Rosie – advertiu Lucas quando ergui a taça. – Devagar! Isso aí é… Ah. Ok.

Virei a taça.

– Vinho – falei, quase sem ar. – Vinho branco.

Que eu nem tinha visto que estava em cima da mesa. Porque, bom, porque eu estava ocupada olhando para o Lucas.

– É – disse ele, e deu para ver que ele estava achando graça. – Bom, ajudou.

– É.

Limpei a garganta e me endireitei na banqueta, me recusando a olhar para ele. *Meus Deus, eu preciso parar com isso.*

– Pode… pode servir mais, por favor?

A resposta demorou a vir.

– Tem certeza? Você acabou de virar uma taça cheia.

Sentindo os olhos de Lucas no meu rosto, finalmente ousei olhar para ele. Ele estava me analisando.

– Eu quase nunca bebo. Mas hoje talvez seja um dia digno de duas taças. Ou uma semana, talvez. Além do mais, a comida está acabando, então pode ser que eu precise de algo novo para me distrair.

Ele pareceu um pouco surpreso e achei necessário acrescentar:

– Algo que não envolva menos roupas.

Devagar, e de maneira quase relutante, Lucas serviu um pouco mais do líquido dourado.

– Seu irmão – disse, como se não fosse nada. – Você comentou que ele anda ignorando suas ligações. É por isso que hoje talvez seja um dia digno de duas taças?

– Sua memória é boa – resmunguei.

– Sou um bom ouvinte.

Ele voltou para a banqueta do outro lado da ilha, fazendo questão de olhar em meus olhos.

– Ele não foi hoje, né? Ver seu pai?

Estreitei os olhos até quase fechar.

– Quem é você? O Dr. Phil?

– Doutor… quem?

– É um psicólogo que apresenta um programa de TV – expliquei, pegando a taça. – As pessoas vão no programa, o Dr. Phil analisa a alma delas e *bum*. Ele desenterra e corrige as preocupações mais profundas da pessoa.

Lucas deu um sorrisinho torto.

– Ele é bonitão? Por isso eu fiz você se lembrar dele?

Antes que pudesse me conter, soltei uma risada.

– Meu Deus, não.

O sorrisinho torto de Lucas se desmanchou.

– Ah.

– Quer dizer, você é bonito.

Senti necessidade de esclarecer, mas me arrependi na mesma hora.

– *Objetivamente* falando. Para os outros. Não subjetivamente falando, para mim. Você é objetivamente bonito, eu… eu acho.

– Você… acha? – perguntou ele, sorrindo. – Acho que tem um elogio aí em algum lugar, mas não estou encontrando.

Se você soubesse…, pensei. Mas, em vez disso, falei:

– É porque, ao que parece, tenho usado você de muleta terapêutica. A gente se conhece há… o quê? Um dia? E você sabe mais sobre mim que a maioria das pessoas que estão na minha vida há anos – expliquei, dando de ombros. – Por isso comparei você ao Dr. Phil.

O sorriso dele voltou.

– Ser usado por mulheres bonitas não me incomoda nem um pouco.

Mulheres bonitas.

Meu coração deu uma cambalhota boba.

Levei a taça aos lábios mais uma vez para ganhar tempo, tentando me concentrar na palavra *mulheres*, no plural, e não *mulher, eu, Rosie*. Mas, na verdade, isso realmente importava? Era Lucas Martín e, depois daquela noite, nada mais nos colocaria no mesmo lugar. Lina não estava em Nova York para servir de desculpa para a gente se encontrar de novo, e em mais ou menos um mês ele entraria em um avião e iria embora do país. Do continente. Então não importava se ele estava falando de mim ou não.

– Então, meu irmão – falei, fazendo a conversa voltar a um terreno seguro – não apareceu. Me deu bolo. De novo.

Lucas assentiu.

– Ele disse por quê?

– Não. Ele não conversa mais comigo.

Peguei o guardanapo só para ocupar as mãos com alguma coisa.

– E é justamente esse o problema. Eu… não sei o que está acontecendo com ele. Parece que não conheço mais o Olly, que ele não me quer mais na vida dele.

Balancei a cabeça, apertando o tecido entre os dedos.

– Isso me deixa muito triste.

Olhei para Lucas, que me observava enquanto mastigava a última garfada.

– E seu pai?

– Deve estar achando que a culpa é dele. Deve estar achando que poderia ter feito alguma coisa se não tivesse se mudado de cidade.

Larguei o guardanapo ao lado do prato e peguei de novo a taça.

– É por isso que eu sempre acoberto meu irmão. Digo para o meu pai que ele está ocupado. Que conseguiu um emprego novo. Que está vivendo a vida. Que é adulto e que precisamos dar espaço para ele crescer e se virar. Mas não sei se eu mesma acredito nisso.

Virei o restante da taça.

– Acho que tem alguma coisa que ele não está me contando. Acho que ele está escondendo alguma coisa de mim.

Lucas assentiu, desviando o olhar por um instante.

– O que você acha que pode ser?

Fechando os olhos, balancei a cabeça.

– Não sei…

Voltei a olhar para ele e forcei um sorriso.

– Viu? Uma noite digna de duas taças.

Lucas ficou em silêncio por alguns segundos, parecendo perdido em pensamentos.

– Às vezes escondemos coisas das pessoas que amamos por motivos que nem nós mesmos entendemos.

Por algum motivo, aquelas palavras soaram como uma confissão.

– Dá um tempo pra ele. Em breve ele vai perceber o quanto os segredos podem deixar uma pessoa isolada.

Um pouco perdida nas emoções sombrias que notei em sua expressão, demorei um pouco para responder.

– Espero que tenha razão, Dr. Phil.

Me ajeitando na banqueta, lembrei que eu não era a única pessoa ali para quem o dia tinha sido estranho.

– Bem, melhor eu ir nessa. Você deve estar exausto depois das 24 horas mais estranhas da sua vida.

Ele começou a rir, voltando à sua personalidade alegre.

– Eu não diria estranhas – admitiu.

Eu também não, pensei. Mas não falei nada e levantei, e as duas taças de vinho que eu tinha bebido em um intervalo de minutos de repente subiram para a cabeça e me fizeram cambalear por uma fração de segundo.

Lucas franziu a testa.

– Opa, levantei rápido demais – comentei, tentando amenizar a situação com uma risada. – Bom, o jantar estava ótimo, Lucas. Sério. Fazia tempos que eu não comia tão bem. Mais uma vez, obrigada pelo convite.

Ele moveu os lábios e tive esperanças de ver um último sorriso ensolarado antes de ir embora, mas o sorriso não veio. Em vez disso, Lucas levantou e foi até a sala. E fiquei ali, observando o modo como suas costas esguias se movimentavam com cada passo. Ele se jogou no sofá grande no qual eu sabia que minha melhor amiga tinha gastado uma pequena fortuna cerca de um ano antes.

Pegou o controle remoto e ligou a TV, exibindo todos os aplicativos de streaming.

– Ela tem mesmo todos os serviços possíveis.

– É – resmunguei, me perguntando se ele ia se despedir de mim. – Tem. A gente passa muitas noites em casa.

Na verdade, todas as noites.

– Ou passava, antes do Aaron e do casamento.

Foi quando me ocorreu que talvez Lucas não fosse o único que andava se sentindo um pouco sozinho. Talvez eu também estivesse.

Ele virou, olhando para mim por cima do ombro.

– Você vem?

Pisquei várias vezes, confusa.

O sorrisinho de Lucas voltou.

– Não me olha assim. Eu deixo você escolher.

– Eu… melhor eu começar a juntar minhas coisas. Tenho muita tralha e tirei mais do que precisava da mala. Também não reservei um lugar para passar a noite e eu tinha que fazer isso.

Esse último fato era a prova de como eu tinha passado o dia com a cabeça nas nuvens. Porque eu era a "Rosie sempre preparada", e em qualquer outro dia essa providência teria sido a primeira da minha lista. Já estaria resolvida.

– Ou – rebateu Lucas – você pode relaxar enquanto vemos alguma coisa, e depois eu te ajudo a arrumar as malas.

Ele olhou para o relógio.

– São só oito e meia, e eu não cedo o controle remoto para qualquer um.

– Acho que…

Dei um passinho para a frente, sentindo a cabeça balançar.

É por isso que eu não bebo.

– Acho que relaxar um pouco pode me fazer bem.

Mais um passo.

– Acho… que posso ficar.

– Está esperando o que então?

É. Eu não só achava que podia. Eu queria tanto ficar que arranquei o controle remoto da mão dele e me juntei a ele no sofá. Ou foi o vinho que fez tudo isso.

Depois de alguns episódios da minha série favorita, eu não só relaxei como sucumbi à exaustão mental das últimas horas – e dias e semanas.

Ajeitando o corpo relaxado no sofá, virei e apoiei a cabeça na almofada. Meus olhos sonolentos observaram o perfil do Lucas.

Nariz definido, maxilar forte, maçãs do rosto salientes, lábios carnudos… e aquele cabelo que, mesmo mais longo, ainda assim me dava frio na barriga de ansiedade e algo mais. Uma coisa… prazerosa e que eu não queria racionalizar demais. Não quando eu podia simplesmente ficar olhando para ele.

É. O novo visual combinava com Lucas. Muito mais que o corte que ele exibia no Instagram.

Antes que eu me desse conta do que estava fazendo, me ouvi sussurrar:

– Lucas?

Vi o canto de seus lábios se curvar antes de ele suspirar em resposta:

– Rosie?

Eu ri.

– Talvez eu ainda esteja um pouco tonta. E também estou exausta. Talvez eu cochile se não levantar agora mesmo.

Foi a vez dele de rir.

– Talvez – respondeu.

Mas, nesse momento, vi a boca dele se curvar para baixo e seu pescoço ficar tenso. Ele virou a cabeça na minha direção e fez questão de olhar em meus olhos.

– Isso te preocupa?

Franzi a testa; eu não estava conseguindo acompanhar o raciocínio.

As sobrancelhas dele se uniram.

– Não deveria. Você sabe que está segura comigo, né?

Ah.

Alguma coisa dentro de mim se agitou ao ouvir a seriedade em sua voz.

– Eu sei – respondi.

E estava sendo sincera. Eu sabia que estava segura com ele.

Sua expressão e seus ombros relaxaram, e senti uma satisfação profunda que estava além da minha compreensão.

– Sabe como eu sei? – perguntei.

Ele esperou a resposta.

– Porque sei que você percebeu que eu estava meio altinha e por isso insistiu para eu ficar. Você queria garantir que eu estivesse bem antes de ir embora.

Ele fez que sim e pareceu pensar. Para minha surpresa, ele voltou a olhar para a tela e só depois de desviar o olhar foi que abaixou o tom de voz e disse:

– Agora silêncio. Estou tentando ver minha série.

O que me fez rir de um jeito muito idiota. Porque não era a série dele. Era a *minha*. Minha série adolescente sobrenatural cheia de vampiros, lobos, anéis mágicos, medalhões encantados, curas místicas e uma boa dose de drama.

– Lucas? – repeti depois de um tempinho.

O canto de seus lábios se curvou de novo.

– Diga, Rosie.

– Obrigada.

Por ouvir. E por esta noite. E por fazer com que eu me sentisse... menos sozinha. Um pouco menos sobrecarregada, ainda que só brevemente.

– Acho que eu precisava mesmo conversar com alguém e queria que você soubesse disso.

Ele voltou a olhar para mim e deve ter visto a seriedade daquelas palavras na minha expressão, porque perguntou:

– Algum problema?

O vinho devia ter destruído o que restava dos meus filtros, e a expressão no rosto dele era tão gentil, tão calorosa que foi impossível não responder.

– Então, a questão do meu novo sonho? – perguntei com um longo suspiro, acomodando minhas mãos entre o rosto e a almofada. – Tenho um prazo para entregar o segundo livro, e ele está acabando. – Baixei o tom de voz até quase sussurrar. – Essa é a minha chance de provar a mim mesma que não foi tudo um erro, entende? E talvez eu não consiga.

Parte de mim percebeu que eu não estava dizendo muita coisa. Na verdade, eu não estava contando qual era o verdadeiro problema: que eu me sentia como se alguém estivesse cortando meu oxigênio sempre que abria o manuscrito; que eu estava me afundando com a pressão, com um medo paralisante; que eu estava com um bloqueio criativo. Empacada.

Mas Lucas só virou o corpo, ficando de frente para mim, e descansou a cabeça na almofada, imitando minha posição.

Seus lábios formaram uma linha reta.

– Você vai dar um jeito, Rosie.

Seu olhar transmitia uma confiança que eu não merecia ainda.

– Você chegou até aqui. Não preciso te conhecer mais do que conheço para saber que vai continuar seguindo em frente. É isso que as pessoas corajosas fazem.

Corajosa. Eu gostava da sensação de ser chamada de corajosa. Por ele.

Mas ainda queria dizer que ele não tinha como afirmar isso. Que talvez eu fosse uma fraude ou um fracasso. Talvez tivesse sido um erro me jogar de cabeça. Mas era difícil ser pessimista na presença da luz brilhante que ele irradiava.

– Espero que você esteja certo.

Ele passou a falar mais baixo, mais sério.

– Quer apostar?

Dei risada.

– Melhor não.

– Ótimo, porque seria uma vitória muito fácil.

Ele sorriu, e acho que eu também sorri.

O tempo passou enquanto olhávamos um para o outro, a série passando no fundo. Em algum momento, segundos ou minutos mais tarde, senti as pálpebras pesadas e a consciência ir escapando enquanto um pensamento vago e inesperado se formava em minha cabeça.

O que teria acontecido se Lucas tivesse ido ao casamento da Lina e do Aaron? Se tivéssemos nos conhecido naquele dia? Teria sido tão... fácil, tão leve conversar com ele?

Mas, antes que eu pudesse formar uma resposta, o sono venceu a batalha, me levando com ele.

SEIS

Lucas

Abri os olhos de repente; a respiração estava presa na garganta.

Levei a mão ao peito porque eu... eu não estava conseguindo respirar. Eu... *Joder.*

Aos poucos, consegui me obrigar a massagear minha caixa torácica, tentando aliviar a pressão sobre meus pulmões.

Não estou na água, lembrei a mim mesmo. *Estou respirando.*

E estava dormindo.

Desorientado, deixei meu olhar vagar, observando as coisas à minha volta, banhadas no que devia ser a luz da manhã. Havia um quadro colorido pendurado na parede ao meu lado. Duas taças de vinho sobre a ilha na cozinha a poucos metros de distância. Minha mochila surrada ao lado do sofá onde eu estava deitado.

O sofá.

Eu peguei no sono na casa da *abuela* de novo? Não, não era o velho sofá de dois lugares que já viu dias melhores. Também não era a sala da casa dela. Todos os móveis e a decoração eram modernos e vibrantes. Lembrava a...

Então, tudo se encaixou.

Eu não estava na Espanha, nem na casa da minha avó. Estava em Nova York. No apartamento da Lina. E tinha passado a noite no sofá.

Passando as mãos no rosto, esfreguei os olhos, enquanto repetia o mantra que tinha usado tantas vezes nos últimos meses.

Foi só um sonho. Está tudo bem.

No entanto, a última parte talvez fosse mentira. Estava tudo bem na medida do possível. Porque essa era minha nova vida. Não Nova York, *isso.*

Acordar suando frio com os músculos, que antes estavam em sua melhor forma, doloridos, rígidos e instáveis.

De repente, um ronco leve vindo de alguns metros de distância chamou minha atenção. Estremecendo, joguei as pernas para fora do sofá e olhei na direção do som. Não demorei muito para ver a figura deitada no meio da cama. Os cachos escuros espalhados no travesseiro.

Rosie. Rosalyn Graham.

Não fiquei surpreso por ela ter pegado no sono na noite anterior. Na verdade, fiquei chocado por não ter acontecido antes do quarto ou quinto episódio daquela série de vampiros que ela já tinha decorado. Por mais que nós dois tenhamos lutado para ficar acordados – ela porque fazia questão de ir embora, e eu porque, caramba, a série era viciante –, acabamos cochilando. E só mais tarde, acho que depois de umas duas horas, acordei com cãibra na perna direita e vi Rosie roncando ao meu lado. Então, sem pensar muito, desliguei a TV, peguei Rosie com o maior cuidado e a coloquei na cama.

A conversa da noite anterior voltou à minha mente – nós não éramos tão diferentes, estávamos ambos com medo do futuro. Mas Rosie tinha o mundo a seus pés, e no meu caso o mundo tinha desmoronado embaixo dos meus. Tirei os olhos do corpo adormecido de Rosie e fui até o banheiro. Minha pele estava pegajosa e meu corpo tenso, então fechei a porta e entrei no chuveiro.

Depois de muito tempo embaixo da água escaldante, me obriguei a fechar a torneira, enrolei uma toalha no quadril, recolhi as roupas usadas e saí do banheiro.

Um pouco melhor, balancei a cabeça e fiquei ali parado, analisando mais uma vez aquele bom apartamento, embora pequeno, no Brooklyn, em Nova York. Como Lina chamava mesmo? De... estúdio? Loft? Eu não conseguia lembrar. Mas, considerando que era um espaço aberto sem cômodos, a não ser pelo banheiro, imaginei que tivesse um desses nomes sofisticados para que parecesse mais chique. Como naqueles programas americanos de reforma que minha *abuela* amava tanto que assistia dublado em espanhol.

– Lucas?

A voz de Rosie me arrastou de volta ao presente.

Ela estava sentada no meio da cama com o edredom enrolado nas pernas. Parecia ter acabado de acordar, mas seus olhos estavam bem abertos, o verde muito, muito claro.

Abri um sorriso.

– *Buenos días.*

Ela me olhou de cima a baixo.

– Ah, meu… É, oi. Olá – gaguejou ela, as bochechas ficando rosadas. – B-bom dia.

Franzi a testa.

– Tudo bem?

Seus olhos voltaram a percorrer meu peito. Devagar no início, depois um pouco frenéticos. Como se ela não conseguisse decidir para onde olhar.

– Você tomou banho – destacou Rosie. – E agora está de toalha.

Seguindo a direção de seu olhar, também olhei para baixo, procurando alguma irregularidade na minha roupa – ou melhor, na toalha –, verificando se as cicatrizes no joelho e na coxa estavam visíveis. Tudo estava em ordem e a toalha cobria a maior parte das marcas agora quase curadas.

– Algum problema? – perguntei, olhando para ela.

Rosie fez que não e voltou a desviar o olhar.

Ah. Não tinha problema nenhum. Rosie só estava me olhando fixamente. Descaradamente. Acho que sem nem perceber.

Ela reparou na tatuagem que cobre grande parte da minha costela esquerda e passou um bom tempo analisando o desenho.

Sem conseguir me conter, perguntei com o tom mais sério possível:

– Curtindo a vista?

Seus olhos saltaram até meu rosto.

– Desculpa, o quê?

– Perguntei se está curtindo a vista – repeti, quase sem conseguir segurar a risada.

– Ah… *Ah.* Desculpa, eu não quis encarar… É que eu *amo* tatuagens – disse ela. – Sou *muito fã, de verdade.* Era isso que eu estava olhando. É uma onda? É linda. Belo trabalho de linhas. Doeu? Aposto que doeu.

Ela respirou fundo.

– Eu… é, eu adoro homens tatuados. Digo, pessoas tatuadas em geral.

Instintivamente levei a mão até a tatuagem. Passei os dedos sobre o desenho, atraindo o olhar dela outra vez.

– Fico feliz que tenha gostado – falei, rindo. – Por um segundo eu achei que tivesse passado dos limites andando pelo apartamento de toalha, mas acho que você só estava um pouco distraída... Por causa da tatuagem.

Rosie assentiu com vontade.

– Ah, sim. Com certeza. Você poderia andar por aí completamente nu que eu nem ia perceber.

– Ótimo – respondi, deixando-a pensar que eu tinha acreditado.

Eu *não tinha*. Ela com certeza ia perceber. Se eu deixasse a toalha cair naquele instante, ela talvez ficasse vermelha a ponto de desmaiar. E de repente percebi que eu estava curtindo saber disso, curtindo até demais.

– Vou me lembrar disso. Nudez, liberado.

– Maravilha – resmungou ela. – Muito bom mesmo.

Escondendo o riso, virei para o outro lado.

– Acordei você? Está um pouco cedo para um banho tão longo.

– Não, não – respondeu ela, enquanto eu ia até a mochila. – Eu acordo bem cedinho todo dia. Não sou muito de dormir.

– Então somos dois.

Peguei uma muda de roupa e olhei para ela.

– Você precisa ir ao banheiro antes de eu ir me vestir?

Nesse momento, aproveitei para cruzar os braços e flexionar um pouquinho o bíceps; meu ego estava gostando demais da atenção. Ela arregalou os olhos e abaixou o olhar bem rápido.

– Ou eu posso me vestir aqui. Já que você não tem problemas com nudez...

– Não! – respondeu ela, com pressa. – Pode ir, *por favor*. Vou preparar o café.

Fui para o banheiro satisfeito. Quando voltei Rosie estava colocando duas canecas em cima do balcão. Ela havia trocado o moletom da noite anterior e vestido uma blusa preta sem mangas. O cabelo estava preso com um laço colorido no topo da cabeça. Sem que eu percebesse, meu olhar percorreu seu pescoço, seguindo a linha que ia da nuca ao ombro, descendo pelos braços e pelas costas, observando as curvas suaves do corpo até a bunda. Uma bunda bonita, redonda...

Balancei a cabeça.

Não. Eu não podia ficar olhando para ela desse jeito. Não quando estava prestes a sugerir o plano que bolei no chuveiro.

Rosie virou de frente para mim, um pedido de desculpas reluzindo em seu olhar.

– Eu juro que pretendia ir embora ontem à noite. Me desculpa por ter cochilado.

– Não precisa pedir desculpa – falei, com sinceridade. – Você estava exausta, eu também. Nós dois pegamos no sono.

– Mas você me colocou na cama, não colocou? Não precisava ter feito isso. Eu podia ter ficado no sofá.

Rosie pegou a cafeteira e colocou sobre a ilha.

– Não foi nada – falei, dando de ombros.

Depois puxou uma banqueta e sentou à minha frente.

– Foi muita gentileza sua ter feito isso.

Então desviou o olhar e se ocupou com a cafeteira.

– Sabe – continuou, enchendo as duas canecas –, a Lina disse que você é um *bruto*, e eu fico me perguntando por que ela falaria uma coisa dessas.

Tive que rir.

– Ah, ela tem bons motivos pra achar isso, pode acreditar. Eu era uma peste quando a gente era criança. Na adolescência também. Ainda sou de vez em quando...

– Você parece muito comportado hoje em dia.

Meu olhar encontrou o de Rosie, e arrastei a caneca para perto de mim.

– Fico feliz que você pense assim.

– Fica feliz? – repetiu ela, franzindo a testa de leve. – Por que feliz?

Me preparando, esperei que ela bebesse um gole do café, então disse:

– Porque eu acho que você devia ficar aqui.

Rosie abaixou a cabeça bem devagar.

– Como assim? Agora? Pro café da manhã?

– Não, pelo tempo que precisar.

Deixei que ela absorvesse a ideia e acrescentei:

– Fica aqui no apartamento da Lina comigo.

Ela arqueou uma sobrancelha.

– O quê? Não posso fazer isso.

– Por que não? – perguntei, dando um gole do café.

A convicção em minha voz deve ter trabalhado a meu favor, porque ela começou a gaguejar.

– Porque você é… você é… primo da Lina. E eu não… moro aqui?

– Você não tem como ficar no seu apartamento – observei, segurando a caneca. – E pelo jeito também não pode ficar na casa do seu pai, senão já estaria lá. Mas me corrija se eu estiver enganado.

Os ombros de Rosie afundaram.

– Não, você tem razão.

Ela não tinha dito nada disso explicitamente na noite anterior, mas eu imaginei. E eu *entendia*. Muito mais do que gostaria de admitir.

– Então, fica aqui, tira um tempo pra organizar as coisas.

– Mas esse apartamento é um estúdio com uma cama, e a Lina emprestou pra você, Lucas.

– Podemos dividir se você não se importar.

As orelhas de Rosie ficaram rosadas.

Inclinei a cabeça.

– O apartamento, não a cama.

Ela soltou uma risada sem graça.

– Claro. Mas se *eu* não me importar? E você?

– Você que disse que nós dois não poderíamos ficar aqui na noite em que eu cheguei, então achei melhor confirmar.

– Eu disse mesmo – resmungou ela, então sua voz se tingiu de algo que parecia remorso. – Mas não foi exatamente isso que eu quis dizer. Não me importo de dividir o espaço com você. Você é… surpreendentemente incrível. Embora eu não devesse estar surpresa.

Fiquei me perguntando o que ela queria dizer com aquilo…

Perdida em pensamentos, Rosie levou a mão à cabeça, ajeitando os cachos, distraída.

– Meu plano era procurar um hotel barato, um Airbnb ou algo assim. Comecei a procurar ontem quando estava voltando, mas é…

– Caro – completei a frase por ela. – Exaustivo também. Eu sei. Procurei antes da Lina oferecer o apartamento.

Me ajeitei na banqueta, fazendo questão de olhar nos olhos dela.

– Fica aqui, Rosie.

Era minha última oferta. Eu não ia insistir.

– Pelo tempo que quiser ou precisar. Mas… não desperdice dinheiro em um quarto caro porque está com pressa de sair daqui por achar que está me incomodando. Eu é que estou oferecendo.

Algo novo se cristalizou em seu olhar. Tive quase certeza de que significava que ela estava considerando a ideia.

– Tem certeza que não vou incomodar?

– Eu pareço incomodado?

Ela fez que não com a cabeça.

– Passamos a noite aqui e deu certo, não deu? – perguntei, e ela deu de ombros. – E você está esquecendo que eu sou turista. O apartamento vai ficar vazio a maior parte do dia de qualquer forma. Muito silêncio para você se concentrar. Para trabalhar e cumprir seu prazo.

Ela se animou, mas logo soltou um suspiro.

– Mas não posso deixar você dormir no sofá.

Olhei para o móvel e não vi nenhum problema.

– Já dormi em lugares bem piores que um sofá em um apartamento moderno no Brooklyn.

– Tipo?

– Tipo o sofá de trinta anos da minha *abuela*, em um colchão de ar, em uma toalha na areia, no chão da van sempre que o colchão ficava encharcado por causa da chuva, o que acontecia com frequência. E por aí vai. Já passei longos períodos na estrada, então, pode acreditar. Esse sofá chique e macio é um sonho.

Rosie pensou em tudo isso por um tempo.

– Na estrada por causa das competições?

Uma onda fria e pesada de realidade me atingiu.

– Lina sempre se gabava quando você ia bem em algum torneio – explicou Rosie. – Ela mostrava fotos. Suas.

A informação caiu como uma pedra no meu estômago porque nem Lina nem ninguém da família Martín sabia até que ponto isso tinha mudado.

Rosie levou a caneca aos lábios e me surpreendeu ao perguntar:

– É por isso que seu inglês é tão bom?

Grato pela ligeira mudança no rumo daquela conversa, comecei a rir.

– Aham. Nos últimos cinco anos passei mais tempo com pessoas de outros países, longe de casa, do que na Espanha. Então, em algum momento acho que minha única opção foi... aprender. Acabei aprendendo muitas expressões do dia a dia.

Algo pareceu fazer os olhos de Rosie brilharem, e esse brilho se espalhou por todo o rosto dela.

– Vou ficar – disse ela, enfim. – Até eu descobrir quando vou poder voltar para o meu apartamento. Devo ter alguma notícia essa semana ainda.

Assenti, ignorando o alívio enorme que me invadiu.

– Pode ficar o tempo que precisar.

– Ah, e eu providencio as compras enquanto estiver aqui – disse ela, apontando um dedo para mim. – Mesmo depois que seu cartão chegar. É o mínimo que posso fazer.

Abri a boca para reclamar, mas ela não deixou, balançando o indicador na frente do meu rosto.

– Isso não é negociável.

– Beleza – respondi, suspirando. – Mas só se eu cozinhar pra gente.

Ela abaixou o dedo ameaçador.

– Tá, mas eu lavo a louça.

– Fechado.

– Ah. E você fica com a cama. Eu durmo no sofá.

De jeito nenhum, mas achei fofo ela achar que tinha alguma chance de eu aceitar isso.

– Rosie...

O toque do meu celular atravessou o apartamento, interrompendo a conversa.

– Pode ser importante – disse ela. – É melhor você atender.

Corri até o aparelho. O nome da minha irmã piscou na tela, era uma chamada de vídeo.

Segurei o telefone em frente ao rosto.

– *Hermanita.*

– Lucas! – gritou ela, o cabelo vermelho como fogo balançando com o entusiasmo. – *¿Cómo está mi persona favorita en todo el mundo mundial?*

A pessoa favorita dela no mundo inteiro? Charo nunca dizia esse tipo de coisa, a não ser...

– O que você aprontou, Charo? – perguntei em espanhol.

Ela ofegou, fingindo indignação.

– Oi? Eu sou uma santa, *hermanito*. Você sabe disso.

Bufei. E como ela não tinha nada de santa, perguntei:

– O Taco está bem?

Minha irmã revirou os olhos, e um latido soou ao fundo.

– Você é um pai de pet muito controlador. Taco está ótimo sob os meus cuidados.

Ela se movimentou, e a imagem borrou por alguns segundos. Então, um focinho familiar apareceu na tela.

– *¡Hola, chico!* – falei para meu melhor amigo, quase sem conseguir conter a emoção. – *¿Estás siendo un buen chico?*

Taco inclinou a cabeça ao ouvir minha voz, então um choramingo veio pelo celular.

– Eu também estou com saudade, amigão – falei, o que me rendeu um latido animado. – Charo está cuidando de você direitinho?

Taco virou e lambeu o rosto da minha irmã, então virou para o celular e também lambeu a tela.

– *¡Taco, no!*

A voz de Charo foi abafada pela língua do cachorro, que pelo jeito estava tapando o microfone. Depois de alguns segundos de luta, os dois voltaram a aparecer na tela.

– Seu cachorro lambe e come qualquer coisa, isso é normal?

Comecei a rir.

– É, sim. Tal pai, tal filho. Né, Taco?

Taco latiu, confirmando.

– Há uns meses ele entrou escondido na despensa da *mamá* e acabou com o *jamón*. Aquele do bom. Ela ficou furiosa.

E por isso não quis cuidar dele enquanto eu passava três meses fora.

– Mas ele é um bom garoto, não é, Taco? Só está o tempo todo com fome.

Charo balançou a cabeça, e Taco ficou sentado ao seu lado, orgulhoso.

– Ei, amigão, quero que você conheça alguém – falei e me virei, procurando Rosie.

Ela estava no mesmo lugar de antes, sentada na banqueta, mas de olhos arregalados. Ela apontou para si mesma.

– Eu?

– Sim, você.

Fui até a ilha, me posicionei atrás da Rosie e estendi o braço.

– De quem mais eu poderia estar falando?

Me abaixando um pouco, me aproximei das costas da Rosie para que Charo e Taco conseguissem nos ver. Com a mudança de posição, encostei o peito em seu ombro e percebi que ela se retesou. Fiquei me perguntando se eu tinha ultrapassado algum limite e invadido seu espaço, mas segui em frente.

– Taco, essa é a Rosie, minha nova amiga. E, Rosie…

Olhei para o rosto dela, observando a bochecha e o pescoço rosados, percebendo as sardas sob o rosa que cobria sua pele.

– Este é o meu melhor amigo, Taco. E minha irmã, Charo.

Rosie soltou o ar, se virou para mim e, no momento em que nossos olhares se cruzaram, percebi que sua reação não tinha nada a ver com ela estar incomodada por eu ter me aproximado demais. Ela sentiu alguma coisa, como tinha sentido antes. Quando ficou me olhando de toalha.

Contraí os lábios instintivamente.

Ela balançou a cabeça de leve e voltou a olhar para o celular. Com o movimento rápido, senti seu cheiro doce e frutado. Cheiro de…

Um latido feliz chamou minha atenção.

– Oi, Taco – disse Rosie, finalmente, e vi seu sorriso no quadradinho na tela. – Que bom finalmente conhecer você.

Finalmente, é?

Rosie continuou:

– E, Charo, tudo bem por aí? Que bom ver você. Eu não sabia que você e o Lucas eram irmãos. Ninguém disse nada. Não que importasse, é claro. Só estou surpresa porque vocês dois são tão…

– Diferentes – completou Charo. – Eu sei, *cariño*. É o cabelo, não é? Sabe, todo mundo achava que o Lucas também seria ruivo. Era isso ou calvície precoce. As duas coisas são de família, sabe? Todo mundo achava que ele cortava o cabelo curto daquele jeito para disfarçar que estava ficando careca. E quer saber? Ninguém culparia ele por isso.

Soltei um suspiro.

– Charo, você sabe que era por causa das…

– Competições, aham – completou ela.

E senti a pontada de dor que vinha com aquela lembrança.

– De cabelo curto é mais fácil e mais confortável por causa da água salgada e do sol e tudo isso. Mas agora que está de férias… – acrescentou ela.

Foi difícil manter uma expressão neutra. Não dar nenhuma pista de que embora minha estadia nos EUA não fosse permanente, minhas férias eram.

– Agora você provou que todos estavam enganados, né, *ricitos de oro*?

Bufei.

Rosie perguntou:

– *Ricitos de oro?*

E embora sua pronúncia não estivesse nem próxima da correta, soou tão… *lindo* que o peso no meu peito pareceu aliviar por um instante.

– Cachinhos dourados – traduzi.

Ela riu, e eu a cutuquei de leve com o ombro.

– Eu nem sou loiro, Charo. E meu cabelo nem é tão comprido nem tão cacheado assim. Então…

– Como quiser, *ricitos* – disse Charo antes de voltar a atenção para minha nova colega de apartamento temporária. – Enfim, Rosie. Não tive notícias suas desde o casamento da Lina. Como você está, *cariño*?

Ela fez uma pausa, mas, antes mesmo que Rosie pudesse abrir a boca, Charo disparou mais perguntas.

– A Lina está por aí, afinal? Ela não ia viajar para a lua de mel? Ela apresentou vocês antes de ir?

Acostumado com as palhaçadas da Charo depois de anos lidando com elas, revirei os olhos.

– O que você queria mesmo, Charo?

Ela me ignorou, estreitando os olhos por um instante.

– Só estou perguntando porque é estranho vocês estarem juntos a essa hora. Não é, tipo, muito cedo em Nova York agora? Que horas são aí?

Rosie parecia estar prendendo a respiração por algum motivo.

E eu não ia dar trela para o que quer que minha irmã mais velha estivesse fazendo.

– Hora do café da manhã. E você sabe o quanto eu levo a sério a refeição mais importante do dia. Então, se não se importar…

Charo levou a mão ao peito.

– Que divertido! Uma festa de café da manhã!

Ignorando a ironia daquelas palavras, olhei para Rosie.

– Eu estava pensando em fazer umas rabanadas. O que acha, Rosie?

Ela virou a cabeça na minha direção de repente, e quase batemos o nariz um no outro.

– Putz. Desculpa.

Eu nem me mexi.

– Desculpa pelo quê?

Agora que estávamos tão próximos eu senti o aroma mais intenso de… *pêssego*. Rosie tinha cheiro de pêssego.

– A não ser que você não goste de rabanada. Também podemos fazer churros. Eu dou um toque na receita original que vai fazer você lamber os dedos.

Seus olhos verdes reluziram, interessados.

– Vamos de churros então.

Dei uma piscadinha.

Rosie resmungou alguma coisa baixinho.

Que eu teria ouvido se não fosse o grito da minha irmã.

– *Ay! Ay, Lucas. ¿Sabe Lina que estás…*

– Charo – interrompi.

Não havia nenhum motivo para incomodar Lina porque não havia nada para contar a ela, independentemente do que Charo estivesse insinuando. Eu e Rosie só íamos dividir o apartamento por alguns dias. E estávamos tomando café da manhã.

– Se era só isso…

Ela ofegou, dramática.

– Nossa, já está tentando se livrar de mim? A gente mal conversou!

Estreitei os olhos.

– Por falar em conversar… – disse Charo, olhando para a pessoa ao meu lado. – Eu e Rosie temos muito assunto para colocar em dia, tenho certeza. Não conversamos desde o casamento. E batemos um papo tão divertido naquele dia, não é, Rosie?

Rosie soltou um ruído estranho que Charo decidiu ignorar.

– Lembra? Como eu fiquei surpresa ao saber que você veio sozinha? E você disse que fazia um tempo que estava solteira e…

– Meu Deus, Lucas – interrompeu Rosie, colocando a mão no ouvido. – Você ouviu isso? Acho que é o alarme de incêndio do prédio.

Demorei um pouco para entender a deixa.

Também coloquei a mão no ouvido.

– Puta merda, acho que a Rosie tem razão. Espera – falei, e fiz uma pausa. – Tem um caminhão de bombeiro lá fora?

Os olhos de Charo viraram fendas estreitas, o olhar cheio de desconfiança.

– Acho que sim. Isso quer dizer que a gente tem que ir – acrescentou Rosie, rapidamente. – Temos que evacuar rápido. Antes que o fogo se espalhe e…

– Espera aí – reclamou Charo. – Não estou ouvindo…

– Desculpa, Charo – interrompeu Rosie, mais uma vez. – A gente se fala outro dia, talvez?

– Isso se a gente sobreviver – acrescentei.

Rosie olhou para mim. Inclinei a cabeça, sustentando seu olhar, ciente de que o riso que eu estava segurando durante aquela farsa já começava a curvar meus lábios.

Rosie também sorriu, mas um sorriso bem mais discreto. E me perguntei se ela fazia isso o suficiente. Sorrir.

Charo arfou, chamando minha atenção para o celular. Dei um jeito de não deixar minha irmã falar.

– *Adiós, hermana!* E, Taco, vou sentir saudades, *chico*. Se comporte, tá?

Ele gemeu, fazendo meu coração se partir.

– Tchau, gente! – disse Rosie. – Foi ótimo conhecer você, Taco. E falar com você, Charo!

Então, *finalmente* desliguei e fui abaixando o celular até largá-lo na ilha da cozinha.

– Alarme de incêndio – falei, soltando o ar devagar e sem pressa de sair de onde estava. – Clássico.

Fiquei ali, com a cabeça mais ou menos na mesma altura que a de Rosie, e meu corpo apenas alguns centímetros atrás do dela.

Rosie deu uma risada gostosa e suave, sua postura não mais tão rígida como quando me aproximei.

– Sinto muito por ter mentido pra ela. Agora estou me sentindo mal.

– Não, não. Estou feliz por você ter feito isso – admiti, positivamente surpreso. – Eu amo minha irmã, mas foi bom ter sido salvo… Você foi mais rápida do que eu.

– Eu precisava ser salva tanto quanto você.

Eu ia perguntar por que e se tinha alguma coisa a ver com o comentário de Charo sobre Rosie ter ido sozinha ao casamento, mas então ela relaxou a postura, encostando em meu peito.

O calor repentino do seu corpo contra o meu me pegou de surpresa, e a mudança em minha respiração foi suficiente para encher meus pulmões com seu cheiro. *Pêssego.*

A respiração de Rosie oscilou com o contato, e o movimento de algum jeito nos aproximou ainda mais. Como por instinto, meus braços a envolveram, minhas mãos agarrando a borda do tampo da ilha. Fui arrebatado pelo aroma de pêssegos, e o calor suave que vinha de seu corpo entre meus braços me fez lembrar que fazia muito tempo que eu não deixava alguém chegar tão perto. Lembrei que o contato e o toque físico sempre foram naturais para mim. E o quanto eu tinha me isolado depois do que aconteceu.

Um alerta surgiu em minha mente. *Se afaste, você passou dos limites. Não está preparado para nada disso.*

Então, com a mesma rapidez com que tinha me aproximado, me afastei. Rosie estava segura comigo. Eu não tinha falado aquilo da boca para fora. Minha prima podia me chamar de bruto pela falta de... boas maneiras, mas eu não era um homem das cavernas. E tinha toda a intenção de respeitar Rosie, principalmente agora que íamos dividir o apartamento. Ainda que fosse algo temporário.

Bati uma palma rápida e me virei.

– Muito bem.

Abri alguns armários, procurando a farinha.

– Eu prometi churros. Então teremos churros para o café da manhã, *coleguinha.*

SETE

Rosie

Éramos colegas de apartamento.

Temporários, fiz questão de deixar bem claro.

Porque eu não me aproveitaria da gentileza dele.

Uma coisa era ficar no apartamento vazio da Lina enquanto ela estivesse em lua de mel, como eu pretendia fazer quando apareci duas noites antes. Mas ela havia prometido o apartamento para o primo. Só aceitei a ajuda de Lucas porque eu... eu estava um pouco desesperada.

E gostava da companhia.

E, tá, eu admito. Fiquei tentada pela ideia de passar mais tempo com ele; tentação essa que foi alimentada pelo meu crush – que estava completamente sob controle. Mas o principal motivo era que eu estava ficando sem tempo. Eu tinha oito semanas até o prazo e não podia me dar ao luxo de perder tempo procurando uma alternativa de acomodação acessível, sendo sincera. Sendo *realista*. Eu precisava de cada minuto e cada centavo, porque, se tudo desse errado, se eu não conseguisse cumprir o prazo e receber parte do dinheiro, minha poupança sofreria uma baixa considerável.

Então decidi ficar com Lucas. Só por alguns dias. Até meu apartamento ficar pronto. O que eu esperava que acontecesse logo.

Voltando a olhar para o laptop à minha frente, lembrei a mim mesma que precisava direcionar toda a minha atenção para o manuscrito, não para qualquer outro contratempo da minha vida. Principalmente para Lucas.

Dei uma olhada na contagem de palavras do dia.

Cem da meta de duas mil palavras diárias.

Cem palavrinhas de nada em três longas horas. Metade das quais eram anotações para mim mesma. Rascunhos de uma cena que ainda nem existia.

Voltei o olhar para a página quase em branco à minha frente. Meus dedos pairaram sobre as teclas, e eu... fechei os olhos, tentei evocar alguma coisa, qualquer coisa, e nada tomou forma. O medo surgiu, se espalhou. Se instalou no meio do meu peito. Como uma pedra, pesada e sólida. E, como sempre, a boa e velha vontade de gritar.

Que, mais uma vez, eu contive.

Porque essa sou eu. Manter o controle é minha marca registrada. Eu planejo, racionalizo, respiro fundo e me ajusto sem perder a cabeça. Sou a amiga e filha confiável.

Quando escrevi o primeiro – e único – livro, as coisas simplesmente... surgiam na minha cabeça. Foi como abrir uma válvula e liberar algo que estava trancado dentro de mim, esperando para sair. O desejo de ser amada, intensamente. A sensação maravilhosa de se tornar o mundo do outro. A alegria de encontrar aquela pessoa – aquela única pessoa – que... se encaixa. Alguém que não é necessariamente perfeito, porque ninguém é, mas que é perfeito para *você*.

O toque da viagem no tempo foi só por diversão, porque eu sempre tive uma quedinha por heróis estilo peixe fora d'água. Então criei um homem vindo do passado, um oficial preso no presente, enfrentando seus fantasmas e tentando aceitar um amor que ele acha que não merece. Porque ele podia estar perdido, mas isso não significava que não podia ser encontrado por alguém. Encontrado pela pessoa *dele*. Mesmo quando o mundo inteiro parecia estar contra ele e mesmo depois de ter sido lançado um ou dois séculos para a frente no tempo.

Então por que eu não poderia...

Um barulho alto chamou minha atenção.

Lucas?

Não podia ser. Ele tinha saído para explorar a cidade algumas horas antes e só voltaria no final da tarde.

Fui até a porta e olhei pelo olho mágico.

Uma senhora vestindo um macacão vermelho estava em frente à porta do outro lado do corredor, as mãos na cintura. Um sofá de dois lugares parecia estar só metade dentro do apartamento.

Saí para o corredor e arrisquei um:

– Oi! A senhora precisa de ajuda?

Ela não esboçou nenhuma reação ou sinal de ter ouvido. Estava ocupada empurrando um dos braços do sofá de couro mostarda, que estava preso no batente.

– Oi? – falei um pouco mais alto, dando um passo à frente. – A senhora quer ajuda para empurrar o sofá?

Ainda alheia à minha presença, a mulher – que devia ter uns 70 anos pela quantidade de cabelos brancos e pela postura encurvada – empurrou o móvel com força. E, sem sucesso, deu alguns passos cambaleantes para trás.

Percorrendo a distância entre nós com rapidez, agarrei um dos braços do sofá.

Ela finalmente olhou para mim, as sobrancelhas subindo pela testa enrugada.

– Nossa Senhora, pelo amor de tudo o que é mais sagrado! – gritou ela, levando uma das mãos ao peito. – Você me assustou, garota!

Dei meu sorriso mais amigável.

– Desculpe, tentei chamar algumas vezes, mas a senhora não deve ter ouvido.

Ela estreitou os olhos.

Meu sorriso se desfez.

– Meu nome é Rosie.

Esperei que ela se apresentasse, mas isso não aconteceu.

– Parece que a senhora está tendo dificuldade, e não quero que se machuque.

A mulher me olhou de cima a baixo bem devagar.

– Não sei.

– A senhora não sabe se eu posso ajudar?

Franzi a testa. Ela olhava para o meu braço.

– Eu sou mais forte do que pareço?

Por algum motivo, eu disse isso como se fosse uma pergunta.

A mulher inclinou a cabeça.

– Talvez – disse ela, ainda desconfiada, e continuou a me analisar. – Você não mora aqui.

– Não mesmo.

Apontei para trás com o polegar.

– Sou amiga da Catalina, sua vizinha. Vou passar uns dias no apartamento dela.

– Não conheço nenhuma Catalina.

Fiquei sem reação.

– Catalina Martín. Baixinha? Cabelo preto? Mais ou menos da minha idade. A senhora não conhece?

A mulher piscou algumas vezes.

– Ela… Ela…

Por que eu não conseguia pensar em nada que descrevesse minha melhor amiga?

– Meu Deus, eu juro que a conheço…

A mulher levantou a mão, me interrompendo.

– Eu estava só testando você – disse ela, com uma risada baixa. – Sempre cumprimenta, nunca dá festas, não tem nenhum animal fedido e tem um namorado bem alto. Gosto dela. E gosto dele também.

– Essa mesma, isso!

– Ela teve alguma coisa a ver com a confusão aqui no corredor na outra noite?

Estremeci.

– Ah, não. Na verdade fui eu e meu…

Parei de falar, sem saber como concluir. Meu colega de apartamento? O primo da minha melhor amiga, que eu confundi com um ladrão?

– Lucas. Não *meu* Lucas, só Lucas. Desculpe o incômodo.

Eu estava ficando constrangida. Olhei mais uma vez para o sofá.

– Então… a senhora acha que conseguimos empurrar? Juntas?

A vizinha me olhou de cima a baixo mais uma vez.

– Tá, acho que você serve. Aliás, meu nome é Adele.

– Obrigada, Adele – respondi.

Peguei a lateral do sofá, joguei os ombros para trás e me preparei para passar umas instruções a Adele.

– Acho que a gente devia empurrar o sofá de novo pra dentro, pra poder manobrar. Então, no três, vamos fazer isso, tá?

Ela assentiu, resmungando alguma coisa que pareceu *espertalhona*.

Soltei um suspiro, decidindo ignorar.

– Vamos lá. Três… Dois… Um… Vai!

E… o sofá nem se mexeu.

Principalmente porque Adele puxou em vez de empurrar.

– Tudo bem – falei, sem demonstrar minha frustração. – Podemos tentar mais uma vez. Mas agora vamos *empurrar*, tá? Empurrar de volta para dentro.

Adele me olhou de cara feia.

– Não use esse tom comigo, mocinha. Eu sei o que estou fazendo.

Ah, meu Deus. Eu não tinha tempo para isso.

Dei mais um sorriso largo.

– Só estou tentando ajudar, Adele.

– Com esses braços de espaguete… – resmungou ela, baixinho.

Estremeci, olhando para os meus braços.

Tive uma ideia.

– Adele, a gente vai colocar esse sofá para dentro ou…

– Vamos tentar mais uma vez – disse ela, me ignorando. – Agora.

Apoiei as mãos no móvel, me perguntando se eu deveria repetir. Olhei para ela, esperando instruções, mas a expressão de Adele tinha mudado. O sangue tinha desaparecido de seu rosto; ela estava com a pele pálida e os olhos vidrados.

Coloquei a mão em seu ombro.

– Adele? Você está bem? Quer se sentar um pouco?

A mulher ficou olhando para o nada durante o que pareceu um minuto inteiro, sem responder a nenhuma de minhas tentativas de movimentá-la ou ajudá-la a voltar a si.

Fiquei assustada.

Eu não conseguia levá-la para dentro do apartamento porque a entrada estava obstruída pelo sofá. Chamar ajuda parecia uma perda de tempo, já que ela não estava machucada. Estava só… em outro lugar. Como se sua mente estivesse vagando.

Pequenas gotas de suor se formaram em minha nuca.

Chamei Adele mais uma vez, sem resposta.

Quando eu estava pegando o celular para chamar ajuda, no entanto, os olhos dela voltaram a se concentrar em mim, suas sobrancelhas se uniram em uma expressão confusa. Seus olhos saltaram para o sofá preso na porta.

Então desceram até minha mão, que estava no ombro dela. Algo que só podia ser preocupação surgiu em seu rosto.

– Adele? – chamei mais uma vez, tirando a mão devagar. – Tudo bem?

Mas a senhora diante de mim não tinha nada a ver com a Adele rabugenta de antes. Aquela mulher estava desorientada, parecia perdida, como se tivesse acabado de acordar de um sonho.

Merda. Agora eu é que estava entrando em pânico.

– Eu...

– Rosie?

Uma voz grave e musical preencheu o corredor.

Lucas.

Ele estava ali.

O alívio ao ouvir a voz dele foi tão repentino e inesperado que foi quase insuportável. Como se eu precisasse fechar os olhos e respirar fundo.

Ouvi os passos dele se aproximando.

– O que está acontecendo aqui? – perguntou ele. – O que esse sofá está fazendo aí?

Ele estava parado a alguns metros de nós duas.

– Estávamos tentando tirá-lo do apartamento.

Nossos olhares se cruzaram, e aquele sorriso largo que parecia surgir com tanta facilidade desapareceu assim que ele olhou bem para mim.

– Ou colocá-lo pra dentro. Eu... não sei direito, para ser sincera.

Lucas franziu a testa, assimilando minhas palavras, analisando meu rosto.

– Mateo? – disse Adele, confusão e alegria se misturando naquela única palavra.

Fiquei surpresa, meu olhar saltando entre a mulher, que estava com as mãos cruzadas sob o queixo, e Lucas, cuja expressão permanecia calma como sempre.

Mateo?

– Adele, esse é o Lucas – falei, com a maior doçura possível. – O Lucas de quem eu falei antes? Meu Lucas, lemb...

Parei de falar, empalidecendo assim que me dei conta das palavras que tinham acabado de sair da minha boca. Me concentrei em olhar só para ela.

– Ele é primo da Catalina.

Adele olhou para mim com a testa levemente franzida.

– Mas ele não pode ser o seu Lucas. Ele é o meu Mateo.

Dei um sorriso tenso, sem saber como a gente tinha chegado naquela situação e como mudar de assunto.

Depois do que pareceu uma eternidade, Lucas disse:

– Que tal eu tirar essa coisa do caminho e você voltar para dentro, Adele? Sou um aliado do feminismo, mas estou disposto a assumir essa.

Finalmente ousei olhar para ele, a tempo de encontrar seu olhar antes de ele avançar na nossa direção.

Lucas colocou a mão nas costas de Adele e a tirou do caminho com gentileza, então voltou até mim. Devagar, ele se abaixou e disse só para eu ouvir:

– *Seu Lucas* ao resgate.

Seu Lucas.

Um som estranho deixou minha boca.

Por sorte, ele já estava em ação, e, alguns minutos depois, o sofá estava desemperrado e em casa enquanto meu colega de apartamento temporário levava uma Adele fragilizada de volta para dentro.

– Está com fome? – perguntou Adele enquanto entravam, me deixando para trás. – Acho que tenho um resto de lasanha, e você está tão magrinho…

– Está me achando magrinho? – respondeu Lucas, com tanta naturalidade que pareceu que os dois se conheciam havia muito tempo. – Bem, eu diria que estou em ótima forma.

Ele levantou o braço livre e flexionou o bíceps.

– Não viu o tamanho disso aqui?

Adele riu e abaixou o braço dele.

– Ah, seu malandro.

E ali, fascinada por aquela cena estranha e agridoce – e encantada com o modo como Lucas parecia irradiar uma energia calma e firme –, fui pega de surpresa quando ele olhou por cima do ombro direto em meus olhos.

Você vem? Ele só mexeu os lábios.

E eu nunca vou saber o que ele viu na minha expressão quando nossos olhares se encontraram e permaneceram fixos por alguns segundos, mas, como eu não me mexi, ele falou com mais urgência, em um tom firme, mas gentil:

– Vamos, Rosie.

Meus pés decidiram agir e fui atrás dele.

Após preparar um chá e conversar um pouco, Adele garantiu que a filha dela viria naquela noite. E, quando ela cochilou, voltamos para o apartamento da Lina. *Para o nosso apartamento. Por enquanto.* Parte de mim parecia querer sempre destacar esse ponto.

Assim que fechamos a porta, apoiamos as costas nela.

– Isso foi... intenso – sussurrei. – E um pouco triste.

– É – admitiu ele, sem a energia de sempre na voz.

Olhei para ele por sobre o ombro e vi que estava com os olhos fechados. Ele continuou:

– Mas a vida é assim mesmo. Intensa e triste.

A sombra que eu tinha visto em seu rosto algumas vezes estava de volta. E, antes mesmo que eu me desse conta do que estava fazendo, as palavras saíram da minha boca:

– Partiram seu coração, Lucas? Foi por isso que você veio pra cá, pra longe da Espanha?

Os olhos de Lucas se abriram e pesaram sobre mim.

– Sim e não – admitiu ele, em voz baixa. – Mas não foi uma pessoa que fez isso. Acho que ninguém nunca teve essa oportunidade.

Sem desviarmos o olhar, refleti sobre o significado daquela resposta. Então ele nunca tinha se apaixonado? Lucas estava ou não fugindo de um coração partido? E, se estivesse, e não tivesse sido uma pessoa a responsável, então *o que* seria a causa?

Lucas rompeu o silêncio:

– Meu *abuelo* teve Alzheimer. Ele me confundia com o irmão mais novo. Em algum momento parei de corrigi-lo e passei a fingir que ele estava certo. Então, mesmo que eu não saiba se Adele está passando pela mesma coisa, eu...

– Você também fez isso com ela – concluí por ele. – Sinto muito. Passar por algo assim não deve ter sido fácil.

E eu não sabia ao certo se foi por isso ou pela confissão que ele fez mais cedo, mas suas palavras deixaram um pedacinho tão sensível, tão exposto em meu peito que estendi a mão e toquei no braço dele.

– Acho que você deixou Adele feliz hoje. Ainda que só por um tempinho.

Lucas olhou para baixo, para a minha mão, e me concentrei em seu calor sob a manga da blusa. Ele pareceu pensar em alguma coisa, então, sem qualquer aviso, virou e me envolveu em um abraço.

– Caramba, eu espero que isso não seja um problema – resmungou ele, com a boca próxima à minha testa.

O calor do corpo dele me envolveu em uma sensação esquisita de aconchego misturado com choque.

– É um problema, Graham?

– Eu… hã, não – consegui falar, e fechei os olhos. – *Não*. Não é nenhum problema.

– Ótimo.

E, após um rápido aperto final, ele me soltou e me deixou ali, vendo-o virar e ir na direção na cozinha como se nada tivesse acontecido.

Lucas abriu uma gaveta e pegou uma panela.

– Pensei em uma frittata, coleguinha. Depois, tenho algumas ideias para um cheesecake de chocolate branco que estou morrendo de vontade de experimentar.

Com a cabeça e o peito tentando se recompor após o ataque de abraço, levei alguns segundos para conseguir fazer minhas cordas vocais funcionarem.

– Parece bom.

– Rosalyn Graham – comentou Lucas, abrindo a geladeira. – Sua falta de entusiasmo é chocante.

Ele pegou uma caixa de ovos e uns legumes antes de virar e me lançar um olhar severo.

– Você está duvidando da minha frittata e, o que é pior, do meu cheesecake de chocolate branco – disse, apontando um *fouet* na minha direção. – Mas beleza. Desafio aceito. Espera só. Você vai amar tudo.

Como se eu precisasse esperar…

Eu começava a entender que, no que dizia respeito a Lucas Martín, era muito provável que eu não descobrisse nada de que não gostasse.

E, o que era muito, muito pior, nada que eu não amasse.

Estávamos prestes a começar o terceiro episódio consecutivo da *nossa* série – como Lucas dizia – quando a Netflix resolveu colocar um fim em nossa maratona improvisada.

VOCÊ AINDA ESTÁ ASSISTINDO? Meu colega de apartamento temporário bufou ao ler a mensagem na tela.

– É claro que ainda estamos assistindo. Eles acabaram de matar uma das personagens principais e, sem aquela *maldita* cura mágica que eles perderam em um jogo mental idiota, ela não vai voltar à vida tão cedo!

Comecei a rir; sua frustração era engraçada.

– Eu avisei – falei do meu lado do sofá, ainda sem acreditar que ele estava tão interessado no drama paranormal adolescente. – Eu disse pra você não se apegar a nenhum personagem... Principalmente a ela.

Precisei abafar um bocejo.

Olhei para ele e vi que ele me olhava.

– Cansada?

Eu queria dizer que não, mas, sem conseguir me conter desta vez, minha boca abriu por conta própria.

Lucas riu.

– Tudo bem, *Bella Durmiente*.

Bella Durmiente.

As palavras pareciam um feitiço invocado só para os meus ouvidos, sedutor e fascinante, e eu sabia que provavelmente o efeito era esse porque tinham saído da boca dele.

– O que quer dizer?

– Bela Adormecida – traduziu ele e, antes que eu pudesse processar aquelas palavras, ele se esticou na minha direção.

Em um instante, ele estava bem ali, no seu canto, sentado a uma distância segura de um metro, e, no seguinte, seu peito estava encostado em mim.

A primeira coisa que percebi foi seu calor. A segunda, seu cheiro. Salgado, ensaboado, fresco. Claramente o cheiro de Lucas, de um jeito que eu não era capaz de explicar ou entender como não tinha sentido antes, quando ele me apertou contra seu peito como se não fosse capaz de se conter. Mas agora era só nisso que eu conseguia pensar. Era só isso que eu conseguia sentir.

– Hum... Lucas? – gaguejei.

Tentei prender a respiração para não cavar uma cova ainda mais funda porque, caramba, como ele podia ter um cheiro tão *gostoso*?

– O que você está fazendo?

Ele se esticou em cima de mim, como se procurasse alguma coisa do outro lado.

– Lucas? – repeti, e minha voz mal saiu.

Ele virou para poder olhar meu rosto, e seu nariz ficou a centímetros do meu.

– Você escondeu?

– Escondi o quê?

Pensei ter perguntado isso, mas, para falar a verdade, eu não conseguia nem pensar direito com o rosto dele tão perto do meu. Meu Deus, aquilo no nariz dele eram sardas minúsculas?

Senti suas mãos se mexendo embaixo da almofada onde eu estava sentada.

– O controle. Você está prestes a apagar, então vou colocar você pra dormir, *Bella Durmiente*.

O tom dele era de provocação, amistoso, e eu *vi* o quanto seus gestos eram inofensivos. Inferno. Parecia mesmo que ele estava só procurando o controle e por acaso eu estava no caminho. Mas eu só conseguia pensar que ele estava bem ali, com aquele cheiro incrível e tão pertinho que se eu me mexesse um centímetro para a esquerda seu queixo encostaria no meu e eu sentiria sua barba por fazer. Eu estava cem por cento presa no som das palavras dele em espanhol. Ou nele, tão fofo, querendo me colocar para dormir.

Jesus amado.

Talvez fosse melhor eu encontrar o controle, bater com o objeto na minha cabeça e colocar um fim naquilo tudo.

– Ahá!

Lucas alcançou o controle preto embaixo da almofada que estava ao meu lado e o segurou no ar como se tivesse acabado de encontrar o Santo Graal.

– Achei.

– Graças a Deus – falei, quase sem voz.

Lucas riu e antes de se afastar bateu na ponta do meu nariz com o dedo.

– Da próxima vez, esconda melhor.

– Eu nunca mais vou esconder nada de você, pode acreditar.

Recolocando uma distância decente entre nós, respirei fundo e me obriguei a me controlar. Se íamos dividir aquele apartamento, eu não podia agir assim sempre que Lucas estivesse a menos de meio metro de mim.

– Acho ótimo, coleguinha – respondeu ele, levantando e esticando os braços para cima. – Sabe, acho que eles não vão encontrar a cura a tempo. Acho que eles vão…

A camiseta dele subiu, deixando à mostra um pedaço de pele bronzeada que me distraiu do que ele estava dizendo. E, simples assim, aqueles cinco a sete centímetros de uma barriga reta e firme que eu tinha visto em todo o seu esplendor de manhã fizeram meus planos de me controlar descerem pelo ralo.

Repreendendo a mim mesma baixinho, fechei os olhos.

– Rosie?

– Quê? – respondi, ainda de olhos fechados.

Ele esperou alguns segundos.

– Você… dormiu enquanto eu estava falando?

– Não, não. Eu só estava descansando os olhos um pouquinho. É uma espécie de rotina noturna. Eu faço isso durante alguns segundos todos os dias.

Esperei um, dois, três segundos e acrescentei, levantando do sofá:

– Pronto!

Mas como era eu e eu *não* conseguia agir normalmente perto daquele homem, calculei mal a distância até a mesinha de centro e bati meu joelho nela.

– *Por Dios.*

Lucas correu até mim e se abaixou como se quisesse ver o machucado em meu joelho.

– Deixa eu dar uma olhada…

Dei um passo para trás antes que ele encostasse a mão.

– Estou bem. Não foi nada.

Lucas se levantou e olhou para mim como se estivesse tentando encaixar peças soltas de um quebra-cabeça. Então, virou a cabeça para o lado devagar e, para minha surpresa, riu.

– É, nada de *Bella Durmiente*. Você é uma princesa mais durona.

E esse comentário inesperado, por algum motivo, fez meu coração dar uma cambalhota.

Talvez eu quisesse ser durona. Ou simplesmente quisesse ser chamada de princesa por alguém. Ou não por alguém, mas por *ele*. E isso… Isso era algo em que eu não deveria pensar naquele momento. Ou em qualquer outro momento. Então, respondi com o tom mais animado possível:

– Obrigada!

Peguei meu pijama e corri para o banheiro.

Quando saí, depois de ter guardado todos aqueles pensamentos perigosos em algum lugar, encontrei Lucas apoiado em um dos armários da cozinha digitando alguma coisa no celular.

– Pode ir – falei. – Vou pegar uns cobertores e um travesseiro para o sofá. Sei onde a Lina guarda tudo.

Lucas tirou os olhos do aparelho, se concentrando em meu rosto. Ele assentiu, e sua boca se abriu para dizer palavras que nunca saíram. Seu olhar foi descendo, como se atraído por alguma coisa, percorrendo meu corpo, enquanto eu estava parada ali com apenas uma camiseta de dormir, um shortinho e em todo o esplendor do meu cabelo bagunçado. Uma passada de olhos, foi só isso. Uma única viagem vagarosa da minha cabeça aos meus pés e voltando à cabeça.

Seu olhar voltou a encontrar o meu, e ele disse em uma voz baixinha que fez meus braços se arrepiarem:

– Obrigado, Graham.

Graham. Eu não lembrava se ele já tinha me chamado só pelo sobrenome. Talvez mais cedo naquele dia? Depois do ataque de abraço.

Distraída por esse pensamento, fiquei observando Lucas tirar algumas roupas da mochila e ir até o banheiro. Quando a porta se fechou atrás dele, pensei naquela olhada. Em mim. Nas minhas pernas. Joguei um lençol sobre o sofá e disse a mim mesma para não ficar pensando nisso. Eu tinha pernas bonitas. Ponto. E Lucas gostava disso, certo? De mulheres. De pernas, pelo jeito. E daí?

Se ele saísse do banheiro com as panturrilhas de fora eu faria a mesma coisa. Caramba, eu já tinha feito a mesma coisa naquela manhã, quando ele estava só de…

– Não precisava arrumar o sofá para mim, Rosie.

A voz dele surgiu de algum lugar atrás de mim. Eu estava prestes a dizer que ele estava muito enganado se achava que ia dormir no sofá de novo, que eu estava arrumando o sofá para mim, mas as palavras morreram na minha língua quando virei e dei uma olhada no que estava diante de mim.

Não eram panturrilhas de fora.

Era muito, muito melhor que isso.

Era Lucas. De calça de moletom – calça de moletom *cinza* – e uma camiseta fina de algodão.

Mas a *calça de moletom*.

Era uma calça baixa, e o tecido grudava em suas pernas. Nas panturrilhas que não estavam de fora. E nas coxas que pareciam fortes. E naquelas partes muito, muito mais interessantes bem no meio.

E eu... *Meu Deus*, o que eu estava fazendo?

Eu estava quebrando umas cem regras do *Manual do Colega de Apartamento para uma Coabitação Civilizada e Não Ameaçadora* só de olhar para a virilha dele. Mesmo que por cima da calça. Uma calça que não deixava muito para a...

– Rosie?

Sentindo o rosto arder, me obriguei a olhar de volta para seu rosto.

Lucas estava sorrindo. Sorrindo de verdade. O maior sorriso que eu já tinha visto.

– Desculpa – falei baixinho.

Eu sabia que estava vermelha da cabeça aos pés.

– Você... é... Você disse alguma coisa?

Ele cruzou os braços e o algodão da camiseta se esticou.

– Eu disse muitas coisas, pra falar a verdade.

Engoli em seco.

– Alguma coisa importante que a gente precise discutir?

Ele apontou para trás de mim.

– Sim, que você não vai dormir no sofá. Mas isso não está aberto a discussão.

– Por que não? – perguntei, franzindo a testa. – Era parte do acordo.

Lucas veio na minha direção. Devagar, como se tivesse todo o tempo do mundo para atravessar o pequeno estúdio. Só parou quando estava bem na minha frente.

– Rosie – disse ele, em uma voz baixa e grave que fez meu estômago se revirar. – Você fica com a cama, ok?

Ele sorriu, mas não foi um sorriso leve e divertido.

– Não me faça brigar com você por causa disso. Porque eu vou brigar se for preciso.

Como? Aquela parte de mim que estava fazendo meu estômago se revirar quis perguntar. *Como exatamente você brigaria comigo?*

Mas, em vez disso, resmunguei:

– Tá.

Fugi para a cama do outro lado do estúdio. Bufei ao puxar a coberta e deitar.

– Vamos ver quem fica com a cama amanhã à noite.

– Vamos ver – repetiu ele antes de apagar as luzes. – *Coleguinha.*

Ouvi Lucas se mexendo entre os cobertores e me obriguei a fechar os olhos para não tentar vê-lo no escuro. Para não ficar pensando muito naquilo. Lucas Martín, dormindo a poucos metros de distância. Com aquela calça de moletom cinza que era um escândalo.

– Rosie? – chamou ele, menos de um minuto depois. – Você ainda está acordada?

Minhas pálpebras se abriram.

– Estou.

– Eu também.

Ri baixinho.

– Faz só uns… sessenta e cinco segundos que apagamos as luzes, eu ficaria surpresa se você já estivesse dormindo.

– Eu poderia ter narcolepsia e você não saber disso, espertinha.

– Você tem?

– Não – respondeu ele, e não pude deixar de sorrir para o teto mais uma vez. – Ei, Rosie?

Virando de lado, olhei na direção do sofá. Eu mal conseguia vê-lo no escuro, mas ainda assim fiquei olhando.

– Oi, Lucas.

– Você está a quantas páginas do seu sonho?

Pensei em todas as palavras que eu não tinha conseguido escrever naquele dia. E que teria que recalcular a meta diária no dia seguinte. Como tive que fazer em todos os dias seguintes desde que comecei.

– Escritores contam palavras, não páginas.

Ouvi um *hummm* profundo antes da resposta:

– Então você está a quantas palavras do seu sonho?

Muitas.

– Algumas ainda.

Mas cumprir uma meta de palavras não era o problema, era? A questão era muito maior do que isso. Era o processo de escrita. A inspiração. Ou a falta das duas coisas.

Ficamos um bom tempo em silêncio, os dois. Então, quando eu já não tinha mais certeza se ele estava dormindo ou não, ouvi Lucas dizer:

– *Buenas noches*, Rosie.

OITO

Lucas

Nova York. A Big Apple. *"The city that never sleeps."* A cidade que nunca dorme, como cantou Frank Sinatra.

Para onde quer que eu olhasse havia pessoas apressadas, carros, motos, ônibus, prédios com gente entrando e saindo e…

Barulho. Muito barulho.

Era diferente de qualquer outra cidade americana que visitei na primeira metade da viagem – e da minha cidade então, nem se fala.

Minha cidade. Na Espanha.

Mas era exatamente esse o objetivo, não era? Mudar de ares.

Por vontade própria, eu tinha trocado acordar com as ondas quebrando na praia por arranha-céus e vendedores de cachorro-quente. Por vontade própria, eu tinha deixado para trás a liberdade de pegar a estrada que margeava o litoral e dirigir para onde eu quisesse pelo tempo que eu quisesse e me comprometido com uma espécie de itinerário. Eu tinha trocado o Taco e a minha gente por multidões de estranhos sem rosto.

E eu só tinha feito essas trocas porque aquela paz, aquela liberdade, aquele cenário que eu conhecia como a palma da mão e as pessoas que me amavam – ou a versão do Lucas que eu tinha sido – já não eram mais um alento. Elas amavam alguém que agora me parecia um estranho.

Nova York era minha última chance de escapar. De adiar o inevitável. Que era todos descobrirem o real motivo dessa viagem. Que quisessem consertar as coisas. *Me* consertar. Porque era assim que a família Martín funcionava.

Como minha *abuela* dizia: *"Ay, Lucas, no vas a arreglar nada tumbado ahí como un monigote."* Ou seja: *Você não vai consertar nada deitado aí feito um boneco de palito.*

Mas não havia o que consertar. Eu com certeza não precisava de conserto. Presumir que havia conserto era o mesmo que dizer que existia a possibilidade de recuperar o que eu tinha perdido. E não existia. Eu não podia mais subir em uma prancha. Não podia fazer a única coisa que eu sabia. Surfar. A única coisa que eu amava e que tinha a sorte de fazer para ganhar a vida. A única coisa na qual eu *prosperei*. A água, as ondas, sentir a aspereza da parafina sob meus pés, a areia grudando na pele. Isso era minha vida. A adrenalina, as viagens constantes. Eu tinha acabado de chegar no auge do meu desempenho e, mesmo já tendo passado um pouco dos trinta, ainda tinha uns bons anos pela frente. Eu estava na Ponte do Brooklyn, pelo lado de Manhattan. Soltei um suspiro e notei que fazia tempo demais que estava olhando para a água turbulenta do East River.

Cheguei a hora no celular. Ainda dava tempo de riscar mais um ponto turístico da lista: caminhar pelo City Hall Park ou ver o Touro de Wall Street. As duas atrações eram gratuitas, uma exigência, visto que eu ainda estava esperando meu cartão de crédito chegar. Rosie me emprestou mais dinheiro – dinheiro que ela enfiou no bolso da minha jaqueta quando eu não estava olhando e que eu tinha planos de devolver com juros –, mas eu estava usando para o transporte.

– *Como un monigote* – resmunguei para mim mesmo, repetindo as palavras da minha *abuela*.

Talvez ela tivesse razão. Eu era mesmo. Um inútil. Um saco plástico boiando no rio. À deriva. Apenas sendo levado e... existindo.

Eu estava cansado. Exausto, na verdade. E agora a simples atividade de ir até um ponto turístico, de estar à deriva em meio a uma torrente de estranhos, não parecia algo que eu fosse capaz de fazer.

O rosto de Rosie surgiu em minha cabeça. Algo pelo qual eu não esperava. Prometi que ficaria fora durante o dia para que ela pudesse trabalhar, e tinha toda a intenção de manter essa promessa. Mas precisaria abrir uma exceção. Eu estava mais dolorido do que de costume. Tanto que eu ficaria chocado se não terminasse o dia mancando, algo de que tinha levado semanas para me livrar.

Eu também estava me sentindo especialmente sozinho.

E Rosie era uma boa companhia. Meiga, inteligente e... melhor amiga da Lina.

Algo que eu não podia esquecer. Não que eu quisesse que a gente fosse mais do que colegas de apartamento, ou talvez amigos, bons amigos, mas porque... Porque o quê, Lucas?

Balançando a cabeça, abri o Google Maps para conferir a melhor rota para voltar ao apartamento de Lina e segui até a estação de metrô mais próxima. Quarenta minutos depois e andando mais devagar porque eu já tinha começado a mancar, finalmente avistei o prédio de Lina.

Parado nos degraus estreitos da entrada para pegar as chaves, eu quase senti o gostinho de alívio que seria me sentar quando fui atingido.

– Puta merda! – disse a voz feminina abafada pelo meu moletom.

Ainda colada em meu peito, a cabeleira escura esvoaçou e a lufada de pêssego que eu reconheci na hora atingiu em cheio meu nariz.

Soltei uma risada.

– Também senti sua falta, coleguinha.

Rosie, com o rosto ainda enfiado em algum lugar entre meu peito e minha clavícula, soltou um palavrão.

Sem pensar, coloquei os braços em seus ombros e levei nós dois para a calçada.

– Ah! – disse ela, um pouco sem fôlego. – Ah, tá, obrigada.

Tentando ignorar a sensação do seu corpo contra o meu, soltei Rosie.

– Se eu soubesse que você ia me receber assim, teria voltado pra casa antes.

Ela soltou uma risada constrangida e ficou levemente corada.

– Ha-ha. É claro que eu não te vi, senão não teria batido em você.

– Não me importo que bata em mim, Rosie – respondi com um sorrisinho.

O leve rubor se espalhou facilmente para suas orelhas e seu pescoço.

– Pra onde você vai? Parece estar com pressa.

– Ah, é!

Ela arregalou os olhos como se tivesse acabado de perceber que estava descendo os degraus correndo.

– O dono do apartamento ligou, vamos encontrar o empreiteiro lá no prédio em menos de uma hora. A rachadura no teto, lembra?

– Lembro. O pequeno acidente que não foi tão pequeno assim. Mas que boa notícia. Isso quer dizer que as coisas estão caminhando?

– É – disse ela, desviando o olhar na direção dos meus pés. – Então, enfim. Me desculpa pelo esbarrão, mas agora eu preciso mesmo ir. O dono do apartamento é um pouco… mal-humorado.

– Mal-humorado?

– Bem, ele não é muito agradável.

Ela sorriu. Mas era um sorriso tenso, e àquela altura eu já conseguia perceber que não era verdadeiro.

– Mas nada que eu não dê conta.

– Eu já terminei por hoje – menti. – Posso ir junto?

– Você quer ir? Comigo? – repetiu ela, piscando algumas vezes.

– Sou curioso por natureza. Você não conhece minha irmã, Charo? É genético.

– Não vai ser uma reunião divertida – avisou ela, mas percebi a expressão de alívio que surgiu em seu rosto por um instante. – Só vamos ficar lá em pé enquanto o empreiteiro avalia os danos.

Meu joelho direito latejou.

– Perfeito. Vou poder xeretar bastante a sua casa – respondi, dando alguns passos para trás e evitando fazer careta. – Preciso de umas fofocas nessa cidade nova.

Como imaginei, o dono do apartamento – um homem que se apresentou como Sr. Allen – não era só mal-humorado. Ele era um verdadeiro babaca. E pelo jeito era dono do prédio todo, como fez questão de dizer logo de cara.

Um pouco atrasado, um homem de cabelo escuro e que devia ter mais ou menos a minha idade chegou, vestindo calça cargo escura e um moletom com Castillo & Sons escrito no peito.

– Desculpem o atraso – disse ele ao nos encontrar no corredor. – A visita anterior acabou se estendendo um pouco, vim assim que pude.

– *Um pouco* – bufou o Sr. Allen, as palavras cheias de sarcasmo. – Você está dez minutos atrasado. Eu marquei às 18h45.

Comentário babaca, uma vez que o próprio Sr. Allen tinha acabado de chegar.

O empreiteiro o ignorou e foi direto até Rosie.

– Oi – disse. – Meu nome é Aiden Castillo.

– Rosalyn Graham – respondeu Rosie com um sorriso discreto antes de abrir a porta. – Obrigada por ter vindo, Sr. Castillo.

– Ah, imagina.

O olhar de Aiden permaneceu no rosto de Rosie e ele ficou ao lado dela, em vez de entrar imediatamente. Antes que eu me desse conta do que estava fazendo, me aproximei de Rosie e estendi a mão na direção dele.

– Lucas Martín – falei e fiz uma pausa, fazendo questão de olhar nos olhos dele. – Um bom amigo.

Aiden apertou minha mão de imediato, me olhando de um jeito compreensivo que automaticamente fez com que eu me sentisse um idiota pelo que eu tinha acabado de tentar fazer, seja lá o que tenha sido.

O quê que você acha que está fazendo, Lucas?

Repreendendo a mim mesmo por dentro, entramos, e Aiden começou a trabalhar, pegando um bloquinho e uma caneta. O Sr. Allen, que se pôs a andar de um lado para o outro atrás de nós, soltou um suspiro longo.

– Vamos encontrar o morador do andar de cima também, então seja rápido, sim?

O empreiteiro ignorou esse comentário também.

Rosie, por outro lado, mordeu o lábio ao olhar para um Sr. Allen inquieto.

– Ei – falei, me aproximando dela e entrando em seu campo de visão. – Seu apartamento é muito bonito, Rosie.

Eu não estava mentindo, era mesmo um apartamento bonito. Também ficava no Brooklyn, mas em outra área. Era mais espaçoso que o da Lina, o que não era difícil, e também mais aconchegante. Tudo ali – da *chaise longue* elegante ao brilho amarelo suave do abajur, os enfeitinhos e os livros espalhados – parecia pensado para proporcionar conforto e tranquilidade. Era um lar.

E... combinava com ela. Perfeitamente.

Deixando esse pensamento de lado, apontei com a cabeça para a esquerda.

– Principalmente aquela foto ali.

Era um porta-retrato com uma foto de Rosie e Lina – incrivelmente grande – vestidas de Minions. Elas até pintaram o rosto de amarelo e estavam com dois rolos de papel higiênico colados nos olhos. As fantasias eram ridículas, mas o fato de serem duas mulheres adultas olhando para a câmera, orgulhosas, era... cativante. Bobo.

– E fofo – falei baixinho antes de virar e olhar para seu rosto. – Você não acha que a gente devia levar essa foto para a casa da Lina? Você deve estar com saudade dela. Eu estaria se fosse você.

– Muito engraçado – disse ela, fazendo um biquinho. – Foi presente da Lina, tá bom?

Claro que foi.

– E acho que consigo sobreviver sem ela.

Comecei a rir, sentindo uma satisfação estranha com a leveza em seu tom de voz e o modo com que ela pareceu esquecer que havia outros dois homens ali.

– Srta. Graham.

Interrompendo o momento, Aiden chamou do outro ambiente da sala. Rosie e eu olhamos para ele, que estava com a cabeça inclinada para trás, olhando para o teto.

– Os danos foram só esses? Nenhuma outra parte do teto caiu?

Caiu?

Rosie não tinha falado que era uma *rachadura*? Eu estava tão concentrado em ficar de olho nela que esqueci de verificar o estrago. Então resolvi olhar para o teto e...

– *Pero qué cojones* – falei, o xingamento em espanhol saindo automaticamente.

O Sr. Allen bufou para mim, e Rosie foi até Aiden.

– Sim, é só isso.

– *Só isso?* – eu disse sem querer, completamente incrédulo. – Rosie, isso podia ter feito um estrago se tivesse caído em cima de você. Você disse que era uma *rachadura*.

– Concordo – falou Aiden. – Poderia ter sido bem feio se alguém estivesse embaixo quando aconteceu.

– *Meu Deus* – murmurei, olhando para o perfil de Rosie.

– Mas ninguém estava – disse Rosie, com calma. – Só caiu nos meus pés.

Um ruído estrangulado subiu pela minha garganta.

– Srta. Graham – disse Aiden, antes que eu pudesse falar qualquer coisa. – Tem mais algum problema em outro cômodo do apartamento? Quarto, banheiro, cozinha?

– Não, só isso. Ou pelo menos foi só o que eu percebi.

O empreiteiro colocou o bloquinho embaixo do braço.

– Certo. Se não se importar, eu gostaria de dar uma olhada em todos os cômodos. Tudo bem?

– Sim, claro – respondeu Rosie, suspirando. – Por favor, leve o tempo que precisar. E me desculpe pela bagunça. Eu saí correndo quando tudo... desabou. Literalmente.

Assentindo, Aiden se virou e saiu da sala.

Rosie estava com os lábios comprimidos em uma linha reta.

Controlando meu choque e, para ser sincero, a frustração por ela ter minimizado os riscos quando podia ter se machucado seriamente, cheguei perto e a cutuquei com o ombro.

– Ei.

Rosie me olhou com a expressão neutra, parecendo indiferente, mas seus olhos contavam uma história completamente distinta.

– Desculpe por ter ficado um pouco bravo – falei.

Ela deu de ombros e pareceu meio triste.

– Não precisa pedir desculpas... Nem ficar bravo.

Ignorei o comentário, a necessidade de fazê-la sorrir brotando do fundo do meu ser.

– Não acredito que não vi assim que entrei – falei, e ela olhou para mim. – Quem diria que eu teria uma queda por mulheres pintadas de amarelo, hein? – acrescentei, o mais leve possível. – E, por mulheres, não estou me referindo à minha prima.

Ela piscou, então soltou um ruído que era uma risada meio bufada.

– Está engraçadinho hoje, hein?

– Achei que eu fosse engraçado sempre.

Dei uma piscadinha, e isso pareceu distraí-la o bastante para que ela soltasse mais uma daquelas risadas pela metade.

– Agora, sério, você está bem?

– Estou.

– Tudo bem se não estiver. Isso aqui é um baita problema, Rosie.

Ela sustentou meu olhar, como se quisesse dizer alguma coisa, mas pareceu mudar de ideia.

– Ah...

Ela jogou a cabeça para trás, olhando para o buraco (definitivamente não era uma rachadura) lá em cima.

– Não é nada de mais, só um pequeno contratempo. O conserto vai ser rapidinho.

Aquilo ali não tinha nada de pequeno. Não mesmo.

O Sr. Allen, que estava surpreendentemente quieto, bufou, lembrando-nos de sua presença.

– Não tem nada de pequeno nisso, Srta. Graham.

Sorrindo e apertando o nó de uma gravata que parecia cara, o dono do imóvel lembrava o cara doido daquelas comédias de terror do início dos anos 2000. Aquelas com psicopatas. E embora eu concordasse com ele nesse aspecto, ainda assim dei um passo à frente ao ouvir seu tom. O olhar do Sr. Allen saltou de Rosie para mim antes de voltar a ela.

– Imagino que não tenha imóveis, Srta. Graham.

– Não, não tenho. Estava só tentando deixar a situação mais leve...

– Exatamente – interrompeu o Proprietário Psicopata, e automaticamente endureci a postura ao ouvir a mudança do tom de voz dele. – Por isso a senhorita não tem noção do que vai custar esse *pequeno contratempo*. Mas é claro que – disse ele, agora com um sorriso enorme – é do meu tempo e do meu dinheiro que estamos falando aqui, não é? A senhorita sabe quanto eu perco parado aqui, lidando com isso?

A resposta de Rosie veio rápida.

– Eu entendo perfeitamente. Eu também não estou aqui por escolha. Não fui eu que causei...

– Ah, acho que não entende.

Ele a interrompeu pela segunda vez e cheguei perto de Rosie. Nossos ombros se tocaram. O Proprietário Psicopata continuou, o sorriso agora desconfiado.

– Não entende mesmo se acha que o conserto vai ser – uma pausa – *rapidinho*. Na verdade, acho que vai ser o oposto.

Senti o corpo de Rosie paralisar ao ouvir as últimas palavras do Sr.

Allen. Olhei para ela e a vi encarando-o com a mandíbula contraída e a testa franzida, muito séria. À primeira vista, outra pessoa acharia que ela não estava incomodada, que estava tirando aquilo tudo de letra, mas então ela soltou um suspiro trêmulo e piscou algumas vezes. Aquela era sua expressão de coragem, percebi. Ela estava usando uma máscara – quem ela queria poupar com isso, não sei dizer. Mas não me importei, porque minha mão se estendeu em sua direção e pousou levemente no meio de suas costas.

Olhando para o nada, ela não se mexeu nem deu nenhum sinal de que meu toque estava adiantando alguma coisa, mas mantive a mão ali. Traçando pequenos círculos entre as escápulas para mostrar que eu estava ali caso ela precisasse de mim, que tinha meu apoio.

– Nada de preocupante nos outros cômodos – anunciou Aiden, voltando para a sala. – Exceto umas manchas que reparei no gesso do banheiro e que gostaria de verificar com um dos meus funcionários – declarou, olhando para Rosie com uma expressão cautelosa e apontando para o teto com a caneta. – Mas preciso dar uma olhada no andar de cima para ter certeza do tamanho do problema.

A voz de Rosie saiu rouca.

– Obrigada, Sr. Castillo.

Aiden guardou a caneta no bolso lateral da calça e se virou para o Proprietário Psicopata.

– Depois disso, vou mandar minha equipe.

O Sr. Allen estalou a língua.

– E a estimativa de preço? Você não vai mandar equipe nenhuma antes de me passar um orçamento, Aiden.

– Um orçamento – repetiu Aiden, bem devagar. – O senhor não me pede um orçamento há an…

– Mas para essa obra aqui eu vou querer – interrompeu o Proprietário Psicopata e algo em seu olhar cristalizou, e não gostei nadinha daquilo. – Leve o tempo que precisar, mas nenhuma equipe entra aqui sem isso, ok?

– Sr. Allen – disse Rosie, com a voz estridente. – Eu gostaria de pedir uma coisa…

– Vamos ver se eu adivinho: você gostaria que eu priorizasse o seu apartamento e não o do Sr. Brown? Ou que acelere as coisas, Srta. Graham?

O cara falou com tanto desdém que me senti avançar até ficar parcialmente à frente de Rosie. Não que isso tenha dissuadido o Proprietário Psicopata, porque seu tom subiu ainda mais ao acrescentar:

– Se não está feliz com a maneira com que administro os reparos do *meu* imóvel, fique à vontade para romper o contrato. Eu consigo um inquilino novo... Como foi que você disse mesmo? *Rapidinho*. Afinal, como você já deve saber, apartamentos como este são alugados em um piscar de olhos.

Rosie respirou fundo, mas se recuperou rápido o bastante para dizer:

– O senhor não está sendo razoável e...

– Não estou sendo razoável?

O Proprietário Psicopata se eriçou e vi sua expressão mudar, como se ele estivesse se divertindo com tudo aquilo. Como se estivesse gostando do joguinho de poder em que tinha envolvido Rosie. Senti o sangue subir à cabeça, um temperamento que raramente se manifestava, fervendo até chegar à superfície.

– Srta. Graham – disse ele, em um tom que me fez endireitar a coluna –, não seja uma...

– Não – interrompi, entrando bem na frente dele para que ele não tivesse alternativa a não ser olhar para mim. – Sugiro que não termine essa frase.

O homem me encarou, mas deu para perceber claramente que sua garganta tremeu.

– Aliás... – continuei, percebendo minha voz ficar mais grave. – Sugiro que o senhor não diga mais nada.

O homem se limitou a ficar me encarando e a abrir um sorriso bem devagarinho. Psicopata que era, o cara me abriu uma *porra* de um sorriso.

Senti meu corpo avançar, cobrindo os últimos centímetros de espaço entre nós, para que exatamente, nunca vou saber, porque algo me impediu antes que eu pudesse descobrir.

Dedos delicados envolveram meu braço, me puxando.

Como não recuei, Rosie me puxou de novo, e nessa segunda vez foi difícil ignorar o que aquilo queria dizer. *Para. Você está passando dos limites. Volta.* Mas eu não queria recuar. Nunca gostei de valentões.

Mas Rosie me puxou mais uma vez, de forma tão suave que quase não senti e não tive escolha a não ser voltar para perto dela.

– Que falta de civilidade, não? Belos amigos você tem, Srta. Graham – resmungou o sujeito, claramente aliviado

Achei que Rosie ficaria do lado dele – o que seria compreensível depois do que tinha acabado de fazer –, mas, em vez disso, ela só desceu um pouco a mão e me segurou pelo punho. A ponta de seu polegar deslizou para dentro da manga da minha blusa, tocando minha pele e acariciando-a com leveza. Como se ela estivesse tentando me dizer que estava tudo bem e que ela não estava brava.

E, como eu claramente não respeito limites, virei a mão e segurei a dela.

– Falta de civilidade da sua parte, né? – pensei ter ouvido Rosie murmurar.

Parte de mim quis demonstrar que ouviu aquilo, quis olhar para ela, mas então o Proprietário Psicopata disse:

– Aiden, vamos. O Sr. Brown está esperando.

E, com isso, ele se virou e foi em direção à porta.

Só depois que ele desapareceu, Aiden falou:

– Ele é um babaca. Vou tentar enviar um orçamento assim que possível.

E, com isso, ele desapareceu atrás do Proprietário Psicopata.

Rosie se afastou de mim, soltando minha mão.

Quando finalmente olhei para Rosie, ela olhava para o teto.

– Bom, isso foi horrível – disse ela, baixinho, colocando as mãos na cintura. – Estou pensando… Quanto espaço será que a equipe e os equipamentos vão ocupar?

Franzi a testa.

– Pensando bem – continuou ela –, a cozinha, o banheiro e o quarto estão… livres.

Livres? Eu não estava gostando do rumo que aquela conversa estava tomando.

E gostei menos ainda quando as sobrancelhas de Rosie se uniram enquanto ela analisava o teto, pensando em alguma coisa. E…

Algum barulho deve ter saído da minha boca, porque Rosie voltou a atenção para mim.

– Tudo bem?

Estava tudo bem?

– Por favor, não me diga que você está pensando em ficar aqui.

Ela mordeu o lábio, mas não respondeu.

– Você não pode ficar aqui, Rosie.

Tentei sorrir, mas não consegui, a julgar pela reação dela. Na verdade, eu provavelmente estava fazendo uma cara feia.

Ela cruzou os braços, parecendo chocada.

– Você não precisa se preocupar comigo, Lucas. Nem cuidar de mim.

Soltei uma risada amarga.

– Não estou cuidando de você.

– Eu sou só a melhor amiga da sua prima – disse ela, e, depois de pensar um pouco: – Você já fez muito por mim. Me deixou ficar no apartamento com você. Ouviu minhas… bobagens. Até me defendeu do Sr. Allen e não precisava ter feito isso.

Foi minha vez de parecer chocado.

– Nós somos amigos.

– Somos mesmo?

Antes que eu pudesse dizer alguma coisa, uma voz veio… de cima.

– Que gritaria é essa?

Minha cabeça virou de repente, e meu olhar encontrou um homem com um roupão xadrez olhando para baixo. Minhas sobrancelhas se arquearam tanto que quase foram parar no couro cabeludo.

– Ei, vocês dois. Estamos tentando ter uma conversa aqui em cima.

Sem conseguir acreditar no que estava vendo, dei um passo à frente. Estreitei os olhos, analisando o homem e…

– *Por el amor de Dios* – falei, estremecendo diante da visão. – Meu Deus, não tem nada embaixo do roupão dele… Rosie. As bolas dele estão penduradas que nem…

– Oi, Sr. Brown! – interrompeu Rosie, me ignorando. – Espero que esteja tudo bem.

– *Rosie* – murmurei. – Por que…

Mas eu estava chocado demais para concluir.

– Meu Deus do céu.

– Está tudo bem, não é a primeira vez que vejo isso.

Eu abri e fechei a boca. Totalmente sem palavras. Eu só sabia que meu instinto de fuga tinha sido acionado e implorava que eu pegasse Rosie pela cintura e a pendurasse em meu ombro para sair dali o mais rápido possível.

– Rosie – pedi, lenta e cuidadosamente. – Vamos para casa.

Um tremor me sacudiu, e ela disse:

– Mas todas as minhas coisas estão aqui e...

– Eu preparo um jantar e encerramos por hoje – sugeri, olhando bem para ela. – Amanhã você vai estar nova em folha, pronta para escrever muitas palavras.

Ela bufou, frustrada. Sua expressão era de derrota. Exaustão.

– Uhum. Como se eu fosse perfeitamente capaz...

O comentário chamou minha atenção.

– Como assim?

Ela balançou a cabeça.

– É sério, Rosie. Por que você disse isso?

Suavizei o tom de voz, imaginando... não, sabendo que ela estava escondendo alguma coisa.

– Pode confiar em mim.

Ela voltou a balançar a cabeça e abraçou a própria cintura. Eu cheguei um pouco mais perto. Estava ficando cada vez mais preocupado.

– O que foi?

Ela não respondeu nem olhou para mim.

– Ei, Ro...

– Não foi nada! – disparou ela, alto, me assustando.

Sua voz saiu aguda e seu lábio tremia.

– Está tudo ótimo!

– Ei, *cariño*. É sério, me fala o que está acontecendo.

E, nesse momento, ela deu um longo suspiro, seus ombros despencaram e seus olhos lacrimejaram de repente.

– Não está acontecendo nada – respondeu ela, logo antes de a represa romper. – Tem uma droga de um buraco no teto do meu apartamento e esse conserto idiota vai levar muito mais tempo do que eu imaginei e estou atrapalhando a sua estadia porque faz meses que estou mentindo para o meu pai e não posso ir ficar com ele e tenho quase certeza de que meu irmão está metido com alguma coisa estranha e faltam menos de dois meses para eu ter que entregar um manuscrito que não está nem perto do número de palavras que já deveria ter porque estou empacada. Eu simplesmente não consigo escrever, Lucas! E você está aqui, testemunhando a zona que é a minha vida. Ah, e para completar, estou com desejo de cronut, que é simplesmente uma mistura de croissant com donut, porque menstruei hoje de manhã e quando sairmos daqui vai ser tarde demais para comprar porque a Holy Cronut vai estar fechada!

Paralisado, fiquei apenas observando quando ela parou para respirar.

– Então ok, beleza! – disse ela de repente, me assustando de novo. – Pode ser que uma coisa ou outra esteja dando errado. Mas eu sou a *Rosie*. Em tese, eu tenho que dar conta das minhas coisas.

Rosie soluçou.

– Porque isso é o que eu faço. Dou conta de tudo. E agora eu... eu...

Foi a lágrima solitária que caiu do cantinho do olho que me fez chegar bem perto dela e, em dois segundos, meus braços envolveram seus ombros e eu a trouxe até meu peito.

– Está tudo bem – falei, colocando uma das mãos em sua nuca, mantendo-a apoiada contra mim.

– Eu não vou perder a cabeça, sabe? – murmurou ela, as palavras abafadas pela minha blusa. – Eu sou Rosie e não posso *perder a cabeça*.

Sentindo o corpo dela tremer em meus braços, abracei Rosie um pouco mais forte e apoiei o queixo em sua cabeça.

– Você pode perder a cabeça, *sim*, Graham – falei, balançando-a de um lado para o outro. – Você tem o direito de fazer isso de vez em quando.

– Mas eu odeio quando isso acontece. Não quero que ninguém me veja assim. Principalmente você – disse ela, soluçando mais uma vez. – Fico muito feia chorando.

– Feia? Impossível.

Um som estrangulado deixou seus lábios, aquecendo a pele mesmo sob o tecido da minha blusa.

– Para de ser legal comigo.

– Só estou sendo sincero – respondi, e estava mesmo.

E aquele *principalmente você* não tinha passado batido, mas não era hora de me prender a isso. Acariciei suas costas, massageando os músculos.

– Faz bem colocar para fora. Ainda mais quando tem tanta pressão em cima de você.

– Talvez – disse ela, o rosto ainda enfiado em meu peito. – Mas continuo não gostando.

Algo me ocorreu, algo que talvez fizesse aquelas lágrimas pararem de cair.

– Você conheceu minha *abuela*, né? No casamento?

Rosie assentiu.

– A última vez que fiz algo assim, que fingi que não tinha nada de errado acontecendo, que estava tudo… *ótimo* – contei, usando as palavras dela –, minha *abuela* jogou uma colher de pau em mim. Acertou meu rosto em cheio.

Eu esperava que Rosie engasgasse ou risse, mas ela respondeu com carinho:

– Eu amo a sua *abuela*.

– É difícil não amar. E, sejamos sinceros, provavelmente eu mereci.

Ela soltou algo próximo de uma risada. Quase isso.

Ótimo, desde que ela parasse de chorar, eu aceitaria passar um pouco de vergonha.

– A colher estava cheia de molho à bolonhesa. Parecia que eu tinha brigado com uma lata de molho de tomate.

Em defesa da minha *abuela*, eu mereci mesmo.

– Ah, e depois de me acertar, ela gritou "*Tontos son los que hacen tonterías*". Que quer dizer "Quem faz burrice é burro!".

Deixei meus dedos tocarem o cabelo de Rosie, acariciando seus cachos macios. Como ela não se afastou, deixei que minha mão descansasse ali.

– Ela tem razão. Não é inteligente fingir que está tudo bem quando não está. Quando a gente tenta reprimir tudo, corremos o risco de explodir. Mais rápido do que a gente espera.

Rosie não falou nada, e essas últimas palavras deixaram um gosto amargo em minha boca, então ficamos em silêncio, balançando de um lado para o outro, sem querer soltar.

Quando Rosie finalmente falou, sua voz não estava mais trêmula.

– Lucas?

Sabendo que não havia mais motivo para continuar abraçando Rosie, mas sem querer me mexer, respondi com um:

– Humm?

– O que você estava reprimindo? Quando ela jogou a colher em você?

Depois daquela confissão, eu não deveria ter sido pego de surpresa por essa pergunta, mas fui.

– Eu...

Hesitei, sem seguir meu próprio conselho e reprimindo tudo o que estava guardando ainda mais para o fundo.

– Eu conto se você parar de resistir à minha ajuda. E se voltar pra casa comigo. Você não pode ficar aqui.

– Não dá pra contar logo?

– Prova que você confia em mim.

Rosie se soltou do meu abraço, me olhando.

Retribuí o olhar.

– É assim que funciona, Graham. É uma via de mão dupla.

Ela ficou pensando por um bom tempo, então disse, relutante:

– Tá. – Ela soltou um suspiro alto. – Se esse é o seu jeito de me perguntar se podemos ser amigos, tudo bem. Acho que podemos.

Algo fez meu coração acelerar e logo desapareceu.

– Amigos – repeti, enfim me permitindo abaixar os braços, porque amigos consolam um ao outro, mas respeitam os limites. – Então vamos. Não quero arriscar ver as bolas do Sr. Brown de novo.

– Tá – repetiu ela, agora com mais convicção. – Vamos pra casa, coleguinha.

NOVE

Rosie

Fechei o notebook, incapaz de ficar olhando para o manuscrito por mais um segundo que fosse.

Zero de 2.500 palavras.

– Que merda – falei para o apartamento vazio e silencioso.

Como produzi um total de zero palavra, tive que recalcular a meta diária. Mais uma vez.

E mais uma vez me lembrei do colapso épico do dia anterior. De como despejei toda aquela bobagem emotiva em cima do Lucas. De como choraminguei com o rosto enfiado na blusa dele por uma quantidade indecente de tempo. E, principalmente, me lembrei da calma dele ao me consolar. De como ele veio ao meu socorro sem que eu pedisse. Sem que eu nem mesmo esperasse.

E pensei naquele abraço. Um abraço de corpo inteiro. Consolador, reparador, cheio de *intenção...* porque Lucas me abraçou de verdade, como se estivesse completamente focado naquele abraço e só nele. Um abraço capaz de mudar uma vida, se algo simples como um abraço tivesse esse poder.

Durante toda a minha vida eu tinha sido a pessoa com quem os outros contavam. Dividi o fardo com meu pai quando minha mãe nos abandonou. Como Olly tinha 10 meses e eu estava com 10 anos, tive que aprender a crescer rápido. Carreguei o peso sozinha sempre que meu pai não podia estar presente. Eu era o porto seguro dos meus amigos, a pessoa com quem podiam contar para chorar ou receber um conselho sincero. Eu aceitava qualquer papel que fosse necessário, fazendo questão de estar disponível, de manter qualquer situação ou crise sob controle. Sempre calma, sempre no controle. Talvez por isso o trabalho como consultora de engenharia fosse tão... adequado, natural. Eu era paga para planejar projetos, oferecer minha experiência e gerenciar crises. E talvez também tenha sido esse o motivo pelo qual largar isso para fazer o que eu realmente amava – algo que podia ser regido pelas emoções – tinha sido tão... libertador.

Mesmo que tivesse me trazido até esse momento. Àquele colapso. À reação imediata do Lucas, me emprestando sua força. Assumindo o controle.

Soltei um suspiro.

Sorriso brilhante, ombros largos, habilidades culinárias inacreditáveis, o superpoder do melhor abraço do mundo *e* um coração grande.

A vida às vezes era injusta mesmo.

– E aqui estou eu – murmurei baixinho. – Pensando em um homem em vez de escrever.

Não que isso mudasse alguma coisa. Eu não estava conseguindo escrever mesmo.

Empurrando o banquinho para trás, fui até a janela e a abri, dando as boas-vindas à brisa de outubro. Me apoiei no parapeito, me perguntando se deveria ligar para Lina mais uma vez. Quem sabe...

Meu celular tocou do outro lado do apartamento.

– Que estranho – murmurei.

Voltei até a ilha da cozinha, peguei o celular e sorri ao ver o nome na tela.

– AMIGAAAAAA! – gritou uma voz que eu conhecia muito bem. – Por que eu tenho um milhão de ligações perdidas suas? Você está com tanta saudade assim de mim ou finalmente viu o Sebastian Stan e eu perdi? Vocês dois se deram bem? Ele é fofo pessoalmente também? Se ele for um babaca eu não quero saber. Não estrague o Seb pra mim.

– Oi, Lina!

Soltei algo que foi metade suspiro, metade risada.

– Nossa, eu estava pensando em você nesse segundo. E não foram um milhão de ligações, foram só duas.

– Humm, vou entender isso como um não. Coitado do Seb. Quem perde é ele.

– Nossa, que saudade.

Fui até o sofá e me joguei nele. Pus o volume do celular no máximo e o coloquei na mesinha de centro.

– Como estão as coisas, *Sra. Martín-Blackford*? Como é o Peru? Tudo saindo como planejado aí na lua de mel?

– Ah, Rosie, eu poderia me acostumar com isso aqui, viu? Você acha que vão sentir nossa falta no trabalho se ficarmos um pouquinho mais? – perguntou ela, e então abaixou o tom de voz. – Ou para sempre?

– Bem, considerando que seu marido é o chefe da divisão em uma empresa de engenharia de sucesso de Nova York e você é líder de equipe nessa mesma divisão, eu diria que… é provável?

– Droga… Eu não deveria ter deixado de ser consultora.

Mas eu sabia que Lina não estava falando sério. Ela amava o trabalho.

– Ou, sei lá, me casado com alguém sem responsabilidades.

Abri a boca para dizer o quanto aquela ideia era ridícula, considerando o fato de que ela e Aaron eram incapazes de ficar longe um do outro, mas, antes que eu conseguisse falar qualquer coisa, a voz grave dele surgiu no fundo.

Então ouvi Lina dizer:

– Não faça tempestade em copo d'água, *mi amor*! É brincadeira. Eu casaria com você cem vezes.

Mais algumas palavras abafadas foram ditas no fundo e minha amiga deu uma risadinha. Considerando experiências anteriores, era o tipo de risadinha que precedia um beijo ou um toque ou uma troca de olhares.

Senti uma pontada de inveja. Inveja boa, aquela do tipo que fazia com que eu me perguntasse se algum dia encontraria o que eles tinham. Ironicamente, era o tipo de inveja que me fez alimentar a ideia de escrever. De dar vida a um tipo de amor que parecia nunca acontecer comigo.

Mas ali estava eu, com um livro publicado e a tentativa de um segundo, e não só o poço de inspiração parecia ter secado, como eu também não tinha encontrado um amor.

– Rosie? – chamou Lina, me trazendo de volta. – Eu estava contando sobre minha *maratona de sexo*, agora que meu marido saiu para comprar empanadas, mas você me deixou no vácuo…

– Desculpe, meu bem.

A ligação ficou em silêncio por um instante.

– Está tudo bem? – finalmente perguntou Lina, e o tom leve e provocador tinha desaparecido. – Eu estava brincando sobre as ligações, você sabe, né? Você sempre pode me ligar. Quantas vezes quiser.

– Eu sei – respondi, porque eu sabia mesmo. – Mas...

– Fica tranquila, você não vai estourar minha bolha – concluiu Lina por mim, me fazendo lembrar por que ela era tão essencial e importante na minha vida.

Minha amiga me conhecia como ninguém e por isso soube exatamente o que dizer na sequência para me acalmar.

– Estou mais feliz do que nunca e falar sobre o que quer que esteja acontecendo com você não vai mudar isso.

Me dei um tempo para absorver a informação e dessa vez o que senti não foi inveja, nem mesmo a do tipo saudável: o que eu senti foi a mais pura alegria por ela. Por eles. Aaron e Lina só mereciam felicidade.

– Na verdade – continuou ela –, você achar que não pode contar comigo é que parte meu pobre coração. Eu...

– Tá bom, tá bom, pode parar com a chantagem emocional. Não é que eu não queira conversar com você sobre o que está acontecendo. Eu só...

– Não quer me incomodar enquanto estou em lua de mel com meu marido gatíssimo, eu sei. Mas eu já disse que não é isso que vai acontecer. Então, desembucha, Rosie.

Desembucha.

Eu tinha tantas coisas para contar. Para conversar, na verdade. A começar pelo fato de que meu apartamento estava inabitável. E que eu estava dividindo o estúdio dela com o primo dela. Primo esse por quem eu nutria uma paixão virtual e que passar um tempo com ele não estava ajudando em nada.

E, no entanto, o que saiu da minha boca foi:

– Acho que talvez eu tenha feito uma cagada.

– Tá.

Seu tom era cauteloso.

– Uma cagada do tipo "Coloquei sal em vez de açúcar na massa", ou do tipo "Querido, lembra daquele veneno de rato que eu comprei para acabar com a infestação? Eu não engoliria isso se fosse você"?

Fechei os olhos.

– O segundo?

Pensei um pouco melhor.

– Talvez não exatamente o segundo, mas algo nessa linha. Tirando a parte do envenenamento acidental da família. Digamos que eu fui a única envenenada. E meio que fiz isso comigo mesma. Digamos...

– Rosie? – Ela me interrompeu.

– Diga.

– Acho que a metáfora já foi longe demais, e agora não sei mais do que você está falando.

Respirei fundo.

– De ter largado o emprego na InTech. Foi essa a cagada, Lina.

– *O quê?*

Lina engasgou e eu soube que era um choque sincero.

– Por que você acha isso? Está levando uma vida maravilhosa de escritora, sem distrações e com um contrato garantido.

– É, só que eu não estou vivendo essa vida maravilhosa de escritora – falei, olhando para o teto e apertando as têmporas. – Porque não tenho conseguido escrever. Faltam menos de dois meses para o prazo de entrega e... eu não avancei nada. Estou empacada há um tempão, e agora não sei se vou conseguir. Não tenho nada, Lina. *Nadinha.*

Silêncio, e então minha melhor amiga disse:

– Ah, Rosie.

Um tremor sacudiu meu lábio inferior, a trava dos portões que se abriram de repente no dia anterior voltou a chacoalhar.

– É isso – falei, com uma voz estranha. – Eu sou um fracasso. Ainda nem realizei meu sonho e já sou um fracasso. Você... Você acha que o Aaron vai aceitar se eu pedir meu emprego de volta?

– Não.

– Tá bom. Eu entendo. Acho que outra pessoa...

– Não – repetiu ela. – Você não vai pedir seu emprego de volta.

– Lina...

– Cala a boca e me escuta. Escuta com atenção.

Minha boca se fechou, meus olhos foram se enchendo cada vez mais de lágrimas, apesar do tom firme da minha melhor amiga.

– Você, Rosalyn Graham, é muito *fodona.*

Soltei um som que me recusei a reconhecer como soluço.

– Você tem um diploma de engenharia. Foi promovida a líder de equipe em uma empresa de tecnologia de ponta de Nova York, caramba.

Ela fez uma pausa, deixando que eu absorvesse tudo aquilo.

– Você escreveu um livro… no seu tempo livre. Um livro bom, Rosie. Uma história de amor linda e épica sobre um veterano de guerra que viaja no tempo e luta para encontrar o lugar dele no presente ao lado da mulher que ele ama. Você sabia que a Charo ainda chama o personagem de "Meu oficial"? A mulher tomou um personagem fictício pra si e fica indignada com o simples fato de as pessoas falarem dele.

Eu sabia disso. Lina me mandou capturas de tela de algumas mensagens bem entusiasmadas.

– Quando ela descobrir que *você* é Rosalyn Sage, ela vai te importunar pelo resto da vida – disse Lina. – E isso tudo porque você arrasou. Você destruiu.

– Eu não destruí, Lina. Eu…

– Aquela editora não ofereceu um contrato por causa do seu rostinho bonito.

– Tá – concordei, relutante. – Acho que meu primeiro livro é *bom*.

Lina bufou.

– Não é só bom, Rosie. O negócio era tipo fumar crack. O pequeno mas empolgado grupo da minha família que fala inglês *adorou*.

Ouvi um barulho no fundo, como se ela tivesse aberto um chocolate ou um pacote de salgadinhos. Como era a Lina, podia ser qualquer um dos dois.

– E ainda por cima você teve coragem de largar um emprego que não te fazia mais feliz para seguir uma carreira que faz. Uma carreira de escritora. Porque você é boa nisso, Rosie.

Coragem.

Isso me lembrou de quando Lucas me chamou de corajosa. Corajosa.

Eu.

Meu coração retomou aquelas cambalhotas que dava sempre que eu pensava nele.

– Sei lá… Será que eu sou corajosa mesmo? – eu me ouvi perguntando em voz alta.

– É claro que é! – confirmou Lina de cara. – Isso aí de empacar é seu medo falando mais alto. Você está morrendo de medo de fracassar, Rosie. Eu conheço você. Mas preciso que você saia de dentro da sua própria cabeça, pare de choramingar sobre não conseguir resolver o problema e comece a acreditar que consegue.

– Ai… – resmunguei

– Estou dizendo tudo isso porque amo você.

Visualizei Lina apontando o dedo para mim.

– Não deixe a pressão que está colocando sobre si mesma te paralisar. A única coisa que está te limitando é você mesma, Rosie.

As palavras de Lina bateram mais fundo do que deveriam. Não a parte sobre choramingar, mas sobre *eu* ser o problema. Porque eu estava começando a achar que era mesmo.

– É normal ter bloqueio criativo – acrescentou ela. – Então vamos desbloquear você.

– Desbloquear?

– Aham, vamos abrir essa sua cabecinha.

Deixei as mãos caírem no sofá, as palmas descansando no tecido macio das almofadas.

– Não sei, Lina. Eu não… eu nem sei qual é o meu problema. Eu só…

Um instante de silêncio.

– Você o quê?

– Eu… É como se um milhão de coisinhas estivessem me impedindo de escrever, e eu simplesmente travo sempre que tento. Já fiz de tudo, até acupuntura, porque li em um blog que ajuda a liberar endorfinas que atuam na inspiração. Nada funcionou.

A ligação ficou em silêncio, então veio uma fala hesitante:

– Talvez tenha uma coisa que você possa tentar.

– E essa coisa seria…?

Lina não respondeu de cara, o que por si só já queria dizer o bastante.

– Seu segundo livro é no mesmo universo, não é? Você disse que queria garantir um "felizes para sempre" para o melhor amigo dele.

– Isso.

– Você disse que dessa vez a história seria um pouco mais… alegre. Que seria sobre ele lidando com a vida moderna e se ajustando às mudanças na selva que é a vida amorosa hoje em dia.

– É, acho que foi isso que eu disse, sim.

– Então – disse Lina, bem devagar, tão devagar que a palavra de duas sílabas se arrastou por alguns segundos. – Você podia fazer o mesmo. Podia se arriscar por esse caminho.

Franzi a testa.

– Oi?

– Nos encontros da vida – respondeu ela, confiante. – Você está tranca-da em casa há... quanto tempo? – perguntou ela, mas sem me dar chance de responder. – Tempo demais. Talvez seja esse o problema. Seu plano é escrever sobre um cara que é de 1900 e está tentando se relacionar nos dias de hoje. Talvez você devesse... fazer isso. Se parar pra pensar, vocês dois não são tão diferentes assim. Você não sai com ninguém há dois anos.

Lina soltou uma risadinha.

– Você e seu herói são dois lindos e antiquados peixinhos fora d'água em matéria de encontros no século XXI.

Um som estranho saiu da minha garganta. Abri a boca para falar sobre como essa ideia podia dar errado em inúmeros aspectos, mas me contive. Porque talvez, só talvez...

– Pode funcionar – disse Lina, como se tivesse acabado de ler minha mente. – Olha só, minha primeira ideia tinha sido sexo. Orgasmos. Eu ia sugerir que você comprasse um vibrador quando você falou das endorfi-nas, mas acho que dessa vez você precisa de alguém de carne e osso mesmo.

Pisquei, tentando processar aquilo tudo.

– Você sabe que eu não sou boa com encontros casuais – respondi.

– Exatamente, você precisa de um pouco de romance antes do rala e rola.

– *Rala e rola?*

Ela ignorou minha pergunta.

– É por isso que você deveria baixar o Tinder de novo. Ou o Bumble. Ou qualquer que seja o aplicativo que o Zuckerberg tenha inventado essa semana.

– Um aplicativo de encontros.

O ceticismo em minha voz era audível.

– E o lance do peixe antiquado, Lina? Acho que gosto mais dessa ideia. Podemos voltar a ela? Nunca saiu nada de bom de um aplicativo de encon-tros. Não para mim.

– Olha só – disse Lina, limpando a garganta. – Sei que você desistiu dos aplicativos e dos homens por um motivo, um bom motivo, aliás. Aquele último com quem você saiu, o Babaca Número Cinco, era... bom, vou só dizer que ele teve sorte de eu não ter pegado o carro do Aaron emprestado e ele não ter sido atropelado por acidente.

– Lina! A gente já conversou sobre você ficar falando esse tipo de coisa.

– Só uma encostadinha do para-choque na bunda dele. Só isso.

Balancei a cabeça.

– Você quer atropelar todos os caras com quem eu já saí.

Lina riu, mas foi uma risada sombria e... sangrenta.

– Talvez porque todos tenham sido uns babacas.

Fechei os olhos, me sentindo... impotente e cansada. Principalmente porque Lina tinha razão.

– O que eu estou querendo dizer – continuou ela – é que, de certa forma, a fila de idiotas com quem você se relacionou te levou a escrever seu primeiro livro fenomenal. E você não pode achar que um belo dia você vai deixar cair um lenço no Central Park e o homem dos seus sonhos vai encontrar e começar uma busca pela cidade...

– É – interrompi. – Não tenho tempo pra isso, eu sei.

– Não tem – concordou ela, delicadamente. – Então talvez, só talvez, baixar um aplicativo de encontros e voltar a sair possa mudar alguma coisa. Possa te ajudar a achar inspiração. A impulsionar a escrita. Ou a arejar a cabeça e se divertir um pouco. Isso também não seria ruim.

Me encolhi toda, não queria aceitar que o que ela estava dizendo fazia sentido.

– Talvez você possa até encarar a coisa toda como...

Ela parou de falar e então continuou com mais entusiasmo.

– Uma pesquisa. Um trabalho de campo. Como se estivesse fazendo um experimento. Escolha um cara e faça o que for preciso para atiçar sua criatividade. Você nem precisa contar para ele.

Um experimento.

Mas a última parte não me agradava muito. Eu não teria coragem de enganar alguém para fazer... o que quer que a Lina estivesse insinuando. Ser desonesta nunca foi minha praia.

No entanto, fazia meses que eu estava mentindo para o meu pai, lembrei a mim mesma. E agora estava mentindo – por omissão – para Lina, por não contar que estava morando no apartamento dela enquanto ela estava fora. *Com o primo dela.*

– Acho que vale tentar – disse ela.

– Pode ser – admiti em voz baixa. – A essa altura, eu tentaria qualquer coisa pra sair desse bloqueio idiota.

A pressão no fundo dos olhos voltou, e fiquei surpresa quando as palavras a seguir deixaram meus lábios.

– Quem sabe, talvez eu até consiga finalmente encontrar o amor, né? Vai saber...

A pontada de esperança no meu peito ao pensar nisso desapareceu em segundos.

– Ou, se isso simplesmente não estiver no meu destino, talvez ficar sonhando com um amor de verdade até o fim da vida possa valer a pena se ao menos me servir de inspiração para escrever.

– Não fala assim, Rosie – disse Lina, tão baixinho que eu senti minha garganta se fechar com... *emoções*.

Emoções confusas, intensas.

Meu Deus, eu ando um bebezão ultimamente.

– É claro que está no seu destino. Quem sabe, isso tudo pode acabar virando uma daquelas comédias românticas que você tanto ama. Imagina: *Escritora sai à procura de inspiração e se apaixona. Alerta de spoiler: era um best-seller* – disse Lina, rindo. – E, se você não se apaixonar e o cara for só mais um idiota, a gente pega o carro do Aaron emprestado e garante que o babaca nunca mais atravesse uma rua.

Meu Deus, como eu amava minha melhor amiga. Mesmo correndo o risco de que suas boas intenções e sua natureza violenta acabassem nos colocando na cadeia.

Mais uma vez, meu estômago se revirou loucamente ao pensar em tudo o que eu estava escondendo dela. Mas, assim que abri a boca, um barulho vindo da entrada chamou minha atenção.

Meu olhar imediatamente encontrou a figura de ombros largos que eu teria que ser cega para não reconhecer na hora.

Lucas. Meu colega de apartamento. Primo da Lina.

Ele estava parado à porta com os ombros erguidos e os olhos mais arregalados do que o normal. Na verdade, estava com cara de quem foi pego fazendo alguma coisa errada. Algo que não deveria estar fazendo. Algo...

Ah, meu Deus. *Ah, não.*

De repente, eu soube. Eu *soube*, com uma certeza que tive dificuldade de processar, o que ele tinha feito de errado.

Ele estava bisbilhotando. Ouvindo a conversa.

– Rosie? – chamou minha melhor amiga, sua voz saindo do alto-falante que eu tinha colocado no volume máximo quando atendi. – Você ainda está aí?

– Desculpa – murmurei, os olhos fixos nele. – Estou aqui, mas... preciso desligar agora.

Como eu não conseguia tirar os olhos dele, vi Lucas se mexer enquanto minha mente era inundada com uma sinfonia de *Por que, meu Deus, por quê?*. Por que ele tinha que ouvir justo *aquela* conversa?

Lucas veio na minha direção, e meus olhos – que ainda estavam fazendo o que bem queriam – resolveram que era uma boa hora para olhá-lo de cima a baixo. De me maravilhar com aquele moletom verde-esmeralda envolvendo o peitoral que eu *sabia* que era firme. De me perder um pouco naquele castanho-chocolate caindo sobre sua testa.

Um intrometido sexy e desgrenhado.

Ele podia pelo menos ter a decência de não ser tão... lindo.

– Tá, tudo bem.

Ouvi Lina dizer isso assim que Lucas se aproximou. Ele sentou na mesinha de centro, bem à minha frente, e colocou uma caixinha azul e rosa bem ao lado do meu celular. Engoli em seco, percebendo que seus joelhos estavam a um centímetro de tocarem os meus. Lina continuou:

– Vou falar com a *abuela* para acender uma vela pedindo por um cara decente que possa pelo menos te dar um ou dois orgasmos, porque...

– Obrigada, Lina.

Eu dei um salto absurdamente rápido para a frente, peguei o celular e, desligando o viva voz, levei o aparelho à orelha.

– Depois a gente se fala, tá? Agora eu realmente preciso desligar.

– Tudo bem – disse ela. – Eu vou deixar você em paz por enquanto, mas só porque eu te amo e só se você me prometer que vai lembrar que é capaz de fazer qualquer coisa.

Senti os olhos de Lucas queimando a lateral do meu rosto, mas continuei olhando para baixo.

– Também amo você, Lina. Dá um abraço no Aaron e aproveita o resto da lua de mel, tá?

Com o coração na garganta, finalizei a ligação, tentando não transparecer que estava me esforçando para traçar um plano de ação enquanto minha cabeça fazia milhões de perguntas. *Lucas ouviu sobre os orgasmos. Mas e o resto? Meu Deus, há quanto tempo será que ele estava ali?*

– Ei.

Ouvi Lucas dizer isso com a voz tão suave que a palavra disparou centenas de alarmes na minha cabeça. No dia anterior o cara teve que me abraçar porque eu estava completamente fora de mim, e agora mais essa.

– Você não vai me dar oi, Rosie?

– Oi.

Mantive o olhar baixo porque eu sabia que se visse o menor sinal de pena da parte dele eu ficaria... muito triste. Arrasada, na verdade.

– Então, era a Lina no telefone.

– Percebi.

– Não consegui contar que nós dois estamos aqui. Juntos. Até... você sabe, até eu poder voltar pra casa.

Engoli em seco, mantendo os olhos fixos no canto da mesinha de centro que ele não estava ocupando. Se eu queria que parecesse que não havia nada de errado, precisava agir de acordo.

– Enfim, como foi seu dia? Conseguiu ir naquela exposição gratuita que eu falei, na Biblioteca Pública? Gostou? Era tão legal quanto parecia no site?

– Sim – respondeu ele, como se essa única palavra respondesse a todas as quatro perguntas que eu fiz, e acrescentou: – Trouxe uma coisa pra você.

Ele pegou a caixa azul e rosa, e eu tive que olhar de novo quando percebi o logo na tampa. Senti meu peito inflar como um balão cada vez mais à medida que eu admirava aquela caixa de papelão.

– Você lembrou – murmurei com a voz trêmula. – Cronuts. Da Holy Cronut. Eu falei deles ontem...

Falei não, *gritei*, logo depois de dizer que eu estava menstruada e antes de cobrir o moletom dele de coriza.

– Aham – admitiu ele, e o balão ocupou ainda mais espaço dentro da minha caixa torácica. – Meu cartão chegou pelo correio hoje, então pensei que a gente podia comemorar.

Ele empurrou a caixa na minha direção.

– Se você quiser dividir, é claro. Porque, como eu disse, são para você.

– Se eu quiser dividir? – perguntei.

Sério, aquele homem era de verdade? De verdade verdadeira mesmo? Meu olhar deslizou das letras azuis que diziam *Holy Cronut* para os joelhos dele.

– É claro que eu divido. Você comprou a caixa grande.

– Era a maior que eles tinham.

Uma das mãos de Lucas descansou sobre sua coxa direita, e eu pensei no pedacinho de pele bronzeada que dava para ver pelos rasgos da calça jeans. Fui invadida pelo desejo de estender a mão e ver qual era a sensação de tocá-la.

– E aí, o que me diz?

Ele tamborilou os dedos na perna como se soubesse que eu estava concentrada bem naquele pontinho e quisesse chamar minha atenção.

– Comemos agora ou guardamos para mais tarde? Talvez depois do jantar?

Algo que pareceu muito um gemido de reclamação deixou meus lábios.

– Agora então.

Lucas riu, e isso, essa risada, foi motivo suficiente para eu finalmente levantar o olhar até o rosto dele.

– Meu colapso deve ter sido épico – murmurei, analisando o modo como os cantos dos olhos dele se enrugavam quando ele sorria. – Ou talvez você esteja morrendo de medo de mim agora e esteja só acalmando o monstro que chora feio daquele jeito.

– Não tem nada de feio em você.

Abri a boca para dizer alguma coisa, com as palavras dele ecoando em meus ouvidos. Como se já não bastasse ter falado uma frase que eu levaria comigo para sempre, ele abriu a tampa, revelando seis cronuts.

– Além do mais, eu amo que chorem em cima de mim de vez em quando – disse ele, empurrando de novo a caixa na minha direção. – Faz bem pra pele.

Balancei a cabeça de leve e peguei um daqueles pedaços crocantes de céu com açúcar e canela.

– Obrigada, Lucas. Não precisava mesmo ter feito isso.

Ele também pegou um e bateu no meu como em um brinde, como se houvesse algo digno de celebração.

– Amigos não fazem as coisas esperando agradecimento, Rosie.

Amigos.

– Certo.

Me obriguei a mover os lábios e acabei oferecendo aquele que eu sabia ser o menor sorriso da história. Ele franziu a testa, então senti que precisava distraí-lo.

– Acho que vamos ter que achar outra coisa para dizer então em vez de *obrigado.*

Vi um brilho em seu olhar e gostei de saber que tinha sido eu a responsável. Mesmo depois daquele lembrete de que éramos *amigos.*

– Tipo um código? – perguntou ele. – Só nosso?

– Claro – respondi, amando a ideia muito mais do que ele, muito mais do que eu deveria amar. – Tipo isso.

Lucas pensou por um tempinho, então levantou a mão que estava segurando o doce.

– Que tal simplesmente *cronut*? Em vez de dizer obrigado, a gente só diz *cronut.*

Seu sorriso era grande, luminoso, exibindo toda a sua energia.

E olhei para ele sentado ali como se aquilo não fosse nada, como se ele não fosse maravilhoso e não estivesse dificultando demais a minha ideia de não gostar ainda mais dele, tanto que tive que me conter fisicamente para não dizer que ele era o homem mais doce que eu já tinha conhecido. Mais doce que o doce que ele tinha trazido para mim.

– *Cronut*, Lucas.

E então, sem dizer mais nada, atacamos. Emitimos gemidos igualmente maravilhados e fizemos o conteúdo da caixa desaparecer em tempo recorde. E, quando terminamos de lamber a ponta dos dedos, eu já tinha esquecido quase tudo o que tinha acontecido.

– Então, Rosie – disse Lucas, com um olhar que devia ter me alertado sobre o que viria em seguida. – Agora você finalmente vai me contar sobre o seu bloqueio criativo e a fila de babacas com quem você se envolveu?

DEZ

Rosie

– Então você ouviu tudo, né?

Eu sabia que sim e olhei constrangida para o espaço fino como um fio de cabelo que separava nossos joelhos.

– Acho que a vizinhança inteira ouviu, vocês estavam falando bem alto e com a janela aberta.

Cobri o rosto com as mãos.

– *Que ótimo.*

Senti os dedos de Lucas envolvendo delicadamente meu pulso direito. Minha respiração ficou presa na garganta com o contato inesperado. Ele deu uma puxadinha, e um formigamento levíssimo percorreu meu braço e… bem, eu não pude fazer nada a não ser deixar que ele tirasse minha mão direita da frente do rosto.

Olhei para ele com um olho só.

– Vou ser sincero, Rosie.

Ele segurou meu outro punho, e, quando resisti, o sorriso discreto em seu rosto se alargou, me deslumbrando o suficiente para que eu deixasse tirar a outra mão. *Argh, esse sorriso idiota e lindo.*

– Talvez eu tenha ouvido boa parte sem querer quando ainda estava na rua. Mas, quando subi correndo e ouvi o resto do outro lado da porta, foi intencional.

– Ok – respondi devagar, colocando as mãos no colo. – Obrigada pela sinceridade.

Porque o que mais eu poderia dizer? Por algum motivo, eu nem estava brava. Eu estava… muitas coisas. Mas brava não era uma delas.

– Eu gosto de você, Rosie – disse Lucas, e meu coração disparou. – Acho que isso é bastante óbvio.

Ele deu de ombros e senti meus batimentos acelerando cada vez mais.

– Mas você achar que é um fracasso? Só porque está com bloqueio criativo? Não gostei disso. Nem um pouco. E, como seu amigo, vou falar a verdade, exatamente como minha prima fez.

Como seu amigo.

Porque ele gostava de mim como *amigo*. Claro, eu sabia disso. Não era uma informação nova.

– E, como seu amigo, também quero ajudar. Minha prima não está aqui, então vou assumir o posto dela. Vou ser seu... *melhor amigo?*

Meu melhor amigo. Isso soava ao mesmo tempo maravilhoso e desesperador.

Soltei um suspiro e disse:

– Tá bom...

Lucas chegou só um pouquinho para a frente e ficou sério.

– Ouvi a Lina dizer que você desistiu dos homens. E dos aplicativos de encontros. Posso saber por quê?

Balancei a cabeça, sentindo a ponta das orelhas queimando.

– Acho que não quero analisar a obra *Memórias de Rosie: Edição encontros deprimentes* com você, Lucas – resmunguei.

– Eu só estou tentando entender e claramente estou em desvantagem aqui. Não tenho todas as peças que a Lina tem.

Lucas sentou bem na beiradinha da mesa de centro, os joelhos agora tocando os meus. Engoli em seco.

– E sou um cara que já saiu com muitas mulheres. Não me assusto com facilidade.

Esse *bastante* dito casualmente atiçou minha curiosidade. Tudo bem, eu admito, fez mais do que isso. Também me deixou com um leve ciúme.

– Ah... então você é tipo um expert em romance?

Ele inclinou a cabeça, pensando na resposta.

– Eu não diria expert, mas mulher nenhuma reclamou.

Então, ele era um mulherengo? As palavras que ele tinha dito alguns dias antes surgiram de repente, junto com uma nova onda de ciúme.

– Achei que você não namorasse mais.

Lucas também tinha dito que ninguém partira seu coração, mas essa observação eu guardei para mim.

– Você tem boa memória, Rosalyn Graham – admitiu ele. – E, sim, eu realmente não estou disponível no momento. Não posso estar.

Eu queria analisar mais a fundo. Perguntar por quê.

– Então você é um expert em romance que não sai com ninguém.

– Se é isso que você quer ouvir, então, sim, sou.

Não, não era o que eu queria ouvir. Mas fazia diferença?

Com um suspiro, puxei as pernas para cima do sofá e sentei sobre elas, rompendo o contato com os joelhos de Lucas.

– Nem sei por onde começar a contar a história da minha vida.

Lucas também levantou um dos pés, apoiando-o na lateral do sofá, bem ao lado de minha coxa.

– Pelo Babaca Número Cinco – disse ele com a expressão séria. – Pode começar falando sobre ele. Nome completo? Endereço? Data de nascimento? Só para eu ter uma referência.

– *Rá*. – Eu olhei para ele. – Ted, sem sobrenome, local e data de nascimento desconhecidos – respondi, ignorando o fato de Lucas ter franzido a testa, e perguntei: – O que mais você quer saber? O que deu errado?

Ele assentiu.

– Se você curte ficar ouvindo histórias sem graça…

Lucas não sorriu.

– Tá. Então, Ted e eu saímos juntos por… algumas semanas?

Seis, para ser exata.

– Eu sempre deixei muito claro que era um relacionamento fechado, que não queria que ele saísse com outras pessoas porque… Porque eu sou assim. Ele concordou, disse que também não queria me dividir com ninguém. Então, um dia, por acaso, vi Ted beijando outra. Quando o confrontei, ele fingiu que não me conhecia.

E isso doeu muito.

– O babaca fez uma cena tão espetacular que eu cheguei a duvidar de mim mesma por um segundo, achando que eu tinha abordado o cara errado. Mas não, era ele mesmo e a tal garota estava com ele há mais tempo do que eu.

Lucas ficou olhando para mim, estranhamente quieto.

Eu preenchi o silêncio.

– Então, esse foi o Ted. Babaca Número Cinco.

Eu me ajeitei no sofá, em uma posição mais confortável, esperando que ele dissesse alguma coisa, qualquer coisa. Ele não falou.

– Ficou tudo bem no fim das contas. Levei só uns dias para superar. Ele nem foi o pior.

Com as sobrancelhas arqueadas, Lucas disse, bem devagar:

– Tem coisa pior então.

Percebi que não tinha sido uma pergunta, mas respondi assim mesmo.

– Nathan. A Lina chama ele de Rei dos Babacas.

Mudei de posição, erguendo os joelhos e abraçando-os. E como eu parecia não ter filtro entre o cérebro e a boca, também contei sobre o Nathan.

– Ele era roteirista. Engraçado, inteligente, charmoso. Nosso primeiro encontro provavelmente foi o melhor primeiro encontro da minha vida, e isso deveria ter me alertado, porque ele apareceu bêbado.

Lucas estremeceu, e seus lábios formaram uma linha reta.

Continuei:

– Ele pediu desculpas dizendo que tinha tido um dia péssimo no trabalho e que por isso tinha bebido umas cervejas antes do encontro. Disse que não queria cancelar porque tinha gostado *muito* de mim.

Na verdade, Nathan tinha sido convincente.

– Enfim, todos os encontros depois desse primeiro foram… como sair com vários caras ao mesmo tempo. Ele era charmoso e perfeito e de repente se tornava uma pessoa totalmente diferente. Eu não sabia se ia acabar com um cara mal-humorado, um completo desconhecido ou simplesmente… com um louco.

Um músculo na mandíbula de Lucas saltou.

– Alguma vez ele…

– Não – interrompi. – Nunca foi esse o problema. Ele nunca encostou um dedo em mim. Tinha mais a ver com as coisas que ele falava e a forma como agia.

Era tão bizarro que às vezes eu me sentia num esquete de comédia.

– Mas depois ele pedia desculpas, dizia que estava nervoso, que era louco por mim.

E eu, boba e ingênua, sempre acreditava.

– Enfim.

Dei risada para amenizar essa experiência horrível.

– Resumo da ópera: ele estava testando coisas em mim. Cenas. Para um roteiro que estava escrevendo.

Lucas estava tão imóvel que eu mal percebia seu peito se mexendo. Acho que ele ficou um ou dois minutos sem sequer piscar.

Desviei o olhar e fiquei encarando meus pés.

– Eu disse que era deprimente, Lucas.

– Esse Nathan – disse ele, ignorando meu último comentário. – Em quanto tempo você terminou?

Remexendo os dedos dentro das meias, fiz questão de não levantar o olhar.

– Ah. Eu acho que eu não… terminei exatamente…

Engoli a vergonha com a dignidade que me era possível no momento. Porque eu deveria mesmo ter terminado aquele relacionamento no primeiro encontro.

– Foi ele quem terminou. A revelação foi a grande *reviravolta* do roteiro.

Lucas não disse nada. Nem uma palavra. E eu… Meu Deus, o que é que eu estava fazendo? Por que eu estava contando aquilo tudo? Nós poderíamos ser amigos sem que eu revelasse coisas que não passavam uma boa imagem de mim.

– E por hoje é só, *amigo*.

Quando finalmente olhei para ele, vi uma expressão que decidi ignorar.

– Foi por isso que desisti dos homens e de aplicativos de relacionamento.

Essa parte era verdade. Depois daquela fila de pseudorrelacionamentos, decidi dar um tempo do… amor real e focar no fictício.

– Mas talvez a Lina tenha razão. Talvez eu precise mesmo voltar a sair. E com isso quero dizer baixar de novo o Tinder.

Ele franziu a testa de um jeito estranho e mais uma vez senti que precisava cortar o climão.

– Está longe de ser o ideal, mas não consigo pensar em outra coisa.

Como eu não sabia o que fazer com as mãos, decidi sentar em cima delas.

– Eu poderia preparar uma lista com todas as coisas que preciso conseguir com essa… pesquisa, como a Lina chamou. Um experimento. Então, vou escolher um cara e passar pela experiência completa. As fases iniciais. A progressão natural de conhecer alguém melhor, as coisas básicas e as divertidas, receber flores, o frio na barriga do primeiro encontro, e ir até as coisas mais… avançadas. Como aquele primeiro toque das mãos, ou quando o cara se aproxima e eu sei que... – Parei a frase no meio, ao perceber que estava divagando. – Enfim.

Olhei de novo para o homem à minha frente e esperei alguns segundos.

– É...– falei, me perguntando se devia cutucá-lo, ver se ele estava bem. – Acho que comemos cronuts demais. Você está sentindo a ponta dos dedos formigando? Está suando frio? Talvez seja melhor eu pegar uma água pra você.

Eu tinha virado meio centímetro quando a mão dele veio na minha direção. Lucas tocou no meu joelho e olhei para baixo quando ele disse:

– Não.

Arqueei as sobrancelhas.

– Não pra água?

Fiquei boquiaberta com aquela mão quente e pesada aquecendo minha pele através da calça jeans, me sentindo um pouquinho sem ar.

– Quer um pouco de leite, então?

– Não, Rosie – repetiu ele, com uma determinação que me fez levantar o olhar enquanto seus dedos apertavam de leve minha coxa. – Eu faço isso.

Pisquei várias vezes e tentei processar a frase. Então recapitulei a conversa, tentando entender a que ele estava se referindo.

– Você vai... me mandar flores? – perguntei.

Quando senti sua mão deixar minha perna, me recostei, um pouco aliviada por conseguir raciocinar melhor assim.

– Acho que nunca recebi flores, mas...

Ele balançou a cabeça, e um som que não era exatamente uma risada deixou seus lábios.

– Não, eu me ofereço para ser seu experimento.

Fiquei totalmente sem ar. Meu crush idiota – que eu vinha tentando fingir que não era real – começou a se debater atrás das grades da jaula em que eu o enfiara.

Silêncio, ordenei para o caos na minha cabeça. *Ele disse que somos amigos.* Várias vezes.

Tentei evocar um sorriso e não consegui.

– Você vai ser meu companheiro de experimento?

Ele assentiu, voltando ao jeito descontraído.

– É perfeito se você parar pra pensar.

Perfeito? Para ser bem sincera, eu não estava conseguindo ouvir meus pensamentos direito com toda aquela vibração nas minhas têmporas.

– Você não precisa baixar o Tinder de novo, ou qualquer que tenha sido o aplicativo de onde vieram esses – seus lábios se retorceram em uma careta – *homens*.

Abri a boca, mas não saiu som nenhum.

– Isso deixa tudo mais simples – disse ele.

As três palavras a seguir deixaram meus lábios com um suspiro:

– Isso o quê?

– Eu, você, a gente fazer isso – respondeu ele, com uma confiança que me fez desconfiar que ele estava mesmo chapado de tanto açúcar que havíamos comido.

Ou talvez *eu* estivesse. Lucas Martín estava mesmo sugerindo que a gente, em nome do experimento, saísse pra que eu pudesse acabar com o meu bloqueio criativo?

– Você disse que ia escolher um cara com quem passar pelas fases – disse ele. – Você planejava contar pra esse cara sobre o experimento? Sobre as fases? Sobre a progressão natural de conhecer alguém melhor?

Engoli em seco.

– Você... Você estava ouvindo...

Lucas sorriu, e não pude deixar de notar como ele pareceu presunçoso.

– Você não é a única que tem boa memória, Rosalyn Graham – disse ele, então pareceu ter pensado em algo de repente. – Aliás, você nunca me disse seu pseudônimo.

– Rosalyn Sage – respondi sem pensar.

Os olhos do Lucas se estreitaram e os meus se arregalaram.

– Espera aí – resmungou ele.

Ah, merda.

– Você é *a* Rosalyn Sage?

Ele ficou boquiaberto e, embora aquele fosse o pior momento possível, não pude deixar de pensar no quanto eu gostava daqueles lábios. Eram carnudos.

– Você é a Rosalyn Sage que escreveu o livro sobre o qual a minha irmã não para de falar há meses? O livro que não sai da mesinha de centro da Charo? Você...

Ele parou de falar.

– Sim. – Suspirei. – Sou eu.

Ele foi abrindo um sorrisinho torto, os lábios se movendo de um jeito lindo e incrível, como se ele fosse Moisés em pessoa abrindo o mar Vermelho.

Com toda a força que consegui reunir, desviei o olhar.

– Enfim, ainda não pensei nos detalhes práticos, então não sei se escolheria ser sincera ou só, sei lá, seguir o fluxo e esperar pelo melhor.

Franzi a testa, porque aquilo não parecia nada prático. Parecia... desonesto.

– Mas eu não gostaria que ninguém se machucasse caso descobrisse que estava sendo usado.

– É aí que eu entro – disse ele.

Levantei o olhar, e aquele sorriso de Moisés me encarou. Era um sorriso tão... confiante. Tranquilizador. Reconfortante. Como uma rede de segurança, bem ali, caso eu caísse.

– Lucas...

Hesitei, questionando minha própria sanidade por levar aquela oferta a sério.

– Você não se envolve. Você não está disponível para isso. Você mesmo disse isso.

– Mas não vai ser um namoro, vai ser um experimento.

– Isso é...

Loucura.

Não é, não, uma vozinha gananciosa e imprudente soou na minha cabeça. *É uma oportunidade de se aproximar dele sem precisar de uma desculpa. Antes que ele vá embora para sempre.*

Não.

Eu precisava ser sensata.

– Você vai ficar só algumas semanas em Nova York.

Seis, para ser exata.

– Eu não quero que você gaste seu tempo com isso em vez de fazer o que tinha planejado.

Lucas olhou para as próprias mãos por alguns segundos, então voltou a olhar para mim.

– Não vai me atrapalhar em nada, Rosie.

Inclinei a cabeça, observando Lucas com atenção e percebendo uma sombra em seu semblante.

– Você não quer mais sair pra conhecer a cidade?

– Não. – Ele balançou a cabeça. – Vou ser sincero com você, Rosie.

Sua voz grave me fez prender a respiração para não perder nenhuma palavra.

– Faz um mês e meio que estou viajando sozinho. Por escolha minha, porque eu achava que precisava disso. Mas a situação toda… saiu pela culatra, de um jeito que eu não esperava. Eu não menti quando disse que estava me sentindo sozinho.

Ele deu de ombros como se não fosse nada de mais, como se aquilo não me fizesse querer estender a mão e pegar a dele.

– Então, podemos dizer que tenho muito tempo livre e não sei o que fazer com ele. Vai ser bom ter companhia. E sei que você já percebeu, mas…

Ele deu uma batidinha na coxa direita.

– Mas eu não estou exatamente na melhor forma para ficar andando por aí.

Meu olhar saltou para a mão repousada em cima da coxa. Não era exatamente óbvio, mas eu tinha percebido que ele se apoiava mais no lado esquerdo. Lembrei da primeira noite também, quando ele quase caiu.

O que aconteceu com você, Lucas?

Eu quis perguntar, mas não perguntei, porque algo me disse que o fato de ele se abrir e admitir aquilo em voz alta já era… um grande passo. Fora do comum. E eu quis valorizar isso, mas, acima de tudo, quis mostrar que podíamos fazer aquilo no ritmo dele, nos termos dele. Eu não forçaria a barra só porque estava curiosa.

– Então você está dizendo que eu estaria ajudando você também? Se fôssemos… parceiros de experimento?

– Exatamente – disse ele, olhando nos meus olhos. – Mais do que você imagina.

Gostei disso. Tanto que senti um formigamento no peito.

– Esses encontros experimentais precisam parecer reais. Não estou falando de… ficar de beijos ou chamegos ou de mãos dadas. Mas todo o resto. O romance. A conexão. Compartilhar coisas que a gente compartilha em encontros de verdade.

Ele soltou uma risada profunda.

– De *chamego*?

– Ah, você sabe... a parte da intimidade física.

Um pouco do bom humor desapareceu de seu olhar, mas ignorei isso.

– Porque isso poderia bagunçar as coisas entre a gente. A nossa *amizade*.

Lucas não hesitou ao dizer:

– Então vamos ser sinceros um com o outro se isso acontecer.

Vamos ser sinceros um com o outro.

Sinceros do tipo uma das partes envolvidas confessar que tem um crush pela outra?

Rosie, primeira bola fora.

Lucas chegou o corpo para a frente, e uma lufada do cheiro do sabonete dele me atingiu no âmago.

– É o seguinte.

Engoli em seco. Ele estava muito, muito mais perto. Bem na beirada da mesinha de centro, as pernas compridas me prendendo no lugar.

– Prometo que não vou deixar isso interferir na nossa amizade – disse ele, chegando ainda mais perto. – Você me diz quais são essas fases que você precisa vivenciar, nós saímos, tentamos ser os melhores parceiros de experimento que for possível e, depois, quando voltarmos para casa, voltamos a ser Rosie e Lucas. Colegas de apartamento. Amigos. Em breve melhores amigos.

– *Melhores amigos?* – murmurei.

– Aham.

Ele assentiu e então repetiu, aquela voz grave e musical pronunciando as palavras:

– Melhores amigos.

Claramente fascinada por aquele cheiro, aquelas palavras, pelo modo com que seus olhos castanhos pareciam brilhar tão de perto, emudeci.

Isso provavelmente fez com que Lucas sentisse necessidade de acrescentar:

– E, se você ainda estiver em dúvida, posso prometer uma coisa: prometo que não vou me apaixonar por você e tornar isso tudo constrangedor, *Rosalyn Sage*.

Engoli em seco, tentando ganhar tempo, porque eu não tinha nenhum motivo para me sentir... magoada com aquela promessa.

Na verdade, eu só tinha motivos para ficar entusiasmada. Lucas estava se oferecendo para me ajudar. E, independentemente de eu aceitar ou não, ele iria embora em um mês e meio. De qualquer jeito. Para outro continente. E, duas semanas depois disso, era o meu prazo de entrega o manuscrito.

Então, o que eu tinha a perder?

– Tá bom – respondi. – Vamos tentar.

Ele deu um daqueles sorrisos que me deixavam completamente perdida.

– Quatro encontros… *encontros experimentais.* – Eu me corrigi e estiquei a mão para ficar mais segura. – Cinco seriam… demais, já que você só vai ficar mais cinco semanas. E três não seriam o suficiente. Então, quatro.

– Quatro encontros – concordou ele, levantando e ficando em pé à minha frente. – Então, acho que agora somos oficialmente parceiros de pesquisa. Companheiros de experimento. Funcionários… de campo? Você é o cérebro por trás de tudo.

Soltei uma risada nervosa, vulnerável. Exatamente como eu me sentia.

– Ultimamente eu só faço acordos bizarros com você.

– *Bizarros?*

Lucas soltou uma bufada dramática e ofereceu uma mão que eu não apertei.

– Assim você me magoa. Eu só tenho ideias incríveis.

– Bem, vamos ter que estabelecer alguns limites. Regras – falei, mais para mim mesma que para ele. – Como a que eu mencionei agora há pouco. Independentemente do que aconteça, nada muda entre nós. Nada de climão.

Ouviu isso, crushzinho idiota? Sem climão.

– E nada de sair por aí gastando um dinheiro desnecessário comigo. Sou simples e sem frescura. Vamos dividir todas as contas.

– Posso aceitar algumas dessas regras.

A mão dele ainda pairava no ar, os dedos que eu sabia que eram quentes se agitando à minha frente.

– Mas você vai ter que confiar em mim quanto ao resto.

Eu confiava nele plenamente.

Em mim? Nem tanto.

– Tá, mas…

Lucas segurou meu pulso e me levantou. E me puxou em direção a ele para o que eu já sabia que seria um abraço Lucas Martín de corpo inteiro.

– Vamos selar o acordo com um abraço, Graham.

Lucas envolveu meus ombros e me apertou contra o peito, e, meu Deus, eu queria que alguém inventasse um jeito de engarrafar aquele abraço. Eu compraria tudo. Estocaria no armário e guardaria para os dias ruins. Ou qualquer dia.

– Você gosta de alcaparras?

Pega de surpresa, soltei um suspiro no tecido de seu moletom e perguntei:

– Oi?

Ele me soltou e deu um passo para trás, e mais uma vez eu tive que lidar com os efeitos de um de seus ataques de abraço.

– Esse planejamento todo me deixou com fome.

Antes que eu pudesse dizer o quanto aquilo era ridículo depois de ele ter comido meia caixa de cronuts, Lucas disparou em direção à cozinha. E começou a tirar coisas da geladeira. Depois abriu a despensa. O armário de panelas.

Ele me olhou por cima do ombro.

– Me ajuda a preparar o jantar?

Fui até a ilha da cozinha e me sentei em uma banqueta.

– Com ajudar você quer dizer olhar?

Ele soltou um "humm" satisfeito.

– Ah, eu adoro ter plateia.

– Então o que *nós* vamos preparar?

Meu olhar saltou até os músculos de suas costas quando ele pegou uma tábua.

– Lasanha de berinjela – disse ele, sorrindo para mim por cima do ombro. – E quero preparar a massa para assar uma ciabatta rústica amanhã.

Ah, meu Deus. Lucas, sovando uma massa?

Ele insistiu, me distraindo de meus próprios pensamentos:

– Então, o que me diz de alcaparras?

– Amo.

Seu olhar se iluminou.

– Essa é minha garota.

Essa é minha garota.

Ah, merda.

ONZE

Rosie

Uma semana.

Sete dias desde que tínhamos concordado em ser parceiros no experimento de namoro e, além do frio na barriga que eu sentia toda vez que pensava nisso, nada tinha acontecido. Nenhum encontro experimental tinha rolado, nenhum bloqueio tinha desaparecido e, portanto, nada de contagem de palavras aumentando. Levei alguns dias para bolar as fases que prometi passar para Lucas. E algumas anotações com tudo o que eu achava que poderia ajudar.

Quando finalmente mostrei a ele, Lucas abriu aquele sorriso luminoso, enfiou minhas anotações na mochila e disse que *estudaria* o material.

Meu Deus, a coisa toda era tão clínica que às vezes eu não sabia se queria rir histericamente ou gritar sinais de alerta para mim mesma. O que diabo eu estava fazendo? O homem com quem eu vinha sonhando em segredo havia mais de um ano ia me levar para sair em encontros "experimentais" que eu meio que tinha planejado. E depois ele faria as malas e iria embora para outro continente.

Meu coração já estava sobrecarregado só de encarar o dia a dia morando juntos. Já era um grande esforço impedi-lo de saltar pela boca toda vez que Lucas saía do banheiro com nada mais que uma toalha e a pele cheia de gotículas de água. Já era um grande esforço impedi-lo de pular para fora do peito ao ver Lucas se virar – ainda com aquela maldita toalha –, fazendo os músculos do pescoço, dos ombros e das costas flexionarem quando ele pegava a mochila. Era um grande esforço para o meu coração fraco e bobo lutar contra o desejo de despencar aos meus pés toda noite quando ele voltava com uma sacola de compras e um sorriso charmoso e perguntava: "Quantas palavras hoje, Rosie?"

E tirava tudo da sacola e começava a fazer o jantar.

E esta última parte? Foi difícil sobreviver a ela.

Afinal, Lucas cozinhando? *Lucas com a barriga no fogão?* Era como estar sentada na primeira fila de um espetáculo projetado para satisfazer fantasias sexuais que eu nem sabia que tinha. O Magic Mike das Massas e Panelas. Lucas sovava a massa do pão e partes tristes e negligenciadas do meu corpo ganhavam vida ao ver seus dedos pressionando e massageando a superfície macia, trabalhando os ingredientes com uma diligência e uma mão de ferro que me faziam suar e me remexer na banqueta. Certa noite eu cheguei a suspirar vendo o movimento do bíceps dele virando uma omelete.

Meu Deus do céu… E, para piorar – só para deixar tudo ainda mais difícil para meu coração fraco e bobo e as partes negligenciadas do meu corpo –, o resultado, a comida em si, era brilhante, incrível, maravilhosa, de parar o trânsito e todo um repertório de adjetivos dignos da Lady Gaga.

Então meu coração e eu estávamos cansados.

Meu celular tocou com uma mensagem e despertei daqueles pensamentos inspirados em Lucas. Peguei o aparelho em cima da ilha da cozinha, onde eu me preparava para trabalhar todos os dias, e desbloqueei a tela.

Desconhecido: Encontro hoje. 18h?

Ignorando a palpitação que senti com as palavras *encontro hoje*, li a mensagem algumas vezes.

Bem, só podia ser do Lucas, ninguém mais me mandaria uma mensagem com um convite desses. Mas também não seria a primeira vez que eu teria recebido uma mensagem errada.

Rosie: quem é?

Desconhecido: lucas.

Desconhecido: ou você estava esperando outra pessoa?

Desconhecido: achei que eu fosse o único 🙁

– Se você soubesse – resmunguei baixinho enquanto salvava o contato e tentava pensar em uma resposta que não me expusesse demais.

Rosie: tá bom, vai ser um relacionamento experimental fechado 😊

Lucas: já não era?

Balançando a cabeça, decidi ir direto ao ponto e responder à primeira pergunta.

Rosie: às 18h está ótimo. obrigada!

Eu ia perguntar como ele tinha conseguido meu número – para falar a verdade, era um pouco estranho que ele ainda não o tivesse, uma vez que já fazia mais de uma semana que estávamos morando juntos –, mas a explicação chegou em uma sequência de mensagens de Lina antes que eu apertasse "Enviar".

Lina: Oi, amiga! Acabei de chegar a Trujillo. Como está Nova York?

Lina: Oi, meu amor. Desculpa o silêncio, estávamos fazendo uma trilha e não tinha sinal.

Lina: Rosie, eu super esqueci de dizer que meu primo vai passar umas semanas na cidade. Ele vai ficar lá em casa.

Lina: Ok, ok. Eu não esqueci, eu confundi as datas e achei que ele fosse chegar hoje. Eu sou péssima. Ainda estou com cérebro de noiva.

Lina: Enfim, eu passei seu contato pra ele. Só pra

emergência, tá? Não se sinta obrigada a perder tempo com ele. Ele é adulto.

Lina: Se ele ficar enchendo o saco com perguntas bobas, manda ele pesquisar no Google.

Senti a culpa pesar no estômago. Lina não sabia que Lucas e eu estávamos ali, juntos. No apartamento *dela*. Muito menos sobre nosso experimento.

Meu Deus, eu precisava parar de mentir por omissão para todas as pessoas da minha vida.

Mais uma notificação apareceu na tela.

Lucas: olha isso.

Abri a conversa e uma imagem surgiu na tela.

Era uma *selfie* dele com um boné azul escrito *I* ❤ *NYC*. Ele estava com um sorrisinho torto, presunçoso, e dava para ver o Empire State ao fundo.

Minhas costelas se contraíram, e de repente pareceram apertadas demais.

Rosie: pacote completo de turista.

Rosie: adorei o boné!

Mas "adorar" nem chegava perto. Eu tinha amado tanto que, antes mesmo que eu me desse conta do que estava fazendo, a foto já estava salva na minha galeria.

Rosie: Lina acabou de mandar mensagem. Ela disse que se confundiu com as datas e achou que você ia chegar hoje.

Rosie: ela também disse que te deu meu número.

Rosie: Pra emergências.

Eu estava pensando em um jeito de dizer a ele que provavelmente devíamos contar a Lina sobre a situação, mas ele mandou mais uma mensagem que interrompeu minha linha de raciocínio e me fez perder qualquer intenção que eu tivesse de confessar. Era mais uma *selfie*, de um ângulo que mostrava o tronco largo e forte que eu admirei algumas vezes, com Lucas olhando de cima para a câmera. O sorrisinho torto tinha sido promovido a um sorrisão e o friozinho na minha barriga se transformou em uma nevasca.

Lucas: estar tão bonito assim e não ter ninguém com quem compartilhar era uma emergência, Graham.

Bem, errado ele não estava… De fato Lucas estava bonito num nível emergencial.

E flertando descaradamente, ressaltei para mim mesma. *Lembra das palavras dele: "Nenhuma mulher nunca reclamou"?*

Revirei os olhos para mim mesma porque eu não tinha nenhum direito de ficar irritada ou com ciúme.

Rosie: Oi, ego do Lucas. É um prazer finalmente conhecer você.

Lucas: Ele disse oi.

Os três pontinhos surgiram na tela por alguns segundos, e mordi os lábios, ansiosa. Então, uma última mensagem chegou.

Lucas: Vou deixar você voltar ao trabalho. Esteja pronta às 18h. Nos vemos depois, coleguinha.

Coleguinha.

Eu precisava contar para Lina. Eu ia contar. Assim que ela e o Aaron desembarcassem em solo americano, eu contaria tudo.

Mais tarde, exatamente às 17h45, eu tinha acabado de vestir minha calça jeans favorita quando ouvi uma batida na porta.

– Já vai! – gritei, fechando o zíper e correndo pelo apartamento descalça. – Só um segundo!

Quando abri a porta, eu não esperava encontrar Lucas apoiado no batente.

– Lucas – falei, quase sem ar, antes de dar um passo para trás. – Esqueceu de levar a chave hoje de manhã?

Ele se empertigou. E, meu Deus, não sei o que tinha de diferente, mas ele parecia ainda maior do que de costume. Mais forte, mais alto. Só que antes mesmo que eu pudesse processar isso, ele deu um passo à frente, devagar, de um jeito que me distraiu.

Eita, o que... era aquilo?

Um sorriso lento curvou seus lábios.

– Não – disse ele.

Não. Não o quê? Qual tinha sido minha pergunta mesmo?

– Você está muito bonita, Rosie. Linda.

Muito bonita. Linda.

Senti meus lábios abrindo e fechando como se eu fosse um peixe.

– Obrigada – murmurei por fim, mas senti necessidade de acrescentar: – É a minha calça favorita.

Olhamos para baixo ao mesmo tempo.

E, quando o olhar de Lucas voltou ao meu rosto um instante depois, aquele sorriso de alguma forma estava ainda mais largo.

– Acho que talvez seja a minha também.

Fiquei pseudoboquiaberta de novo, mas dessa vez me recuperei mais rápido.

– Ah, que bom.

Eu me recuperei mais rápido, mas estava claramente abalada.

– Então... Você não vai me convidar pra entrar, Rosie?

Ergui uma das sobrancelhas.

– Você mora aqui.

Ele sorriu com o olhar, mas, usando um tom dominador, embora gentil, que só tinha usado uma vez comigo, disse:

– Me convida pra entrar, Rosie.

Senti uma pontada no estômago.

– Você... você quer entrar, Lucas?

– Eu adoraria – disse ele na hora, com firmeza.

Então, e só então, ele entrou no apartamento.

Fui até a cama, sentei na beirada e calcei os sapatos que tinha separado para a noite. Um salto alto de veludo azul. Mais um item precioso do meu armário – ou, bem, da minha mala. Afivelei os sapatos e levantei, encontrando o olhar de Lucas fixo em meus pés.

– Você acha que são apropriados? – perguntei, porque ele estava olhando com muita atenção. – Você não disse o que vamos fazer e eu também não perguntei, então...

Ele não hesitou ao responder:

– São perfeitos.

– Ah, que bom. Ótimo – consegui dizer.

Mas era ótimo mesmo? Pelo olhar intenso de Lucas era difícil ter certeza se era bom ou ruim. Inspirador ou perturbador. Animador ou opressor. Real ou... experimental.

Eu estava perdida em pensamentos, perguntas, especulações, presa naquela sensação de elevador dentro do peito, o coração subindo e descendo, subindo e descendo, e eu...

– Lucas?

Ele deve ter percebido alguma coisa em minha voz, porque de repente pareceu aliviar um pouco a intensidade das palavras.

– Oi?

– Estou estragando tudo, né? Estou deixando a situação constrangedora, e eu disse que não queria nenhum climão entre a gente e...

Lucas colocou a mão no meu ombro e o toque me fez parar de falar. O calor de seus dedos fortes atravessou o tecido da blusa, me deixando calma e nervosa ao mesmo tempo.

– Você confia em mim?

Assenti, e ele sorriu.

– Então relaxa. Você não está causando constrangimento nenhum. Hoje é Rosie e Lucas, edição Encontro. Fase um do experimento. Exatamente como combinamos.

Engoli em seco.

– Acha que podemos fazer uma pausa? Ser só... nós dois? Rosie e Lucas, um dia qualquer, só por alguns minutos antes de a gente sair?

– Podemos ser o que você precisar.

A mão dele continuou exatamente onde estava. O polegar agora ia de um lado para o outro. Eu estava distraída. Por causa daquelas palavras. Daquele toque. *Droga.*

Ele inclinou a cabeça.

– Eu achei que seria uma boa ideia começar logo de cara.

Aquele polegar agora percorria minha clavícula, deixando um rastro de formigamento.

– Achei que seria legal bater na porta, fazer você me convidar para entrar, mas talvez eu esteja um pouco mais enferrujado do que pensava. Espero que você não me demita ainda, Ro.

Ro.

Essa era nova.

Mas gostei. Amei. Muito.

O que era péssimo. *Péssimo.* Balancei a cabeça, tentando me concentrar, pronta para dizer que ele não estava nem um pouco enferrujado considerando o quanto eu estava encantada com aquilo tudo, mas Lucas tirou a mão do meu ombro, colocou no bolso da jaqueta, e a ausência de toque me distraiu.

– Acho que é uma boa hora para entregar uma coisa que eu comprei para você. Não é nada de mais, mas...

Lucas pegou aquele *nada de mais* e colocou em minha cabeça.

– Como você disse que tinha adorado...

Ele me pegou pelo ombro e me virou. Ficamos então os dois de frente para o espelho grande na parede.

Levei um segundo para absorver a visão dos nossos bonés I ♥ NYC combinando, um rosa e o outro azul, pensando no quanto ele estava errado ao achar que aquilo não era nada de mais, e percebi que tinha cometido um erro enorme.

– Olha só isso – disse ele, atrás de mim. – Alguém ligue para a emergência porque agora é beleza em dobro, emergência em dobro.

Meu coração disparou. Não, talvez tenha dado uma cambalhota para fora. Mas, quando abri a boca, em vez de palavras, só saiu risada. Um monte delas. Risadas felizes e caóticas que aliviaram qualquer tensão ou constrangimento que eu estivesse sentindo antes, substituindo-os por pura alegria.

E esse foi exatamente o erro: eu tinha calculado mal o que eu era capaz de aguentar. Superestimei meu autocontrole e o limite entre o experimental e o real para mim. Pelo jeito a resposta para minha própria pergunta – o que eu tinha a perder? – era: *mais do que eu imaginei*. E a gente ainda nem tinha saído para o primeiro encontro.

– Cronut – falei, usando nosso código para *obrigado*.

Porque *amigos não fazem as coisas esperando agradecimento*. E eu precisava me lembrar do que ele tinha dito. Somos amigos. Ele não se envolve. Isso é um experimento.

O sorriso dele titubeou por um instante, breve demais para que eu adivinhasse por que ou como. E de repente ele tirou nossos bonés e os jogou em cima da cama.

– Ei! – reclamei.

– Fim da pausa – disse ele, virando e abrindo a porta. – Acha que estamos prontos agora, Rosie?

Rosie, não Ro.

Engoli em seco, e a ansiedade e o nervosismo voltaram, mas de outro jeito. Maiores, mais assustadores, mas também mais… administráveis, se é que era possível. Então, peguei a jaqueta de couro, vesti e disse:

– Mais prontos que isso, impossível.

Depois de andarmos alguns quarteirões, Lucas rompeu o silêncio confortável entre nós.

– Fase um: a fagulha de interesse, a ansiedade do primeiro encontro, uma noite para conhecer o outro de um jeito fofo. O primeiro encontro é como a primeira impressão: só temos uma chance de fazer valer.

Senti o rosto arder ao ouvir Lucas repetir as minhas palavras.

Eu não estava exatamente orgulhosa de mim mesma por olhar o romance pela ótica de uma engenheira ou uma gerente de projeto, como fazia na InTech. Como se estivesse otimizando um processo. Definindo quatro pontos cruciais de um relacionamento que eu precisava vivenciar na esperança de estimular a criatividade. Mas acho que velhos hábitos nunca mudam, e aquilo *era* um experimento, afinal de contas. Precisávamos de estrutura. De eficiência. De um plano.

E Lucas definitivamente estudou o material que eu tinha dado, como prometeu.

– Acho que a gente já garantiu a parte de se conhecer de um jeito fofo – continuou ele. – Aquele lance todo de você achar que eu estava invadindo o apartamento e chamar a polícia, não?

Como esquecer?

– Então me concentrei no restante da primeira fase.

– O primeiro encontro – falei.

– Segundo a minha experiência…

Ele olhou para a frente, conferiu uma placa e nos fez virar a esquina.

– Os melhores primeiros encontros são divertidos. Despreocupados. Um pouco bobos. A questão é ver se a gente se encaixa, se ri das mesmas piadas, se isso dispara aquela fagulha que faz a gente querer fazer o outro rir de novo. Uma fagulha que possa levar a… algo a mais.

– Eu nunca vivi isso em um primeiro encontro.

Lucas passou a falar com a voz mais grave:

– Eu vou dar um jeito nisso.

Olhei para os meus pés.

– Talvez você é que devesse estar escrevendo um romance – falei, tentando fazer uma piada. – A gente podia bolar um pseudônimo legal pra você também.

Sua risada ressoou em meus ouvidos, e sorri em resposta.

– Eu nunca fui bom com palavras.

Lucas parou, tocando meu cotovelo. E apenas quando eu virei e olhei em seus olhos ele completou:

– Mas compenso com as mãos.

Senti meu queixo cair. Todo tipo de imagens – envolvendo aquelas mãos – invadiu minha mente. E nenhuma tinha nada a ver com sovar massa de pão. Ou fazer origami.

Antes que eu pudesse dizer alguma coisa, Lucas abriu os braços e fez um gesto indicando a loja atrás de si.

– Chegamos.

Meus olhos saltaram para a placa em cima da porta, e não há por que negar que minha voz saiu um pouco tremida quando eu disse:

– Uma loja de discos.

Ele abriu a porta para mim com um floreio.

– Primeiro as lindas.

Ignorando o fato de que aquele comentário não exatamente facilitava as coisas para mim, entrei, e o cheiro característico do vinil e do papelão desencadeou várias lembranças.

Antes de o Olly nascer e nossa mãe ir embora, meu pai me levava a lojas como aquela. Todo sábado de manhã em uma loja diferente. Ficávamos horas olhando os discos, e cada um escolhia uma capa favorita, a mais esquisita ou até a mais feia. Nunca comprávamos nada, mas mesmo assim eu passava a semana inteira esperando aquele momento.

Entrando na loja com a cabeça presa no passado, só me dei conta do quanto Lucas estava perto quando ele me pegou pelos ombros. *Pela segunda vez hoje*, pensei.

Ele me empurrou para a frente com delicadeza, devagar, loja adentro. Senti sua respiração em minha têmpora antes de ouvir suas palavras.

– Tudo bem?

– Eu não estava esperando isso – respondi com sinceridade.

– Isso é bom ou ruim?

Olhei para ele por cima do ombro.

– É bom, com certeza é bom.

Isso me rendeu um daqueles sorrisos dele que se abrem lentamente.

– Ótimo – disse ele antes de dar a volta em mim. – Porque viemos em uma missão.

Passando a mão em uma pilha de discos, não pude ignorar a ansiedade ao ouvir aquelas palavras.

– Uma missão?

Lucas me lançou um olhar todo sério.

– Você – disse, apontando um dedo para mim – vai escolher um disco. O disco que você quiser. E eu vou te dar de presente.

Franzi a testa, mas ele levantou o indicador, me impedindo de protestar.

– Meu encontro, minhas regras – disse ele.

Revirei os olhos.

– Você precisa escolher um disco, mas faça isso com sabedoria, porque, seja lá qual for, ele vai ser a nossa trilha sonora.

Minha garganta pareceu ficar seca de repente.

– Nossa trilha sonora?

– Aham, *A trilha sonora de Lucas e Rosie.*

Ah, meu Deus.

Uma comemoração, alta e caótica, surgiu dentro da minha cabeça.

A trilha sonora de Lucas e Rosie.

– Isso é...

Perdi o fio de meada, tirando um disco aleatório de uma caixa, só para poder respirar fundo e não mostrar o quanto eu estava encantada com aquela ideia.

– Isso é... meio brega.

E eu amei. Amei mesmo, muito, demais.

– *Brega?* – repetiu ele, com a voz esganiçada.

Passei para a caixa seguinte, os dedos deslizando pela beirada de cada disco, e não sei o que me deu, mas a necessidade de implicar com ele tomou conta de mim.

– É, é meio brega. Mas fofo, eu acho. Acho que depois daquela cantada sobre eu ter caído do céu, ou algo do tipo, eu não deveria estar surpresa – provoquei, olhando para ele por cima do ombro. – Talvez você seja um pouquinho *brega.*

Lucas estreitou os olhos, mudando de expressão.

– Você se lembra da cantada! É claro que lembra – murmurou baixinho.

– É difícil esquecer esse tipo de coisa – respondi.

A expressão dele mudou de novo e, antes que eu pudesse me dar conta, Lucas avançou. No que pareceu uma versão ninja dos seus ataques de abraço, seu braço envolveu meus ombros e ele me abraçou de lado. A primeira coisa que senti foi seu hálito de menta em meu rosto, então nossos corpos encostados um no outro. O dele firme e irradiando calor. O meu, derretendo feito manteiga. Então, ele me fez cócegas.

Lucas Martín estava me fazendo *cócegas.*

Beliscando minha cintura.

Arrancando um gritinho de mim.

– Está me zoando, Rosie? – perguntou ele com uma voz grave, um resmungo tão próximo do meu ouvido que eu estremeci.

Ele me fez cócegas mais uma vez, e irrompi em um ataque de riso, a pele sob minha blusa formigando por diversos motivos.

O ataque de cócegas só durou mais alguns segundos. Mas, quando pareceu ter terminado, Lucas não me soltou. Em vez disso, me manteve onde eu estava, encaixada em seu peito, a lateral do meu corpo apoiada no dele. Enquanto minha risada diminuía, ele descansou o queixo em meu ombro, com o rosto tão próximo do meu que eu não apenas ouvi, mas senti, sua risada em meu rosto.

– Desculpa – pensei ter dito, mas saiu tão baixinho que eu nem tinha certeza de que ele tinha ouvido.

– Não precisa pedir desculpa – respondeu ele, a voz baixa e grave.

Quando o queixo dele se aproximou mais um milímetro, meu coração disparou.

– Você gosta de me provocar, né? – acrescentou ele (e não estava errado). – Sorte que eu adoro quando você faz isso.

– Ah – deixei escapar, com todo o ar dos meus pulmões. – Que bom que nós dois adoramos, então.

Com isso, ele relaxou um pouco o braço e aproveitei para me desvencilhar de vez, por puro instinto de autopreservação.

– Ao trabalho, Rosie. Ache uma trilha sonora para nós.

Ele disse isso com um sorriso repentino e um tom tão mandão que eu não tive escolha. Depois de pegar talvez o centésimo disco, analisei a capa e olhei para ele.

– Isso é mais difícil do que eu imaginava.

– Você está pensando demais – observou ele, se aproximando para ver o disco que eu tinha nas mãos. – Qual é o problema desse? Me explica seu processo de escolha.

– É do Coldplay, então teoricamente não tem nenhum problema.

Ele soltou um "humm".

– Sinto que tem um "mas" aí.

– *Mas* eu dei meu primeiro beijo ouvindo uma música do Coldplay – contei, incapaz de não fazer uma careta.

– E o que foi que ele fez?

Fingi não ter ficado surpresa com aquela suposição.

– Como você sabe que não fui eu quem estragou tudo?

– Eu só sei – respondeu Lucas, sorrindo com tanta confiança que voltei a olhar para ele. – E aí? O que aconteceu?

– Em defesa de Jake Jagielski, ele não sabia que tinham batizado o ponche.

– Ah, não.

Soltei um suspiro, porque era mesmo uma situação digna de um *ah, não*.

– Baile de formatura. Jake passou a noite toda tentando me beijar e eu estava doida para que acontecesse logo.

Ri ao me lembrar de nós dois dançando com quase um metro de distância entre nós.

– Mas ele estava muito nervoso. Tinha esquecido de levar o arranjo de flores para colocar no meu pulso, estava com a gravata toda torta e as mãos dele suavam em meus ombros.

– Me solidarizo com ele. Coitado.

– Você também fica com as mãos suadas?

Lucas fez questão de olhar em meus olhos ao dizer:

– Ficaria se estivesse tentando reunir coragem para beijar uma garota como você.

Fiquei olhando para ele, minha cabeça girando com aquela possibilidade. Os lábios dele… Nossas bocas juntas… Será que ele ficaria mesmo nervoso? Será que aquela confissão era… real?

É um flerte experimental, lembrei a mim mesma.

Limpei a garganta.

– Enfim. Estávamos dançando, rodando em círculos lentos, uma música depois da outra. "Speed of Sound" acabou, Jake se aproximou bem devagar, e eu comecei a pensar "Ah, meu Deus, ele vai mesmo fazer isso. Meu primeiro beijo". Fechei os olhos e esperei e, de repente, bum!, aconteceu. Ali estava ele, pressionando minha boca com firmeza. Só uma bicadinha. Mas eu fiquei tão chocada que abri os olhos a tempo de ver…

Fiz uma pausa, estremecendo ao lembrar o que aconteceu em seguida.

– E nesse momento ele deu um passo pra trás e vomitou no meu vestido.

Lucas arregalou os olhos e sua boca formou um círculo. Ele sussurrou:

– *Não.*

– *Sim.*

Ele tirou o disco do Coldplay das minhas mãos e o guardou de volta na caixa.

– Tá, vamos manter distância do Coldplay. Não quero que você fique pensando nisso.

Ele pegou outro disco e levantou no ar.

– Que tal Smiths?

– Triste demais. Me lembra *(500) Dias com Ela*.

Ele franziu a testa.

– Isso não deveria ser uma coisa boa? É uma comédia romântica, não é?

Arfei, um pouco indignada.

– A primeira fala do filme é literalmente um aviso de que *não* se trata de uma história de amor.

Lucas riu e puxou outro vinil.

– Elton John?

Soltei um suspiro e levei a mão ao peito.

– Ah, não posso.

– Outra lembrança triste?

Arqueei as sobrancelhas.

– Você consegue pensar em Elton John sem lembrar de "Your Song"? Do *Moulin Rouge*?

– Esse *não é* ...

Virei a cabeça bem devagar. Olhei bem para ele.

– O filme mais lindo e mais triste do mundo? É, sim.

Ele largou o disco de Elton John de volta na caixa com uma risadinha e disse alguma coisa em espanhol que não entendi.

Decidi ignorar e continuamos procurando, até que de repente pensei em uma coisa.

– Eu te contei sobre o meu primeiro beijo. Acho que seria justo você contar sobre o seu.

Um canto de seus lábios se curvou.

– Meu primeiro beijo não foi nada memorável. Nem para o bem nem para o mal.

– E quanto às outras primeiras vezes? Eu acho que você me deve um momento constrangedor.

Ele inclinou a cabeça.

– Talvez eu tenha um. Mas não chega nem perto do seu.

– Quero ouvir mesmo assim.

Lucas ficou tanto tempo pensando que eu achei que ele não fosse contar. Mas, então, disse:

– É a história da noite em que eu não perdi minha virgindade.

Minha mão, que estava tirando um disco de uma caixa, parou no ar.

Meu queixo talvez estivesse no chão.

Gaguejei. Na verdade as palavras nem saíram da minha boca.

Isso queria dizer que…? Não.

Impossível.

Não podia ser isso. De jeito nenhum.

Lucas jogou a cabeça para trás e soltou uma risada.

– Ah, você tinha que ver a sua cara agora. Estou com vontade de tirar uma foto, juro.

Com o canto do olho, vi Lucas pegar o celular, e isso me trouxe de volta à realidade. Dei tapinhas delicados no braço dele.

– Que cara? Eu não fiz cara nenhuma.

– Ah! Fez, sim – disse ele, balançando a cabeça e guardando o celular no bolso. – A cara que você fez enquanto se perguntava se eu ainda sou virgem.

Olhei em volta, vendo se tinha alguém por perto, preocupada por ele. Mas Lucas pareceu não se importar.

Então ele se aproximou e disse em voz baixa:

– Respondendo, Rosie, eu não sou. Perdi a virgindade há muito tempo. Estou beeeem longe de ser virgem.

E de algum jeito eu soube que não foi para que os outros não ouvissem.

Meu Deus, estava calor ali? Ou ele estava fazendo aquilo de aumentar a intensidade só para me deixar sem ar?

Eu disse a primeira coisa que veio à minha cabeça e dei um soquinho em seu ombro.

– Que bom pra você!

Ele pareceu ter achado engraçado, mas não riu.

Me concentrei na tarefa e avancei entre as fileiras de caixas.

– Tá, e qual é a história? Estou intrigada.

– Lorena Navarro – disse Lucas, me seguindo de perto. – A gente teve algumas idas e vindas durante o ensino médio. O primeiro e *único* relacionamento que eu tive.

Meus ouvidos se atiçaram ao ouvir aquela informação, guardando-a para análise posterior. Ele continuou.

– Meus pais foram passar o fim de semana com uns parentes em Portugal. E Charo, cinco anos mais velha que eu, estava por aí fazendo as coisas dela, então, fiquei com a casa toda só pra mim.

Tentei me convencer de que não estava com ciúme nenhum daquela tal de Lorena, ainda que ela pertencesse ao passado.

– Você comprou um belo buquê de flores? Espalhou velas pela casa toda? Passou óleo no corpo?

Lucas ficou surpreso.

– Óleo no corpo?

– Alguns caras gostam disso – respondi, dando de ombros. – O Babaca Número Três, por exemplo. Eu…

– Não – resmungou Lucas. – Não quero mais ouvir sobre esses idiotas.

É. Aquela lembrança também me deixou desanimada.

– Eu não era exatamente um adolescente refinado. Minha ideia de noite romântica era convencer minha *abuela* a assar um bolo e comprar os doces favoritos da garota.

– Garota de sorte, essa Lorena Navarro – murmurei baixinho, e estava sendo sincera.

Lucas continuou:

– Aluguei um filme, coloquei o bolo e os doces na mesinha de centro e me sentei bem pertinho dela. Quando os créditos subiram, algumas peças de roupa já estavam no chão, e eu estava lá fazendo as minhas jogadas – disse ele, e riu. – Ou o que um garoto de 17 anos *acha* que são as suas jogadas.

Prendendo a respiração, esperei pela imagem mental que eu sabia que ia ficar grudada em minha memória.

O sorriso de Lucas era largo, ele não sentia vergonha.

– Eu estava ajoelhado no chão, entre as pernas dela, tentando… você sabe. Garantir que ela estivesse se divertindo.

Lucas fez um gesto com a cabeça, para baixo, e eu soube exatamente para onde ele estava apontando.

– E de repente alguém estava me arrastando para fora da casa pela orelha. Não me lembro de mais nada além de que, de repente, minha mãe e *abuela* estavam lá. E estavam muito irritadas.

Levei as mãos à boca, e, mesmo tentando segurar, a risada escapou entre meus dedos.

– Você ri, mas a *abuela* se recusou a fazer bolos para mim pelo resto da vida – disse ele, balançando a cabeça. – No dia seguinte, ela jogou o avental na minha cara, sentou em uma cadeira e ficou me dando ordens na cozinha até eu assar meu primeiro bolo.

Finalmente ficando séria, falei:

– Bom, pelo menos alguma virgindade foi perdida naquela semana.

Lucas pareceu perdido por um segundo, então soltou uma gargalhada profunda e escandalosa. Exultante por ter causado aquele som feliz e alto, minha voz nem pareceu amarga quando acrescentei:

– E tenho certeza de que Lorena ficou feliz quando ganhou um bolo feito por você.

Ele levantou a mão.

– Ah, não, acho que eu nunca preparei nada pra ela.

– Por que não? Ela não te aceitou de volta depois disso?

– Aceitou, sim. Depois de um tempo – respondeu ele, se aproximando até alinhar o rosto com o meu. – Mas eu não saio por aí vestindo meu aventtal para qualquer uma.

Virei a cabeça e olhei para aqueles olhos cor de chocolate. E então um calor foi se espalhando pelo meu peito, preenchendo cada cantinho da minha caixa torácica até não restar nada vazio.

– Ah, é? – perguntei, sentindo a respiração sair entrecortada e superficial.

Mas você faz isso para mim.

A resposta nunca veio. Lucas só disse:

– Agora, pare de me distrair e volte ao trabalho, Rosie. Já contamos duas histórias constrangedoras e não escolhemos uma trilha sonora.

DOZE

Lucas

– Isso não é trilha sonora de outro filme? – perguntei quando estávamos voltando da loja.

Rosie soltou o ar olhando para o disco em suas mãos.

– Mais ou menos, mas é diferente.

– Diferente.

Tirando o disco das mãos dela, analisei a capa com atenção. *Dancing Queen*, do ABBA, o single. Virei a capa.

– Não é um pouco… "noite das garotas" demais? Para um encontro?

– Encontro experimental – corrigiu ela. – E era isso ou "Ice ice baby", do Vanilla Ice.

Estava perto da hora de fechamento da loja e o dono estava quase nos expulsando. E, sendo bem sincero, confesso que fiquei um pouco aliviado quando ela não escolheu Vanilla Ice. Nada contra ele – ou contra o ABBA, aliás –, mas não foi hip-hop que imaginei quando pedi a ela que escolhesse nossa trilha sonora.

Ela continuou e me olhou desconfiada:

– Você não viu *Mamma Mia*? Essa música toca no momento de revelação da Meryl Streep. É o que costura o filme. Uma vez li um artigo que dizia que na verdade é uma música triste, e tinha alguns argumentos bons, mas… não sei… sempre me deixa feliz. Não é só uma música para dançar.

Essa confissão foi o bastante para me convencer. Na verdade, saber que Rosie tinha escolhido uma música importante para ela me deixava mais que convencido.

– Então você é dessas, é?

Ela estreitou os olhos, e foi difícil não sorrir.

– Dessas o quê?

– Dessas pessoas obcecadas por *Mamma Mia*.

Rosie pareceu ficar indignada.

– *Mamma Mia* é um musical *e* uma obra-prima romântica.

Ela pegou o disco de volta.

– Como não amar um filme que tem várias histórias de amor reunidas em um musical *perfeito*? É literalmente impossível.

– Tudo bem, tudo bem – falei, erguendo as mãos. – Não é exatamente ideal para o que planejei na sequência, mas a gente dá um jeito.

Ela me olhou de repente e vi a pergunta se formando em seus olhos.

– Pode perguntar, Rosie.

Sorri para mim mesmo e voltei a olhar para a calçada, feliz por estar aprendendo a reconhecer suas reações.

– Comigo você sempre pode falar o que está pensando.

– O que você planejou na sequência e por que esta obra-prima musical incrível, extraordinária e à frente do seu tempo não seria ideal? – perguntou ela, segurando o disco em frente ao rosto.

Soltei uma gargalhada alta pela segunda ou terceira vez no dia.

Rosie abaixou o disco, revelando uma careta discreta.

– Qual é a graça?

Não tinha graça nenhuma no quanto eu amava o fato de ela me fazer rir sem ter a menor ideia disso.

– Você nem imagina…

Nesse momento, avistei o prédio de Lina.

– E você já vai descobrir o que vamos fazer.

Apressei o passo e, quando percebi que ela não estava acompanhando, olhei por cima do ombro. Rosie estava parada na calçada, olhando na minha direção com uma cara confusa. Observei suas pernas compridas e aquele sapato que eu estava tentando ignorar sem muito sucesso, seus olhos mais verdes do que nunca porque a cor da jaqueta destacava o tom.

– Não sei se gosto de surpresas.

Mas sua expressão dizia o contrário porque dava para ver que Rosie estava curiosa. Animada.

– Você não pode me contar agora?

– Não – respondi, sorrindo e seguindo em frente. – Meu encontro, minhas regras.

– Brega *e* mandão – resmungou ela. – Eu não achava que essa combinação fosse possível.

A risada que soltei dessa vez veio com um algo a mais. Alguma coisa que chamou minha atenção, mas simplesmente balancei a cabeça e disse:

– Ei, eu ouvi isso!

De volta ao prédio, fiz Rosie parar no corredor e segui na direção do apartamento de Adele. Bati na porta da vizinha de Lina e, antes de conferir o olhar curioso de Rosie, a cabeça da senhorinha apareceu na porta.

– Ah, você voltou.

Adele deu um sorrisinho torto antes de me deixar entrar.

– Eu estava mesmo me perguntando quando você viria buscar. Está onde você deixou.

– *Gracias, hermosa.*

Entrei no apartamento para pegar a caixa que tinha deixado com Adele algumas horas antes. Agora que eu sabia que o Mateo com quem ela às vezes me confundia era hispânico, eu fazia questão de dizer algumas palavras em espanhol quando a encontrava ou ia dar uma olhada nela.

– *Eres la mejor.* Divirta-se com sua filha, viu?

O rosto de Adele se iluminou.

– Vou me divertir, sim – disse ela, então olhou para Rosie e acrescentou:
– Se divirta você também, seu malandrinho.

Atônita, Rosie assistia à cena piscando sem parar.

– Você pode abrir a porta, por favor?

Rosie ficou me olhando boquiaberta por um bom tempo antes de entrar em ação, mesmo que eu estivesse segurando uma caixa pesada.

– Sim! Claro, sim. A porta.

Entrei atrás dela, fechando a porta com o pé esquerdo. Algo que percebi tarde demais – quando meu joelho direito cedeu – não ter sido uma boa ideia.

– Lucas! – gritou Rosie, correndo até mim. – Meu Deus!

Recuperei o equilíbrio rapidamente e tentei agir como se não fosse nada de mais, mas Rosie já estava segurando o outro lado da caixa. Não adiantava negar o que tinha acontecido.

– Bela pegada, Rosie – falei, repetindo a frase que usei quando nos conhecemos. – Vamos colocar a caixa aqui do lado da TV. Acho que tem uma tomada livre.

Colocamos a caixa no chão e Rosie deu um passo para trás, mas não se afastou muito. Sob seu olhar interessado, tirei da caixa o objeto que fiz questão de deixar com Adele para que Rosie não visse.

Ouvi Rosie exclamar suavemente:

– Ah! Nossa…

Levemente boquiaberta.

– Está um pouco surrada, mas a senhora que me vendeu jurou que funciona.

– Você comprou isso? Pra mi… Para o experimento?

– Lógico.

Ligando a vitrola na tomada, levantei e dei um passo atrás para admirar minha aquisição.

– Foi o destino, na verdade. Eu estava andando por aí e passei na porta de uma casa onde uma mulher estava vendendo várias coisas que ela guardava no porão. Comprei por alguns dólares e um favor.

– Que favor?

Peguei o disco do ABBA que estava na mesinha de centro, onde Rosie deveria ter deixado para me ajudar a carregar a caixa.

– Ela precisava mudar uma cômoda de lugar.

Uma cômoda que ela esqueceu de mencionar que pesava uma tonelada. Rosie emitiu um barulhinho estranho.

– Você entrou na casa de uma estranha? Só porque ela pediu um favor?

Dando de ombros, ajoelhei em frente à vitrola.

– Na verdade eu entrei no porão.

– Lucas. Você não pode… Você não pode fazer esse tipo de coisa.

Coloquei o disco na bandeja.

– Por que não? Ela precisava de ajuda e em troca eu ia ganhar um toca-discos.

– E se… E se ela estivesse só tentando fazer você entrar pra te assassinar com um machado? E depois vender seus órgãos? Estamos em Nova York, Lucas, a taxa de pessoas doidas por metro quadrado é alta demais para você fazer esse tipo de coisa, principalmente quando envolve um porão.

– Sua fofa.

Rosie só ficou ali parada, mas achei *realmente* fofo ela se preocupar com a possibilidade de eu ser assassinado.

– Muito bem, Graham.

Dei um passo à frente, me aproximando dela, e ela inclinou a cabeça para trás.

– Agora tire os sapatos.

– O quê? – resmungou ela. – *Por quê?*

– Porque você não pode dançar com esse salto sexy sem incomodar o vizinho de baixo.

Os olhos dela se arregalaram, como se eu tivesse dito alguma insanidade.

– Dançar... A gente vai dançar?

Tirei os sapatos.

– Claro.

Ajoelhei de novo e mexi nos poucos botões da vitrola.

– Eu disse que você ia escolher nossa trilha sonora, não disse? Então, é pra isso que serve uma trilha sonora. Pra dançar.

Rosie olhou para mim como se eu tivesse pedido a ela que abrisse as asas e voasse.

Inclinei a cabeça para o lado.

– Quer que eu te ajude a tirar os sapatos? Posso fazer isso se você precisar muito.

E eu faria com prazer, para falar a verdade. Aqueles sapatos estavam me deixando doido desde o momento em que os vi.

Rosie abriu e fechou a boca algumas vezes, sem emitir nenhum som.

Só quando eu dei um passo em sua direção ela pareceu acordar. Em alguns segundos, o par de sapatos estava atrás dela, e seus dedos espiando por baixo da barra da calça jeans. E que calça jeans. Eu não menti quando disse que era a minha favorita também. Definitivamente o jeito com que estava colada na...

Lucas, falei para mim mesmo. *Foco.*

Coloquei o disco para tocar na vitrola. As primeiras notas de "Dancing Queen" preencheram o apartamento.

Estalei o pescoço para os dois lados e fiz questão de olhar em seus olhos quando comecei a me mexer.

A música talvez não fizesse exatamente meu estilo – definitivamente não era o som que eu tinha imaginado a gente dançando –, mas pelo menos eu tinha ritmo. *Abuela* tinha feito questão de me ensinar a dançar quando eu era criança, para quando chegasse a hora. Então, fui mexendo também os braços, e o quadril e, então, só para ver a reação dela, qualquer que fosse, fiz um giro perfeito.

Rosie arregalou os olhos.

– Você parece chocada, Rosie – provoquei, sem interromper minha performance. – É tão surpreendente assim me ver dançar?

Admito, não era questão *apenas* de ter ritmo. Eu *sabia* dançar.

As bochechas dela ficaram ainda mais rosadas, mas ela ensaiou um sorriso.

Segurando o riso, fiz a única coisa possível. Caminhei em sua direção bem devagar, acompanhando o ritmo da música e fazendo questão de olhar nos olhos dela.

– Anda – falei, e então comecei a cantarolar a letra da música, que era justamente sobre isso, sobre como toda pessoa pode dançar se quiser. – *"You can dance, you can jive..."*

Quando eu já tinha percorrido quase toda a distância entre nós dois e estava a menos de um metro dela, me peguei cantando ABBA a plenos pulmões, balançando os braços e os ombros.

Ela deu uma risadinha.

Quase lá, pensei. E minha perna nem estava incomodando tanto.

– E aí, sou uma boa *dancing queen*? – perguntei, chegando muito, muito mais perto.

Um sorrisinho discreto curvou seus lábios. E, claro, isso só atiçou minha necessidade de conseguir um sorriso maior. Eu queria que Rosie me desse mais.

– Tá, já chega. Vem cá – falei, pegando-a pela mão para fazê-la rodopiar.

Rosie deu um gritinho, alto e agudo, e um segundo depois caiu na gargalhada.

Isso.

Ali estava ela, a risada que eu queria ouvir.

Girei Rosie mais uma vez, seu corpo agora começando a se movimentar no ritmo da música. E, quando ela voltou a ficar de frente para mim, um sorriso largo se abriu em seu rosto, e não tive escolha a não ser retribuir.

O refrão começou como se tivéssemos coreografado, e gritamos a letra a plenos pulmões.

E de repente Rosie relaxou o corpo, fechou os olhos e se rendeu ao hit dos anos 1970. Segurei uma de suas mãos e a vi cantar bem alto, mais alto ainda que a música. E, caramba, ela não cantava bem. Nem de longe.

Não que isso tenha me impedido de pegar a outra mão dela e fazê-la rodopiar mais uma vez. Ficamos ali rodando e rindo sem parar, e talvez tenhamos rodado demais, porque, no último giro, Rosie tropeçou e veio direto em direção ao meu peito.

Nossos corpos colidiram, meu braço envolvendo sua cintura. Nossos olhares encaixaram e notei nossa respiração sincronizada. Nem eu nem ela desviamos o olhar. Sorvi profundamente o aroma de pêssego da pele dela.

Engoli em seco ao prestar atenção no toque do peito dela contra o meu, subindo e descendo a cada respiração ofegante. Uma das minhas pernas estava enfiada entre as dela e, de repente, como um reflexo que eu não fui capaz de controlar, puxei-a para mais perto. Seu corpo mais apertado contra o meu. Nossos quadris se tocaram e nossas pernas se entrelaçaram.

Rosie perdeu o fôlego, e, quando soltou o ar, trêmula, senti seu hálito em meu queixo. Algo dentro de mim se solidificou.

Meus dedos se espalmaram na cintura dela e…

O disco pulou, interrompendo abruptamente a cena.

– *Lucas* – disse ela em um suspiro.

Mas mantive o corpo dela colado ao meu, o que me deu mais alguns segundos para… pensar. Eu *precisava* pensar.

– O que foi?

– A música – acrescentou ela, sem fôlego. – Parou.

– É.

– Isso foi…

Um barulho estranho interrompeu suas palavras.

A cabeça de Rosie espiou por cima do meu ombro, em direção ao barulho.

– Lucas? – sussurrou ela, um sussurro alto.

Abri a boca, mas o barulho ficou mais alto, impedindo que minhas palavras saíssem.

– Que barulho é esse? – perguntou ela, mais alto que o guincho que não parava. – Que diabos é isso?

Era uma ótima pergunta.

Fiz a gente girar, abraçando-a agora por outro motivo.

O barulho continuava, cada vez mais alto, e dei um passo à frente, hesitante.

– *Pero qué cojones...*

O xingamento em espanhol escapou quando estiquei o pescoço.

– Ah, não! – disse Rosie, soltando um sussurro alto. – A Lina diz isso quando as coisas estão prestes a dar muito errado.

Levei-a um passo à frente.

– Lucas, não estou gostando nada disso. O que você está...

– Shh – falei baixinho. – Acho que tem alguma coisa atrás do toca-discos.

Um guincho agudo veio da área onde estava a caixa, e olhei para baixo a tempo de... *Ah, mierda.*

– Certo – falei com a voz bem suave. – Preciso que você fique calma, Ro.

Porque se aquilo fosse o que eu tinha quase certeza de que era e se Rosie por acaso tivesse medo de...

Um grito alto perfurou meus ouvidos.

Ok. Rosie tinha.

– Lucas! – berrou ela, saltando e conseguindo escalar meu corpo como se eu não passasse de um poste. – Um rato! Aquilo é um rato!?

Uma das mãos dela foi parar no meu rosto, outra no meu ombro e um dos joelhos embaixo da minha axila.

– Peeeeeelo amor de Deus, não! Não! Por favor, não me diz que é um rato!

Abraçando sua cintura, eu a ajeitei até que suas pernas envolvessem meu quadril.

– Não vou dizer que não é.

– Oi?

Rindo, coloquei minhas mãos na parte posterior de suas coxas e virei para que ela ficasse de frente para o outro lado.

– De fato tem um rato enorme aqui dentro. Não vou mentir pra você, Ro. Nunca.

Mais um grito.

Virando, tentei levá-la até o outro lado do apartamento enquanto Rosie se contorcia em meus braços e não me dava escolha a não ser colocar as mãos naquele bumbum redondo e arrebitado em que prometi a mim mesmo que não ficaria pensando.

– Ei, Ro? – falei para ela, segurando um gemido quando ela acertou minha virilha. – Vou colocar você em um lugar seguro, tá? Mas vai ser mais fácil se você parar de se mexer. *Por favor.*

Isso pareceu colocar fim às contorções porque ela ficou paralisada em meus braços.

– Ah, meu Deus, desculpa, Lucas. Eu sou pesada demais. Eu sou uma idiota. Deixa...

Ela tentou saltar do meu colo, mas não deixei.

– Fique exatamente aí. Está tudo bem.

Carreguei Rosie pelo resto do caminho mancando discretamente e a coloquei sentada no balcão com muita delicadeza.

– Não está, não – disse ela, com uma expressão de remorso. – Eu não deveria ter pulado em cima de você desse jeito.

Eu nem sequer tinha me incomodado com aquilo. Não me incomodava a tensão que tinha tomado conta dos músculos agora fracos. Ou a dor que eu sentiria em algumas horas depois da nossa sessão de dança. Para ser sincero, eu estava cansado de dar atenção a essas coisas. Eu estava cansado de não poder fazer o que eu queria por causa daquela maldita lesão.

Engolindo em seco, dei a única resposta que podia.

– Não se preocupe. Eu não estou preocupado.

Ela assentiu e, mais uma vez, me deixou surpreso ao não insistir. Não me pressionar para que eu falasse. Em vez disso, disse em voz baixa:

– Eu morro de medo de rato.

Rosie levantou as pernas e colocou os pés descalços em cima do balcão.

– E agora não consigo parar de pensar naquela coisa mordendo meus dedos.

Ela estremeceu e fez uma cara de nojo puro, e aquilo me fez sorrir.

– Ele não vai morder nada.

– Ele poderia – sussurrou ela.

– É, poderia, mas você está no alto agora. Ele não vai te alcançar aí.

Rosie gemeu.

– Você não está melhorando as coisas, Lucas. Agora eu vou ter pesadelo e nós vamos ter que dormir com as luzes acesas e talvez eu tenha que te acordar para você me levar água porque vou ter medo que alguma coisa morda meus pés se eu pisar no chão. Você está cavando a própria cova, sério.

Soltei um suspiro, mas era só cena.

– Eu faço isso se for preciso. Porque eu sou um ótimo colega de apartamento e um amigo melhor ainda.

Os lábios de Rosie se curvavam para baixo e ela resmungou algo baixinho.

– Agora fique aqui quietinha, tá?

Fui até a vitrola e, não sem algum esforço, consegui encurralar o rato e enfiá-lo de volta na caixa vazia com uma revista que estava jogada por ali.

Então, segurei a caixa – com o rato dento – e virei na direção de Rosie.

Ela me mandou parar levantando a mão.

– Não dê mais nem um passo com essa coisa aí dentro, cara.

– *Cara?* Sério? – perguntei, fingindo indignação. – Que tal, "Ah, Lucas, meu cavaleiro sexy e habilidoso"? Esse sim é um modo justo de me chamar, combina comigo.

Ela me lançou um olhar ameaçador.

Antes que eu pudesse dizer qualquer coisa, alguém bateu na porta.

– Ah, meu Deus – sussurrou Rosie. – E se for mais um rato?

– Bom – respondi, indo em direção à porta –, se for, espero que tenha trazido um petisco.

Deixando Rosie enfurecida em cima do balcão, abri a porta com a caixa embaixo do braço e fui recebido por uma mulher com um corte ousado no cabelo castanho e um rosto com traços que eu reconheci. Eu já tinha visto aquela pessoa pelo bairro.

– Oi, tudo bem? Meu nome é Alexia, sou filha da Adele. Espero não estar...

Ela fez uma pausa ao olhar atrás de mim.

– Espero não estar interrompendo nada.

– Ah, não. Não se preocupe – respondi com um sorriso fácil. – Ela só gosta de sentar ali. Né, Ro?

A resposta de Rosie veio só depois de alguns segundos.

– É – disse ela, alto. – É isso. Eu adoro subir nos móveis. É um passatempo que eu tenho.

Dei risada antes de virar para Alexia outra vez.

– Prazer em conhecê-la – falei, oferecendo a mão que estava livre. – Eu sou Lucas. E a mocinha bonita no balcão é a Rosie.

– É um prazer conhecer... vocês dois – disse Alexia, apertando minha mão. – Eu vim me apresentar e agradecer por cuidarem da minha mãe. Minha esposa ou eu damos uma passada aqui toda noite, e só Deus sabe o quanto estamos procurando alguém para cuidar dela em tempo integral, mas tem sido bem...

Ela pareceu um pouco perdida por um instante e deixou a frase incompleta.

– Enfim, sei que você tem sido muito gentil com ela, mesmo não tendo obrigação nenhuma de fazer isso, então eu agradeço muito. Mais do que você imagina.

Balancei a cabeça.

– Imagina, não é incômodo nenhum.

E eu estava sendo sincero. Não era mesmo.

Alexia estendeu a mão e fez um carinho no meu braço.

– A última vez que ela falou sobre meu pai daquele jeito foi logo depois que ele faleceu.

Pai.

Então, Mateo era marido de Adele, como eu imaginava.

Alexia ficou um tempão olhando para mim, uma emoção pesada enchendo seus olhos. Luto. Claro como o dia.

– Meu Deus, você é tão parecido com ele nas fotos antigas. Ele era argentino, *mi papá*.

Não havia nada que eu pudesse dizer para consolá-la, então não falei nada.

– Enfim – disse Alexia, limpando a garganta. – Não vou mais incomodar...

Um sorriso desconfiado substituiu a tristeza que estava ali.

– O que quer que vocês estejam fazendo parece muito divertido.

Assenti, aliviado por ela não ter perguntado sobre a caixa embaixo do meu braço.

– A gente se vê por aí, Alexia.

– Com certeza, Lucas – respondeu ela, e deu uma olhada atrás de mim. – Tchau, Rosie!

– Tchau! Foi um prazer conhecer você também.

Só depois que Alexia foi embora, olhei para trás por cima do ombro. Rosie estava exatamente onde eu a tinha deixado, mas sua expressão agora era outra.

– Você anda visitando a Adele? Todos os dias?

– Aham.

– Você… – disse ela, o olhar percorrendo meu rosto, os olhos se enchendo de alguma coisa. – Ah, merda.

Franzi a testa, mas senti nosso amiguinho se mexer dentro da caixa e isso chamou nossa atenção de volta ao que interessava.

– Acho que pegar coisas da rua não é muito indicado por aqui.

O canto esquerdo dos lábios de Rosie se contorceu.

– Eu também ficaria longe de porões.

– Justo – falei, suspirando. – Certo, vou levar nosso amiguinho para a rua ou… para um parque?

Pensei por uns instantes.

– Enfim, vou ver no Google o que fazer com ele. Desce daí quando eu fechar a porta, tá? Você está segura agora.

Porque, com ou sem invasão de roedores, eu prometi isso a Rosie. E não ia esquecer.

TREZE

Rosie

Levamos bolo do Olly. De novo.

E isso depois de ele ter prometido que viria, que prepararia as paredes do apartamento para a pintura, porque nosso pai tinha pedido nossa ajuda.

Mas a pior parte foi perceber que meu pai não precisava de ajuda nenhuma. O fato de eu estar parada atrás dele segurando a embalagem do produto enquanto ele fazia tudo era prova disso. Ele disse isso só para que a gente fosse até lá. Só para ter uma desculpa para ver os filhos. Para ver Olly.

Meu Deus, eu queria sacudir meu irmão. Qual era o problema dele?

– Você tem certeza de que deveria estar fazendo isso? – perguntei, me aproximando para poder ver o rosto dele. – Está tudo bem com o seu quadril, pai? Podemos fazer uma pausa e comer alguma coisa.

– Estou bem, Feijãozinho – respondeu ele.

Nossa, lá vinha ele com esse papo de *estou bem*.

Tirei a esponja da mão dele e fiquei ao seu lado até ele olhar para mim. Quando ele finalmente olhou, relutante, sua expressão confirmou que ele não estava bem coisa nenhuma.

– Seu nariz vai crescer, seu mentiroso.

Meu pai riu, e dei um beijo em sua testa porque minha vontade era sacudir ele também.

– Estou um pouco preocupado, só isso – admitiu ele, finalmente, com um suspiro. – Você teve notícias do seu irmão? Ele vem, não vem?

– Eu... Aham.

Fiquei mexendo na esponja para evitar encará-lo.

– Vou ver se tenho alguma chamada perdida dele. Ele deve ter se atrasado.

Meu pai pegou a esponja de volta.

– Vou terminando aqui enquanto isso. Estamos quase acabando.

– *Estamos?* – resmunguei, tirando o celular da bolsa.

Nenhuma mensagem, nenhuma ligação, nada.

Mandei mais uma mensagem.

> Cadê você, Olly? Estou na casa do papai e já são quase
> 18h. Você disse que viria.

Então, inventei uma desculpa para meu pai, o homem que lutou com unhas e dentes para cuidar de nós e garantir que nos sentíssemos amados todos os dias, mesmo quando ele não podia passar muito tempo em casa.

– Talvez o Olly esteja no trem, fora de área? – expliquei, esperando que meu pai comprasse a mentira. – Eu tento de novo daqui a pouco.

Ele soltou um suspiro. Um som baixinho que a maioria das pessoas nem teria percebido, mas que eu conhecia muito bem. Era por causa do Olly. Porque meu pai se culpava por qualquer coisa que acontecia com meu irmão.

Quase tanto quanto eu.

Eu estava prestes a tentar consolá-lo quando uma voz feminina invadiu o cômodo.

– Como vai meu vizinho favorito?

Uma mulher com cabelo grisalho preso em um coque alto, os olhos brilhando, calorosos e bem-humorados, apareceu.

– Ah, Nora. Você veio – respondeu meu pai, e seu rosto inteiro se iluminou. – Espero não ter incomodado arrastando os móveis. A reunião do seu clube do livro já acabou? Você trouxe um pedaço daquele bolo *red velvet* delicioso?

Reunião do clube do livro? Bolo red velvet *delicioso?*

Meu pai falou em um tom mais baixo.

– Fiquei o dia inteiro pensando nele.

Pisquei várias vezes. Meu Deus, o que estava acontecendo ali?

Nora mostrou um pacote que estava escondendo atrás de si.

– Fico feliz por ouvir isso – disse ela, sorrindo antes de olhar para mim.

– Não sabia que você tinha companhia, Joseph. É sua filha?

– Eu já disse que você pode me chamar de Joe – corrigiu ele, com uma piscadinha.

Piscadinha essa que me pegou de surpresa.

– Sim, sim. Nora, essa é a minha filha Rosie. Ela é engenheira, trabalha em uma empresa chique em Manhattan. Eu contei ontem, lembra?

A culpa rasgou meu peito ao ouvir essas palavras.

– Eu mesma – disse, e engoli em seco. – Oi, Nora, prazer em conhecê-la.

Ela sorriu por cima do pacote.

– Seu pai tem muito orgulho de você, Rosie, querida. Ele me contou sobre sua promoção mais que merecida.

Senti meu rosto perder a cor, mas assenti.

O olhar de Nora deslizou até meu pai.

– Ela tem os mesmos olhos verdes lindos que você, Joseph. Mas espero que não seja tão teimosa quanto o pai. Eis um gene que é melhor não passar adiante – disse ela, sorrindo.

– Joe – corrigiu meu pai, que, sem virar para mim, acrescentou: – Ouviu isso, Rosie? Lindos olhos.

Analisei o rosto do meu pai, depois o de Nora. Os dois estavam sorrindo.

Meu pai sorria para ela, e Nora, para o pacote com aquele *bolo* red velvet *delicioso no qual ele ficou pensando o dia inteiro.*

Meu celular tocou em minha mão, desviando minha atenção daquele festival de flerte que acontecia bem na minha frente.

> **Lucas:** Como está o projeto de decoração? Tudo bem com o quadril do seu pai?

Mordi o lábio para não sorrir olhando para a tela. Para o nome dele. Para o que estava escrito ali.

E de repente lembranças do nosso primeiro e único encontro experimental invadiram minha mente.

Tinha sido bobo, divertido, fofo e brega no melhor sentido possível. Por mais que eu provocasse Lucas, a verdade era que eu *amava* coisas bregas, e ele tinha ultrapassado todas as minhas expectativas. Cada detalhe do encontro – cada detalhe *dele* – parecia saído direto do sonho de uma autora de romances. *O sonho realizado de qualquer mulher.* Pensar naquele rato correndo pelo apartamento nem fazia mais minha pele se arrepiar. Em vez disso, eu só me lembrava das minhas pernas envolvendo o quadril dele enquanto ele me levava até um lugar seguro. Em seu braço firme e seu corpo quente sob o meu. Na intensidade ardendo em seus olhos castanhos quando ele olhou para mim enquanto a gente dançava.

Tudo isso em nome da pesquisa. Flerte experimental. Dança experimental. Encanto experimental.

Mas aquilo ali não era. O cuidado dele ao perguntar como eu e meu pai estávamos – sendo o Lucas, meu colega de apartamento e amigo, não o Lucas do Encontro – não era experimental. Era real. E era… difícil de ignorar.

Rosie: Ele está bem. Está ocupado flertando com a vizinha. Na minha frente.

Lucas: 😆 Boa, Sr. Graham!

Rosie: Não incentiva esse tipo de comportamento.

Lucas: Por que não? Um flertezinho faz bem pra alma.

Rosie: Ele é meu pai 😬 E eles estão se comendo com os olhos bem na minha frente.

Lucas: Ele ainda merece comer, sabia.

Rosie: ECA, LUCAS. NÃO.

Lucas: Tá 😜 mas você é autora de romances. Devia incentivar esse tipo de coisa. Talvez dar algumas dicas.

Lucas: Até onde você acha que esse flerte já foi? Você acha que já rolou um rala e rola?

Rala e rola? Meu Deus.

Rosie: tá bom, gossip girl, já chega dessa conversa.

Rosie: você devia ficar do meu lado.

Lucas: eu sempre vou ficar do seu lado.

A última frase ficou pairando na tela por alguns segundos enquanto eu olhava para ela, sem saber o que exatamente fazia com que ela se destacasse. Três pontinhos voltaram a surgir na tela.

Lucas: vou indo, só queria saber se ele estava bem. E você também.

Lucas: #TimeRosie

Lucas: beijinhos, você sabe que me ama.

Lucas: e antes que você pergunte… Eu tenho uma irmã mais velha, Ro. Sei o que é Gossip Girl.

Ah, merda. Que bela merda.
Por que ele tinha que ser tão… bom e engraçado e… e… tão Lucas?

Rosie: você é muito gentil. Não precisava se preocupar com a gente.

Alguns segundos se passaram, e, quando pensei que as mensagens tinham acabado, os três pontinhos voltaram a aparecer na tela.

Lucas: Só mais uma coisa: você vai comer no seu pai ou deixo o jantar no forno?

Aquela sensação do peito se expandido que eu sentia quando estava com Lucas voltou com tudo. Maior, mais intensa. Como se estivesse ali para ficar. Ele era tão incrivelmente gentil, e provavelmente nem se dava conta disso.

Era mesmo uma maldição e uma bênção. Porque...

– Rosie?

Tirando os olhos do celular, vi o olhar interessado do meu pai.

– Desculpa, você disse alguma coisa?

– Para quem você está mandando mensagem?

A pergunta me levou de volta ao passado, quando eu tinha 16 anos e ele perguntava se eu estava gostando de algum garoto. *Lembre-se de escolher um garoto que vá plantar um jardim para você em vez de só comprar as rosas, Feijãozinho.*

– Ah – respondi, tentando parecer o mais desinteressada possível. – É só um amigo.

– Você estava sorrindo demais para ser "só um amigo".

– Eu estava rindo de uma coisa que ele disse – respondi, bloqueando o celular e enfiando o aparelho na bolsa. – Ele é muito engraçado.

– Ah é? – perguntou meu pai, com um sorriso desconfiado. – Qual foi a piada?

Com o canto do olho, vi Nora sair assentindo para nós. Usei isso ao meu favor.

– Uma piada menos *engraçada* do que ver você com a Nora. Vejo que alguém andou ocupado...

Meu pai soltou uma risada alta, e amei ouvir aquele som. Mas a sensação passou rápido porque ele ficou sério ao olhar para o relógio.

– Acho que seu irmão não vem – admitiu ele, com um suspiro.

Pensei em inventar mais uma desculpa, mas chegamos ao ponto em que não havia mais nada a dizer.

– Acho que não, pai.

– Está bem. Vamos terminar isso logo para você voltar cedo, Feijãozinho.

Horas depois, finalmente desci do trem e atravessei a Penn Station. Surpresa ao perceber que estava exausta e que já estava um pouco tarde, decidi gastar um pouco pedindo um Uber em vez de ir de metrô.

Eu estava esperando o motorista chegar quando um homem andando de um lado para o outro em um ponto em frente ao lugar onde eu estava chamou minha atenção. Ele estava com a cabeça baixa, com as mãos agitadas de um jeito que me pareceu familiar. Fiquei observando mais um pouco, então senti meus pés me levarem adiante.

Olly?

Tive que avançar pelo menos três metros para confirmar que era mesmo o meu irmão mais novo. Meu Deus, ele tinha mudado tanto assim desde a última vez que o vi? Seus ombros pareciam mais largos, e ele parecia até mais alto, mas era *ele*. Homem ou garoto, era meu irmão mais novo. E... o que ele estava fazendo ali? Será que tinha alguma coisa errada?

Percorri apressada os últimos metros que nos separavam.

– Olly? – chamei, e vi sua cabeça se erguer imediatamente ao ouvir minha voz. – O que você...

O último passo que me fez ficar cara a cara com ele interrompeu o que quer que eu estivesse prestes a dizer. Porque não tinha *alguma* coisa errada. Estava tudo errado. Meu irmão estava com um olho roxo e o lábio cortado.

– Meu Deus, Olly. O que aconteceu? Quem fez isso com você?

Ele estremeceu quando toquei na bochecha dele e fechou os olhos. E nesse momento eu simplesmente soube que aquele homem de 19 anos ali na minha frente precisava ser consolado. E ele podia estar dez centímetros mais alto e talvez não fosse mais o garoto que me olhava como se eu fosse uma heroína quando eu lhe dava um pedacinho de chocolate escondido, mas eu ainda queria envolvê-lo em meus braços e protegê-lo do mundo. De quem quer que tivesse feito aquilo.

– Estou bem – murmurou ele.

Senti alguma coisa se agitar dentro de mim. Algo sombrio e hostil.

– Eu juro por Deus – falei, quase rosnando, a voz trêmula de tanta frustração –, se os Graham não pararem com essa merda de *estou bem*, eu vou perder a cabeça.

Olly arfou, surpreso, e eu soube que foi por causa do meu palavreado, mas minha raiva tinha amenizado um pouco. Só um pouquinho de nada.

– Acho que talvez você já tenha perdido, Feijãozinho.

Soltei um suspiro, observando o olho roxo.

– Como, Olly? Como isso aconteceu?

– É um olho roxo. Acontece.

Respirei bem fundo e me concentrei para que minha voz permanecesse calma.

– É por isso que você está aqui, em frente à estação? Foi por isso que não foi para a Filadélfia?

Ele assentiu.

– Você mandou mensagem dizendo que estava voltando. Eu quis vir pra pedir desculpas por não ter ido.

Toquei o corte em seu lábio inferior.

– Está doendo?

Ele deu de ombros, e eu senti as palavras subindo até minha boca. Palavras que ele não ia gostar de ouvir.

– Olly, o que é que está acontecendo?

– Eu sou novo, vai melhorar rápido – disse ele.

Desviando do assunto. Que audácia.

– Você não deveria estar se metendo em situações que te deixam com o lábio cortado só porque é novo. Ninguém deve fazer esse tipo de coisa, seja novo ou velho.

Vi meus dedos começarem a tremer, estava perplexa com aquela situação. Chocada. E me sentia impotente. Porque não sabia o que fazer para que ele me ouvisse. Para que confiasse em mim.

– Você deveria estar curtindo a vida. Se divertindo. Fazendo o que garotos de 19 anos fazem hoje em dia.

Balancei a cabeça e de repente me lembrei de uma coisa.

– Olly, isso tem alguma coisa a ver com o emprego misterioso na boate?

Ele recuou, se afastando de mim.

– Será que dá pra você confiar em mim ao menos uma vez na vida? Estou ganhando bem. Estou bem. Foi só uma briguinha por causa de um mal-entendido.

Estendi a mão para ele outra vez, mas ele se afastou ainda mais. Só então percebi o que ele estava vestindo. Roupas boas, caras. Marcas que eu mesma não poderia comprar. Ele também olhou para baixo e balançou a cabeça.

Eu quis gritar, mas não fiz isso. Se tivesse começado, talvez não conseguisse parar.

– Isso tem a ver com drogas, Olly? – perguntei.

Olly ergueu a cabeça na hora e arregalou os olhos. Estava boquiaberto, como se eu tivesse perguntando se ele estava cagando ouro.

– *O quê?*

– Você está vendendo drogas, Olly? É isso?

– Meu Deus, Rosie.

O choque se transformou em indignação, frustração.

– Que loucura, não tem nada disso, ok? Você não entende. Eu...

Ele balançou a cabeça, o cabelo preto caindo sobre a testa.

– Você *o quê?*

– Eu estou... dançando? – respondeu ele, finalmente, mas saiu como uma pergunta.

O que só me deixou mais confusa. Mais desconfiada.

– Em uma boate – falei devagar. – Ganhando dinheiro suficiente para comprar roupas que custam o meu aluguel.

Olly deu de ombros.

Meu Deus, meu irmão estava... dançando por dinheiro? Estava fazendo *striptease?*

Eu estava em choque. Com o coração a mil.

Pouco tempo antes, eu estava chamando Lucas de Magic Mike das Massas e Panelas, e na verdade era meu irmão mais novo que estava protagonizando o filme. Na vida real.

Olly não confiava em mim o bastante para me contar?

Senti uma tristeza tão absurda que fiquei tonta. Abri a boca para dizer alguma coisa, qualquer coisa, mas as luzes ofuscantes de um carro me impediram.

Olly cobriu os olhos com um dos braços e xingou baixinho. Um carro parou ao nosso lado, e a janela abriu.

– Vamos, bonitão. Entra aí – disse o homem ao volante, que não era muito mais velho do que Olly.

– Olly – chamei. – Não vai.

Mas meu irmão avançou em direção ao carro.

– A gente precisa conversar sobre tanta coisa...

– Rosie – interrompeu ele. – Está tudo bem, eu liguei pro papai. E estou bem. Eu juro.

O homem no carro deu um sorrisinho torto, e sua expressão disparou uns dez alertas na minha cabeça.

– Vamos – disse ele para Olly. – O turno começa em meia hora. Vamos precisar de muita maquiagem para cobrir isso aí que você tem na cara, mas a Lexie vai ter que encarar.

Lexie?

– Só torce para ela valer toda essa confusão – acrescentou o cara.

Minha cabeça virou na direção de Olly. Ele estava com a mandíbula tensa.

O olho roxo. Era por causa de uma garota. Mas...

– Tchau, Rosie – disse ele.

Em um movimento rápido, beijou meu rosto e abriu a porta de trás do carro.

E fiquei ali sozinha, paralisada no meio da calçada vendo as luzes do carro virarem pontinhos vermelhos a distância.

Ironicamente, meu Uber chegou nesse exato momento.

Um tempinho depois, quando enfim cheguei em casa, o encontro com Olly pesou tanto sobre mim que nem ver Lucas dormindo com a boca aberta e a série de vampiros passando na TV me fez sorrir. Depois de cobri-lo, fui até a cozinha na ponta dos pés para pegar uma água e encontrei um bilhete que ele tinha deixado no balcão: *O jantar está no forno caso você chegue com fome.* Mas nem isso me fez sorrir. Eu nem tinha respondido a mensagem que ele mandou, e mesmo assim ele preparou comida para duas pessoas. Porque ele não escreveu *resto de comida*, ele escreveu *jantar*. E fez questão de colocar o bilhete em um lugar onde eu visse. Esperando por mim. Caso eu estivesse com fome.

Isso devia me fazer sorrir. Um sorriso torto, como uma boba, dominada pela alegria, como tinha acontecido momentos antes. Mas o efeito foi o oposto.

A situação com meu livro, Lucas, meu irmão, até meu pai. A bagunça que era minha vida. Como eu estava sendo hipócrita exigindo a verdade enquanto guardava um monte de segredos. Estava pesado demais.

Eu estava ali parada, com o bilhete na mão, quando ouvi meu nome.

Lucas estava em pé no meio do apartamento, a uns três metros de mim. Ele segurava o cobertor em uma das mãos, e seu cabelo estava todo bagunçado.

Tentando abrir o melhor sorriso possível, falei:

– Desculpa, eu acordei você.

– Eu só estava descansando os olhos.

Ele piscou algumas vezes, como se estivesse tentando voltar à vida. Seus olhos percorreram meu rosto.

– O que foi? Seu pai…

– Não. Meu pai está bem.

Dei de ombros, fazendo o que os Graham fazem de melhor. Esconder o que quer que esteja errado. Engolir.

– Está tudo bem, juro.

Ele ficou em silêncio por um tempo, olhando para mim. Eu sabia o que ele estava sentindo. Estava preocupado, se perguntando como poderia aliviar as coisas para mim. Provavelmente se perguntando se eu ia cair no choro de novo.

E o fato de ele fazer tudo isso me deixou com raiva. Lucas já estava fazendo tanto por mim, ao passo que eu não estava oferecendo nada para ele. Só a companhia de uma pessoa que reclamava bastante.

Naquele instante jurei para mim mesma que ia fazer alguma coisa por Lucas Martín.

Alguma coisa que o deixasse feliz.

– Ei, Rosie?

Soltei um suspiro.

– O quê?

Ele olhou para mim com uma intensidade muito parecida com aquela do nosso encontro experimental, mas ligeiramente diferente. Mais feroz. E ao mesmo tempo mais suave.

– Quer um abraço? – ofereceu.

Ele era um homem tão bom. Mas eu não queria desabar de novo na frente dele, não depois de ele ter feito tanto por mim.

– Não. Tudo bem. Estou bem – sussurrei.

Ele ficou em silêncio por alguns segundos. Então disse:

– Acha que pode me dar um mesmo assim? Talvez eu é que esteja precisando.

Engoli em seco, a vontade de dar um passo à frente e me jogar em seus braços me invadiu. Mas não me movi porque eu sabia o que ele estava fazendo. Lucas estava fazendo aquilo por mim, não por ele.

Lucas percebeu, porque disse uma coisa que me deixaria incapaz de resistir.

– Estou com muita saudade do Taco hoje. Então um abraço ajudaria bastante – declarou ele, com uma voz tão profunda e gentil, tão suave... – Será que você pode me dar um abraço, Rosie?

E por mais que eu soubesse que aquele abraço era para mim – porque provavelmente parecia que eu ia desmoronar a qualquer momento –, ele conseguiu fazer parecer que eu estaria oferecendo algo precioso se dissesse que sim. Que o deixaria de coração partido se negasse.

– Aham.

E, naquele exato momento, eu soube com uma certeza preocupante que jamais conseguiria olhar para Lucas e não dar o que quer que ele pedisse.

– Mas só porque você precisa muito.

Ele não demorou a chegar perto de mim e me envolver em seus braços.

Mais uma vez, enterrei o rosto em seu peito. Mas, dessa vez, deixei meu corpo se apoiar nele. Totalmente. Eu me permiti desistir. Inspirei seu cheiro e desfrutei do calor e da imensidão e da firmeza de seu corpo ao redor do meu. Peguei toda a força que ele estava disposto a me oferecer. E imaginei que aquilo, aquele abraço, aquele corpo, *ele*, era meu porto seguro. Meu normal. Meus dias ruins, meus dias bons. *Todos* os meus dias.

– Obrigado, Rosie.

Senti a frase ressoando no peito dele.

– Estou me sentindo muito, muito melhor.

Meus braços envolveram seu tronco com mais firmeza, sentindo cada músculo, cada osso, cada centímetro de pele quente embaixo da sua camiseta. Cada batida do seu coração.

CATORZE

Rosie

– Alessandro's? – perguntei quando Lucas parou em frente à pizzaria na esquina do prédio da Lina.

Exatamente como tinha feito no primeiro encontro experimental, Lucas me pegou de surpresa. Mandou mensagem pedindo que eu estivesse pronta às 21h. "Hora do jantar na Espanha", destacou. Imaginando que ele me levaria a um restaurante, me arrumei toda. Uma saia lápis midi, uma blusa leve e minhas botas pretas de couro.

Mas estávamos ali. No Alessandro's.

Lucas me levou até o outro lado da rua e agora estávamos em frente ao único lugar em Nova York cujo menu eu sabia de cor.

E estava… fechado. Até a porta de aço estava abaixada.

Franzi a testa.

– Tem certeza de que vamos comer aqui?

Lucas olhou para mim por cima do ombro.

– Tenho, sim.

Ok.

– Mas, antes de entrarmos – disse, tirando uma chave do bolso da jaqueta –, quero ter certeza de que fiz tudo certo.

Eu sabia que ele não precisava disso porque com certeza ele tinha, sim, feito tudo certo. Lucas parecia fazer tudo certo sempre.

– Fase dois – disse, recitando o plano que eu tinha traçado. – O segundo encontro. Embora geralmente seja subestimado, o segundo encontro é quando a curiosidade se transforma em interesse. É hora de explorar a faísca que rolou no primeiro encontro.

A faísca.

Desviei o olhar quando o calor subiu pela minha nuca. Que ousadia a minha falar sobre curiosidade, interesse ou faíscas quando ele estava começando a me fazer sentir bem mais do que isso. Se Lucas e eu... se nosso experimento fosse um romance, eu estaria muitas páginas além dessa fase. E isso estava começando a transparecer quando eu escrevia. Minha cabeça não estava mais tão vazia, meu peito não parecia mais tão comprimido por uma pressão esmagadora. Agora, em vez de me preocupar com o término do prazo e com a possibilidade de fracassar, eu me pegava sonhando acordada com ele, transformando esses sonhos em palavras na página. Mas a verdade era que o tempo continuava passando, Lucas iria embora em três semanas, em cinco um livro novo teria que estar pronto, e eu ainda estava longe de ter alguma coisa – qualquer coisa – que pudesse enviar à editora.

Lucas tocou no meu queixo e inclinou minha cabeça para cima e para o lado para poder olhar nos meus olhos.

– Depois de hoje não teremos como voltar atrás, Rosie – disse ele, e sua expressão era séria. – Você ainda quer continuar?

Não havia muito em que pensar, não com ele me olhando daquele jeito tão decidido.

– Quero.

Aquele sorrisinho torto surgiu de novo e senti meus joelhos bambos. Inevitavelmente, retribuí.

– Ahá, aí está ele – disse Lucas, os dedos ainda em meu queixo e os olhos descendo até meus lábios. – *Llena de luz. Como el mismo sol.*

E meu coração começou a martelar como se estivesse tocando tambores.

E daí que eu não falasse espanhol?

E daí que, antes dele, eu nunca tivesse achado graça em sotaques?

Era o Lucas, e isso parecia ser suficiente.

– O que isso quer dizer?

– Quer dizer que eu espero que você esteja com fome.

Franzi a testa, duvidando daquela tradução, mas, antes que eu pudesse reclamar, ele se afastou e abriu a porta de aço. E então, puf, a visão daquelas costas – daquela bunda, na verdade – quando ele se ajoelhou e depois levantou, dissipou o que quer que eu estivesse prestes a dizer.

A vida era mesmo muito injusta. Além daquele sorriso, ele também tinha uma bunda linda. Eu apostaria minha coleção completa de edições especiais da Jane Austen que aquela bunda era tão firme quanto o...

– Rosie?

Levantei os olhos rapidamente e vi Lucas olhando para trás, para mim. Vi também o maior sorrisinho torto que esse mundo já testemunhou curvando o canto de seus lábios.

– Quando você terminar de me admirar...

– *O quê?* – gritei com uma voz toda estridente e esganiçada e óbvia.

Totalmente óbvia. Limpei a garganta para me recompor.

– Eu não estava admirando você.

Lucas deu mais um sorrisinho e levantou, abrindo a porta de vidro e fazendo um gesto indicando que eu entrasse primeiro.

– Eu não me importo, sabia? Gosto de atenção. Além disso, é bom saber que você aprecia uma bunda.

Eu apreciava uma bunda. Apreciava muito *mesmo*.

Com um suspiro de derrota, dei um passo à frente e me concentrei em controlar os danos do rubor intenso que eu sabia que tinha tomado conta do meu rosto.

– Eu não estava admirando sua bunda, Lucas. Estava só me certificando de que você...

As palavras morreram assim que entrei na pizzaria e vi o que me esperava.

Dezenas de velas formavam um caminho que dividia o salão e levava até o lugar onde eu sabia que ficava a cozinha.

– Eu...

Senti meu queixo começar a tremer por um motivo que eu não sabia explicar. Meu corpo inteiro tremia também. E eu também não sabia por quê.

– Lucas... Eu nem sei o que dizer...

Ele se aproximou.

– Não tem jeito melhor do que esse de explorar a faísca e provar para a pessoa que ela vale o esforço.

Uma pausa, e ouvi mais alguns passos.

– Que você vale o esforço de acender dezenas de velas.

Pensei ter ouvido ele rir, mas não consegui ter certeza. Eu tinha sido sugada por um vácuo. Um vácuo de Lucas.

– Como? – sussurrei.

– O Sandro fechou mais cedo hoje. Alguma comemoração em família. Então achei que podíamos ter a pizzaria só para nós dois.

Não era *isso* que eu tinha perguntado, mas minha cabeça virou na direção dele assim mesmo.

– Você achou que podíamos...

Precisei parar de falar para processar aquela informação.

– Como você convenceu o Sandro a te dar a chave? Essa pizzaria é como...

– Como uma terceira filha pra ele, eu sei.

Lucas começou a rir com aquela tranquilidade que só ele era capaz de ter.

– Ele me contou a história de toda a árvore genealógica. Também explicou em detalhes que considera este lugar seu legado. Seu segundo lar. Construído com o suor de suas costas e...

– Os calos de suas mãos.

Lina e eu ouvimos aquela explicação muitas vezes.

– Exatamente. Mas acho que causei uma boa primeira impressão.

– Então ele simplesmente concordou?

Sandro era incrível, mas não era uma pessoa que se deixava conquistar tão facilmente.

– Algumas promessas que não tenho certeza se vou conseguir cumprir talvez tenham sido feitas, mas está tudo sob controle.

Ele deu uma piscadinha, como se aquilo fosse normal. Como se todo aquele trabalho não fosse nada.

– Mas vamos manter o cenário com risco de incêndio entre nós, ok? Pode ser nosso primeiro segredo.

O risco de incêndio.

As velas lindas que ele tinha acendido.

Nosso segredo.

Como meu crush secreto. E os tantos outros segredos que eu estava guardando.

Engoli em seco, absorvendo mais uma vez a cena naquele salão. A sensação. O fato de Lucas ter feito por mim muito mais do que eu esperava.

Pelo experimento.

– Poderia seguir o caminho das velas, por favor? – Foi o que ele sussurrou no meu ouvido, causando um arrepio delicioso que percorreu minhas costas. – Quero te mostrar nossa atividade principal.

– Ah – murmurei, avançando. – Essa não é a atividade principal? Não vamos comer cercados de velas?

– Ainda não.

Lucas se aproximou atrás de mim, colocando uma das mãos no meio das minhas costas e me fazendo parar na cozinha.

– Nós vamos comer, mas antes precisamos preparar a comida.

Fiquei ali parada, querendo que minha saia tivesse bolsos para que eu pudesse colocar as mãos, pois não sabia o que fazer com elas. Meu Deus, por que as saias não têm bolsos?

Lucas estava ocupado mexendo nos controles de temperatura do forno enorme.

– Você gosta muito da pizza do Alessandro's, né?

– Eu nasci em Nova York. É geneticamente impossível não amar pizza. Mas a do Sandro? Sim, eu adoro.

– Bom – disse Lucas, pegando um recipiente quadrado de plástico e colocando em cima do balcão –, eu não sou o Sandro. Não sou italiano, mas acho que você ama me ver cozinhar.

– Talvez.

Eu amava ver Lucas cozinhar mais do que amava aquele primeiro gole de café ao acordar. Mais do que morder um bolo bem recheado. Mais do que aquela sensação de ler um livro novo que sabemos que vai virar um favorito. Mais do que acordar na manhã de Natal. Eu amava ver Lucas cozinhar mais do que amava a maior parte das coisas boas da vida.

Lucas foi até a geladeira e pegou algumas coisas. Molho de tomate, verduras, um pedaço grande do que parecia ser queijo parmesão.

– Sandro me deu algumas dicas, me disse onde as coisas ficavam e me fez prometer fazer jus aos ingredientes.

É, parece que Lucas tinha *mesmo* conquistado Sandro.

– Então você vai cozinhar?

E nesse exato momento ele colocou um pacote de farinha em cima do balcão. Sem nenhum aviso, a imagem do Lucas coberto de farinha, sorrindo para mim, me pegou de surpresa, e eu quase gaguejei ao dizer as palavras seguintes:

– Você vai cozinhar pra gente? E vai me deixar assistir?

– Não.

Ele veio até onde eu estava e só quando chegou bem perto eu percebi o que tinha em suas mãos. Um avental.

– *Nós* vamos cozinhar. Juntos. Porque eu também mereço assistir. Você não acha?

Antes que eu pudesse reagir, ele foi para trás de mim e me envolveu pela cintura.

– A faísca – disse ele – pode ser explorada de várias maneiras.

Senti o calor de seu corpo irradiando no meu, e minha respiração ficou presa na garganta. E então ele se aproximou ainda mais, o peito quase tocando minhas costas.

– Pode ser mais do que só acender umas velas. Tipo compartilhar algo que seja importante pra você.

E nesse momento ele quase encostou o queixo em meu ombro. Chegou tão perto que eu tive quase certeza de que respiraríamos o mesmo ar se eu virasse a cabeça para o lado.

– Esse segundo encontro pode, e deve, deixar claro se aqueles vislumbres que oferecemos de nós mesmos são atraentes para o outro. Se os sentimentos são recíprocos e se o outro também quer revelar alguma coisa – disse ele, com a voz suave, suas palavras bem próximas do meu ouvido. – Agora vamos arrumar você.

Assenti, o coração martelando cada vez mais rápido.

Lucas colocou o avental em mim e o amarrou em minha cintura. O cordão era longo demais, então ele teve que dar duas voltas, demorando um pouco mais para finalizar a tarefa. Ele encaixou o rosto por cima do meu ombro para poder enxergar melhor as próprias mãos e a lateral de seu queixo tocou meu rosto.

Um toque suave e rápido da barba por fazer em minha pele. Meu coração acelerou. Antes que eu pudesse me conter, antes que eu pudesse segurar a necessidade de me entregar ao contato, meu corpo se inclinou para trás. Meus ombros descansaram em seu peito, a parte de trás da minha cabeça em seu pescoço. Eu me senti vulnerável e viva em seus braços. Tudo ao mesmo tempo.

Lucas se manteve firme, acomodando meu peso, me fazendo lembrar do dia anterior, daquele abraço, mas agora era diferente. Não era um gesto de consolo, de apoio. Dessa vez, cada terminação nervosa do meu corpo estalou, elétrica.

– Só estou garantindo que não vai desamarrar – disse ele, com uma voz baixa e rouca.

Paralisada, apenas fiz que sim enquanto observava seus dedos trabalhando. Ao terminar, ele descansou as mãos na minha barriga. Como se fosse incapaz de me soltar.

Minhas pálpebras se fecharam ao sentir aquele contato, as mãos me puxando contra o corpo dele, bem de leve. E então sua voz rouca em meu ouvido:

– Agora você está pronta.

Voltando a abrir os olhos, engoli a necessidade de entrelaçar meus dedos nos dele e puxá-lo ainda mais para perto.

– Obrigada. Parece que você fez um trabalho meticuloso.

O queixo dele roçou no meu rosto mais uma vez e todo o ar dos meus pulmões ficou preso em algum lugar na minha garganta.

– Eu sou um homem meticuloso. Não faço nada pela metade.

E, com isso, ele se afastou, pigarreou e foi até o balcão. Meu corpo inteiro ficou gelado com a ausência do toque.

– Você não vai usar um avental também? – perguntei.

– Acho que não vou precisar.

Os cantos de seus lábios se curvaram quando ele olhou para mim, como se nada tivesse acontecido. *Não? O que foi isso que acabou de acontecer?*

– Agora venha, Rosie. Você não vai conseguir cozinhar daí.

– Ok, mas não pense que não percebi a insinuação de que sou bagunceira.

Ele soltou uma risada e murmurou alguma coisa em espanhol que eu não entendi.

Me apoiei no balcão, curiosa.

– O que você disse? É meio injusto eu não entender essas coisinhas que você resmunga baixinho.

– Eu disse: Deus, dai-me paciência.

Meus olhos se estreitaram.

– Por que você precisa de paciência? Não cozinho tão mal assim.

Lucas ignorou minha mentirinha e empurrou o recipiente de plástico na minha direção.

– Primeiro passo, esticar a massa.

Ele tirou a tampa, revelando duas bolas de massa. Apertou uma delas com o indicador com delicadeza.

– Estas já estão no ponto, viu como ela volta?

Imitando Lucas, também amassei uma.

– Aham. A minha nunca fica assim quando tento fazer em casa.

Ouvi uma risada baixa à minha esquerda.

– Qualquer dia desses eu te ensino a fazer. Agora vamos polvilhar farinha no balcão para a massa não grudar.

Ele virou e arrastou a farinha na minha direção.

– Então, tenho um encontro experimental *e* uma aula. Sou uma garota de sorte.

Polvilhei um pouco de farinha no balcão.

– O Sandro deixou essas massas para nós? Ele deve ter gostado muito de você mesmo.

– Ora, eu não estava brincando quando disse que o conquistei – disse ele, jogando um pouco mais de farinha. – Ele quer até me apresentar a uma de suas filhas.

Meu corpo se enrijeceu.

– Mas eu mesmo preparei essas duas. Vim aqui mais cedo e deixei tudo pronto. Menos as velas. Essas eu só trouxe quando o chefe não estava mais aqui.

Qualquer pontada de ciúme desapareceu. *Ele passou o dia na pizzaria? Enquanto eu estava em casa trabalhando e achando que ele estava turistando pela cidade?*

– Antes que você reclame – disse ele, colocando uma das bolas de massa na minha frente. – Eu estava muito curioso para saber quanta água ele coloca na massa dele. E o único jeito de fazer com que Sandro falasse sobre isso era me infiltrando na cozinha dele.

Lucas tirou a outra massa do recipiente e colocou ao seu lado em cima do balcão.

– Ele relutou no início, mas quando eu disse...

Lucas parou de falar e balançou a cabeça, mas voltou a dizer.

– Enfim, ele acabou me falando.

– Quando você disse o quê? – perguntei, com tanta curiosidade que senti necessidade de fazer uma brincadeira. – Que ia casar com a filha dele ou algo do tipo?

Ele me lançou um olhar risonho.

– Quer saber? Ele ofereceu mesmo essa possibilidade.

– Show – respondi, voltando a me concentrar na massa.

Ele me deu um cutucão com o quadril.

– Mas eu disse que não estava disponível.

Por algum motivo isso não fez com que eu me sentisse melhor.

Ele bateu mais uma vez o quadril no meu.

– Ei, por mais fofa que você fique quando está com ciúme, não quero ver essa testa franzida, Rosie.

– Não estou com a testa franzida – resmunguei. – E também não estou com ciúme.

– Aham – disse ele, e riu. – Agora vamos, indicador e dedo médio estendidos, pressione o centro da bola com delicadeza. Assim, olha.

Imitei os movimentos dele com todo o cuidado, usando as articulações quando ele indicava e tentando não me distrair com os movimentos meticulosos e confiantes de suas mãos, o que logo se mostrou bem difícil. Ver aquelas mãos trabalhando me deixava... improdutiva.

– Então, Rosie, alguma sorte com a inspiração? – perguntou ele, levantando a massa com um giro lento. – Quantas palavras você escreveu desde o nosso primeiro encontro?

Imitando-o, levantei minha massa no ar, mas ela... foi escorrendo para baixo bem devagar.

– Acho que estou fazendo alguma coisa errada.

Ele colocou as mãos sobre as minhas, lançando uma explosão de eletricidade pelos meus braços. Deixei que ele dominasse meus movimentos.

– Obrigada – falei, e então respondi à pergunta só para me distrair do calor de suas mãos: – Algumas. Não muitas, com tudo o que aconteceu com Olly e tal, mas definitivamente fiz algum progresso, e eu...

Seus dedos fortes se entrelaçaram nos meus por um instante, e eu me distraí.

– Você o quê? – perguntou ele.

Juntos, fomos trabalhando a massa em movimentos circulares, e precisei limpar a garganta.

– Eu estou começando a ter inspiração.

Lucas colocou nossas mãos sobre o balcão, apoiando-as em ambos os lados da massa esticada.

– Só para você saber, estou curioso para descobrir todos os detalhes do melhor amigo do Oficial Burns.

Oi? Espera aí. Ele tinha...

– Você leu meu livro?

– Sou um homem meticuloso – respondeu ele, repetindo as palavras de antes sem responder minha pergunta. – E não vou perguntar nada sobre o segundo livro até você terminar. Não quero agourar o que estamos fazendo.

Enruguei o nariz e tentei não pensar em Lucas lendo as cenas quentes do livro, mas sim no quanto me deixava feliz saber que ele estava se dedicando tanto ao nosso experimento. A mim. A minha escrita. A meus livros. Eu estava tão preocupada tentando me proteger do que os outros poderiam dizer, escrevendo em segredo, escondida atrás de um pseudônimo, que não tinha compartilhado essa parte de mim com ninguém além da Lina. E eu... Meu Deus, eu amei a sensação de saber que aquele homem se importava.

– Agourar, é? Você é supersticioso?

– Eu adoraria dizer que não, mas prefiro arrancar um braço a passar embaixo de uma escada.

Soltei uma gargalhada alta.

Ele ficou paralisado, como se tivesse sido pego de surpresa pelo som. Então senti, mais que ouvi, ele soltar o ar pelo nariz antes de finalmente se afastar, me deixando um pouco desequilibrada sem a segurança de sua mão sobre a minha.

– Então... – perguntei. – O que vamos colocar na massa?

– Temos um pouco de tudo, mas quero que você seja criativa.

– Criatividade não tem sido meu forte, Lucas.

– Rosie – disse Lucas, de um jeito que me fez olhar para ele. – Eu acredito em você. Time Rosie, lembra?

Sorri para mim mesma, desfrutando do quanto aquilo fazia com que eu me sentisse bem, confiante. Então, peguei algumas fatias de um salame curado e fiquei um tempinho trabalhando em silêncio.

– Sei que isso não é conversa para um encontro, um encontro *experimental*, enfim, mas eu queria contar que o Sr. Allen ligou hoje de manhã.

– O Proprietário Psicopata? – grunhiu Lucas.

Aquela reação fez algo em meu estômago se revirar.

– Ele disse que pode ser que o empreiteiro demore um pouco para terminar a reforma.

Lucas não disse nada, não de cara. Depois, soltou um suspiro.

– Você tem razão, não é conversa de encontro.

Assentindo, peguei mais algumas fatias de salame.

– Eu sei, mas eu queria dizer o quanto sou grata por você me deixar ficar na casa da Lina com você e que, se essa situação estiver ficando complicada demais, eu procuro outro lugar. É só você falar.

Ele pareceu pensar na resposta.

– Você está confortável comigo.

Minha mão parou no ar.

– É claro que estou.

– E, se alguma coisa estiver te incomodando, você vai me dizer – continuou ele, erguendo um pedaço suculento de muçarela. – Isso vai ser um bom complemento para a *finocchiona* que você cortou.

Lucas rasgou grosseiramente a muçarela com os dedos e acrescentou:

– Alguma coisa tipo o meu ronco.

– Você não ronca.

– Ou a bagunça que eu faço na cozinha. Ou a música que escuto quando estou cozinhando. Você me falaria, né?

Ele estava sendo ridículo.

– Lucas, você é quem está dormindo no sofá quando te prometeram um apartamento inteiro. Com cama.

Balancei a cabeça, observando minha obra.

– Já eu, por outro lado, tenho um bonitão preparando jantares deliciosos dignos de restaurantes cinco estrelas todas as noites. Por que eu estaria incomodada?

– Humm, ok – respondeu Lucas, parecendo convencido. – E também fico feliz de saber que você acha que eu sou bonito e irresistível assim.

Ah, droga. Isso saiu sem querer.

Revirei os olhos.

– Eu não disse nada sobre você ser irresistível.

– Aham.

– E até parece que você não sabe que é bonito.

Ou irresistível.

Lucas estava apoiado no balcão, os braços cruzados em frente ao peito de maneira relaxada, olhando para mim. Na verdade, parecia fazer muito tempo que ele tinha terminado de montar a pizza.

Sem pensar demais, eu disse:

– Você disse que já teve vários relacionamentos. Todas essas garotas devem ter dito que você é lindo.

Ele deu de ombros.

– Faz muito tempo que eu não saio com ninguém, então talvez seja bom lembrar.

Nosso lance é experimental, senti necessidade de observar, mesmo que só para mim mesma.

– Você não me disse por que não namora mais.

– Eu não conseguiria focar nisso agora.

– Por causa da carreira?

Lucas hesitou, e vi que ele ficou levemente triste.

– Tipo isso.

Eu não queria revelar meus sentimentos, mas tive que perguntar.

– Você está animado para voltar? Depois que se recuperar do... do que quer que tenha acontecido?

Lucas estreitou um pouco os olhos e senti a necessidade de me explicar.

– A Lina disse que você estava mandando muito bem nas competições. Que tinha patrocinadores e estava chamando atenção... Ela contou que você estava arrasando antes de parar.

Na verdade, Lina nunca me falou muito sobre Lucas. Todas essas impressões foram tiradas da minha análise das redes sociais dele, a partir das coisas que ele havia compartilhado até desaparecer completamente semanas antes do casamento.

– Então eu fiquei curiosa.

Lucas engoliu em seco. E ficou tanto tempo em silêncio que achei que não fosse dizer nada. Comecei a virar para o outro lado, só para esconder a decepção por ele não confiar em mim, mas, assim que me mexi, ele segurou meu cotovelo.

– Não posso mais fazer nada disso, Rosie – disse ele, e senti o peso daquelas palavras, como se fossem pedras que ele mal conseguia levantar. –

Eu... não vou poder surfar nunca mais. Não no nível que eu surfava. Nem de longe.

Ele olhou para baixo, para a perna que eu sabia que o incomodava mais do que ele queria demonstrar.

– Então minha carreira como profissional meio que não me impede de fazer nada. Principalmente de namorar. Afinal, o que é que eu teria pra oferecer pra alguém?

E... *ah*.

Ah, meu Deus. Não eram só férias. Ele não estava tirando um tempo para se recuperar de nada.

E... Meu Deus, eu quis muito abraçá-lo. Quis me estapear por ter feito todas aquelas perguntas. Deve ter sido muito difícil entrar nesse assunto.

Mas, ao mesmo tempo, eu também queria que ele se abrisse, que me contasse o que estava sentindo e como tudo aconteceu. Minha missão era descobrir tudo sobre Lucas Martín, mas não porque estava curiosa, e sim porque me importava com ele.

Mas Lucas me olhou como se tivesse sido aberto ao meio, exposto, e não tivesse mais força nenhuma para lidar com aquela conversa, então não insisti. Aquilo já era importante demais. Ele tinha me mostrado uma parte significativa, crucial de quem ele era hoje. Agora. Não o personagem das redes sociais que um dia ele foi.

– Sua carreira não é o que te define, Lucas.

Cobri a mão dele com a minha, só por um instante, para não entrelaçar os dedos nos dele como eu queria tanto fazer.

– Você é muito mais do que isso. E também tem mais a oferecer.

Ele piscou devagar, um músculo em sua mandíbula saltou, seu olhar coberto por algo que parecia muito admiração. Espanto. Surpresa. E, de repente, ele se afastou e pegou uma espátula de madeira. Então se inclinou sobre o balcão, avaliando meu trabalho como se aquela conversa não tivesse acontecido.

– Bom trabalho, Rosie. Acho que talvez você leve jeito pra coisa.

Ele pegou minha pizza com a espátula e colocou no forno. Aproveitei a oportunidade para dar uma olhada na pizza dele.

– Uau. É mel isso que você colocou na sua?

– Aham – respondeu ele, voltando e repetindo o processo com a própria pizza. – Pera, nozes, um pouco de presunto porque não consegui um *jamón* que realmente valesse a pena e um pouco de gorgonzola.

Ele voltou até o forno, e meu olhar o acompanhou dessa vez, atraído pelo modo como suas costas se movimentaram quando ele deslizou a espátula para dentro e para fora do forno. A flexão dos músculos me fez imaginar como seria aquele corpo na água. Ele em cima da prancha. Ele sem nunca mais poder subir numa prancha.

– ... ou, em outras palavras – Lucas estava falando –, um pesadelo para um italiano.

Ele voltou até onde eu estava no balcão, e assenti, me dando conta de que tinha viajado por um instante.

– Aham, um pesadelo.

– Você não ouviu uma palavra do que eu disse, né?

– O quê? É claro que ouvi.

Ele deu um sorrisinho desconfiado.

– Ah, Rosalyn Graham, e você ainda tem a ousadia de negar que eu sou irresistível.

Eu estava prestes a negar mais uma vez, mas agora ele estava mais perto, a menos de trinta centímetros de distância, e percebi que a ponta de seu nariz estava coberta de farinha, então eu disse:

– Seu ego é tão grande que eu deveria deixar você andar por aí o resto da noite assim, mas... tem uma coisinha na sua cara.

Levei o indicador até o nariz, apontando a direção.

Ele passou as costas da mão no nariz e no rosto, mas só piorou a situação.

– E agora?

– Muito melhor – menti, com um sorriso.

Ele estreitou os olhos, analisando meu rosto.

– Não saiu, né?

Fiz que não com a cabeça e finalmente soltei uma gargalhada.

Lucas levou a palma da mão mais uma vez ao rosto, mas devia ter sujado as mãos inteiras de farinha ao colocar as pizzas na espátula, porque de algum jeito agora seu queixo também estava branco.

– E agora?

Eu ri mais. Dei um sorriso ainda maior.

– Tenha pena de mim e venha aqui, mulher – disse ele, erguendo as mãos enfarinhadas. – Limpa isso aqui no meu rosto antes que eu fique todo coberto de farinha.

– Mas você está *muito* bonitinho assim.

Ele me lançou um olhar sombrio que me fez sair do lugar na hora, percorrendo a pequena distância que nos separava e parando bem na sua frente. Levantei a mão em direção ao seu rosto, mas não toquei nele. E, juro, jamais vou entender o que me fez dizer as palavras a seguir.

– E talvez eu goste de você coberto de farinha.

Os olhos de Lucas brilharam de surpresa. Também havia algo quente e sensual neles.

Meu sorriso foi morrendo de devagar. Estendi a mão até onde estavam os restos de farinha e...

– Rosie – sussurrou Lucas. – Nem pense.

O comentário só me incentivou mais.

Fiz questão de olhar nos olhos dele ao passar farinha no lado esquerdo de seu rosto. A expressão de Lucas mudou e vi surgir aquela intensidade que eu só tinha visto por alguns instantes em nosso primeiro encontro. E, quando eu estava prestes a afastar a mão, ele me segurou pelo pulso e perguntou com a voz rouca:

– Você quer que eu seja fofo ou bagunceiro, Rosie?

Senti um frio na barriga com aquele tom, aquele olhar, aquelas palavras. Engoli em seco.

– Os dois.

Sem interromper o contato visual, Lucas se aproximou, se agigantando sobre mim com o rosto coberto de farinha e me fazendo jogar a cabeça para trás.

– Você não pode ter os dois. Escolhe. O que vai inspirar você esta noite, Rosie?

– Bagunceiro – respondi, com um suspiro.

Com o canto do olho, vi Lucas enfiar o dedo no molho de tomate. Então, ele avançou, me colocou com as costas apoiadas no balcão, ainda segurando meu pulso.

Antes que eu pudesse processar aquilo tudo, ele passou o polegar no meu nariz, deixando um rastro pegajoso.

– Então vamos bagunçar você pra começar.

Senti sua respiração em minha boca. Seu corpo mais próximo.

– Desde que amarrei esse avental em você eu estava me segurando para não fazer isso.

Senti um alvoroço na boca do estômago ao ouvir essa confissão, mas, quando estava prestes a responder, prestes a pedir que ele rasgasse o avental em pedaços se quisesse, seu polegar tocou o canto dos meus lábios. E passou de um lado até o outro.

– Você já sentiu isso em um encontro?

Sua voz saiu baixa, quase um murmúrio, me atingindo bem no âmago.

Fiz que não com a cabeça. O sangue percorreu todo o meu corpo, alcançando áreas dormentes que agora despertavam.

– Essa faísca aqui é suficiente para você?

Ele olhou para meus lábios, sujos de molho de tomate, e vi sua garganta tremer.

– Porque eu posso me esforçar mais se você quiser.

Fiquei toda arrepiada quando ele segurou minha nuca. Então ele inclinou o tronco para a frente, me empurrou com delicadeza contra o balcão e me cobriu por inteiro com o calor do seu corpo. Meus lábios se abriram ao sentir o contato e ele voltou a olhar para minha boca.

O castanho de seus olhos ardia como fogo.

Suas sobrancelhas se franziram.

Suas sobrancelhas se franziram?

Então, sentimos o cheiro.

– *¡Joder!*

Ele me soltou e deu um salto para trás soltando vários palavrões em espanhol.

Tive que me segurar no balcão.

O que aconteceu?

Me recompondo, tentei assimilar as marteladas em meu peito, o molho de tomate escorrendo em meu rosto, o cheiro de fumaça invadindo o Alessandro's.

O cheiro de... fumaça.

– Ah, merda!

Ficamos eu e Lucas em frente ao forno, espiando os restos carbonizados de nossas pizzas.

QUINZE

Lucas

O Sandro ia me matar. Me nocautear com uma das espátulas e jogar meu corpo no East River, exatamente como ameaçou fazer.

Talvez Rosie o ajudasse. Porque aquilo, sim, era estragar um encontro.

Eu parecia ter talento para a coisa.

Outro talento meu? Me distrair. Deixar o bom senso de lado e perder a perspectiva da realidade. O que pareceu ter acontecido exatamente naquela noite. Mas será mesmo? Porque o que tinha rolado era justamente o objetivo do experimento, não? Incentivar a inspiração de Rosie. Ajudá-la a esquecer tudo o que a pressionava e fazê-la sentir outra coisa. Era só isso que eu queria.

Não, não era só isso que eu queria. A imagem de Rosie em meus braços, vulnerável, pronta para me deixar lamber aquele maldito molho de tomate de seus lábios, surgiu diante dos meus olhos.

Até então, eu tinha conseguido ignorar a atração que eu sentia, escondê-la atrás do fato de que eu realmente gostava da companhia dela como amiga. Que eu queria de verdade, com toda a sinceridade, que fôssemos mais amigos do que já éramos. Mas agora? Depois dessa noite? Depois de os limites estarem borrados a ponto de eu me perder para aquela *faísca* que consumiu tudo?

A ponto de eu ter deixado uma coisa queimar? E essa coisa ser comida?

Por Dios. Eu não sei se seria capaz de continuar fingindo que Rosie não exercia nenhum efeito sobre mim.

– Acho que fizemos um bom trabalho com a limpeza – anunciou Rosie enquanto voltávamos para casa. – O Sandro talvez nem perceba nada.

Olhei para os dois lados no cruzamento, colocando a mão em suas costas antes de atravessar.

– Espero que sim – respondi, ainda um pouco perdido em pensamentos.

Tínhamos passado uma hora esfregando o forno – depois de esperar que esfriasse, é claro. Eu torcia *muito* para que tivéssemos tirado cada pedacinho preto de massa carbonizada lá de dentro.

– De qualquer forma, acho que a questão não é nosso talento pra limpeza. Acho que somos simplesmente uma dupla e tanto, Ro.

Os lábios de Rosie se contraíram, retribuindo meu sorriso.

– Acho que sim.

Olhei a hora no relógio e abri a porta do prédio para ela.

– Já passa da meia-noite e ainda não alimentei você. Está com muita fome?

– Não muita – disse ela, subindo a escada na minha frente. – Mas a gente podia pedir alguma coisa se você não estiver cansado demais para esperar a entrega.

Meus olhos, que estavam colados em sua nuca, desceram por suas costas, chegando até o quadril, que balançava enquanto ela subia, e percebi que fiquei um pouco hipnotizado por aquele movimento. Eram belas curvas.

Senti meu ritmo acelerar, como se eu estivesse com pressa para me aproximar dela. Balançando a cabeça, me obriguei a relaxar. Disse a mim mesmo que não podia correr atrás dela como um adolescente excitado. Eu era seu amigo. Seu colega de apartamento.

Olhe para outro lugar, Lucas.

Rosie parou em frente à porta do apartamento, olhando para mim de um jeito estranho.

– Então, o que acha?

O que eu acho?

– De… quê?

Ela franziu a testa.

– Será que pedimos alguma coisa? Só acho que não quero pizza depois de ter esfregado toda aquela massa queimada. Que tal comida japonesa?

– Ah… não sei.

Peguei a chave e abri a fechadura.

– Me deixa surpreender você – insistiu ela quando abri a porta para que ela entrasse primeiro. – Você sempre cozinha para mim. E não posso retribuir da mesma forma, então, por favor. É minha vez de alimentar você.

Gostei disso. Gostei de ouvir isso dela.

Ela foi até a mesinha de centro, tirou as botas, pegou o notebook e se jogou no sofá.

– Você vai amar, prometo.

Me juntei a ela no sofá, deixando meu corpo cair com um suspiro.

– Não sei...

Ela me olhou por cima do laptop.

– Você não confia em mim?

– O quê?

Minha pergunta tinha saído mais como um grunhido. Cruzei os braços e expliquei:

– Não, não é isso.

– Então o que é?

Soltei o ar pelo nariz, com a certeza de que também estava fazendo um biquinho.

Seu pé cutucou minha coxa.

– O que foi? Fala.

– Estou com fome, tá? – resmunguei. – Estou morrendo de fome e estava muito animado com aquelas pizzas. Mas agora também não estou no clima para pizza. Não consigo tirar aquele cheiro do nariz.

– E?

Rosie me cutucou de novo com o pé e, sem conseguir me conter, segurei-o, envolvendo-o em meus dedos e prendendo-o. Passei o polegar em cima dele.

– E você quer comida japonesa, mas sushi sempre me deixa... insatisfeito. Com fome. E antes mesmo do que se imagina, com fome *e* irritado.

Rosie estava demorando para responder, então olhei para ela. Ela estava olhando para minha mão, bem para minha mão, que massageava seu pé.

Se segura, Lucas. Se segura.

Meus dedos pararam de se mexer, mas não soltei seu pé.

– Vamos pedir algo que não seja sushi, então, e prometo que você vai amar.

Ela voltou a olhar para o laptop.

– Mas estou um pouco ofendida por você não confiar no meu gosto. Então, se quiser se redimir, é melhor continuar a massagem.

Escondendo a sensação maravilhosa que senti com esse pedido, obedeci.

Era bom receber mais um sinal verde.

Até que ela murmurou baixinho:

– Brega, mandão e rabugento. Quem poderia imaginar?

Foi a deixa para trocar a massagem por um ataque de cócegas.

Naquela noite só conseguimos assistir a dois episódios da nossa série antes de dormir.

– Lucas? – sussurrou Rosie da cama.

Deitado no sofá, sorri para o teto.

– Rosie?

– Você gostou do Frango Karaage?

– Estava bom.

Não estava *só* bom.

Minha cabeça já estava pensando em como reproduzir o modo como eles empanavam o frango e talvez até acrescentar um toque especial. Eu poderia colocar biscoitos triturados ou até mesmo umas castanhas picadas marinadas em molho de soja. Ou então…

– Mentiroso – disse Rosie. – Eu vi você lambendo a tampa quando levou tudo para a cozinha.

Ops, pego no flagra.

Levantei um dos braços e coloquei a mão atrás da cabeça.

– Tá bom, estava fantástico. Você tinha razão, e eu lamberia as embalagens de novo se tivesse sobrado alguma coisa nelas.

Ela riu, e aquele som me fez sorrir. Era um som lindo que eu não cansava de ouvir.

– Por que está tentando se fazer de durão dizendo que estava só bom?

Resolvi falar a verdade.

– Porque o plano era que você comesse as pizzas. E queimá-las feriu meu ego.

Ficamos em silêncio por alguns minutos, e mais uma vez fiquei hiperconsciente do que eu sentia. Voltei a pensar nela, naquela noite. Em seus lábios se entreabrindo e no quanto eu queria inclinar a cabeça e lamber seu lábio inferior...

Xinguei a mim mesmo ao perceber a calça um pouco mais apertada na virilha.

– Lucas? – chamou Rosie.

Quando respondi, minha voz saiu mais grossa:

– O quê?

– A noite foi incrível. Mesmo sem as pizzas.

– Estou feliz por ter ajudado, Rosie.

– Não é só isso – respondeu ela. – É claro que ajudou. Mais do que você imagina, mas eu... amei. Foi o melhor segundo encontro que já tive. Não mereço que você se esforce tanto por mim... por isso – disse ela, se corrigindo. – Pelo experimento.

Algo em meu peito se agitou.

– Suas expectativas são tão baixas, Rosie. Isso me deixa maluco.

Um instante de silêncio.

– Por que você acha isso? – perguntou ela por fim. – Acho que minhas expectativas são normais.

O fato de ela acreditar nisso deixava tudo ainda pior.

– Você não deveria se contentar com um encontro que acaba com você esfregando um forno – falei, e dava para ouvir a frustração em minha voz. – Ou em cima de um balcão, com medo.

Fechei os olhos por alguns segundos, precisando de um tempo para conter a vontade de dizer mais do que deveria.

– Você merece muito mais que isso. Experimental ou não, você merece mais.

Ela não respondeu. E odiei ter falado tudo assim e não poder ver seu rosto no escuro. Só depois de muito tempo, quando eu já tinha desistido e achava que Rosie tinha pegado no sono, ela disse:

– Eu queria que você tivesse ido ao casamento da Lina e do Aaron. Eu...

Ela fez uma pausa, e ouvi o que pareceu uma respiração trêmula perseguindo suas palavras.

– Queria muito ter conhecido você naquele dia.

Senti um aperto no peito.

E pela primeira vez pensei sobre isso. Sobre a realidade alternativa onde nós – Rosie, madrinha, e Lucas, primo mais velho da noiva – teríamos nos conhecido e talvez tomado uma ou duas taças de vinho juntos. Talvez dançado. Quem sabe um pouco mais do que isso. Eu certamente teria tentado.

Mas eu não era mais aquele cara. Eu não podia... esperar algo de qualquer pessoa estando tão perdido. E nós éramos amigos, dividindo um apartamento, e eu amava isso. Com ou sem faísca, eu amava ter Rosie na minha vida.

Por enquanto, lembrei a mim mesmo. Porque em três semanas eu iria embora. E isso era algo que eu não podia esquecer.

O que quer que existisse entre nós não mudava esse fato.

E eu estava falando sério quando disse que ela merecia mais.

Minha perna incomodou durante a noite.

E isso significava um banho mais longo que o necessário.

Depois de três semanas viajando e passando quase o dia todo em pé, um dia longo como o anterior trazia esse tipo de consequência.

Era o preço que eu pagava por ignorar a fisioterapia e faltar a mais de um terço das sessões recomendadas. Mas qual era o sentido daquilo? Desde que acordei naquela cama de hospital na França e me disseram que eu nunca mais ficaria cem por cento, eu simplesmente... não me dei ao trabalho de tentar. Deixei que fizessem o que tinham que fazer e, assim que consegui caminhar sem mancar de modo tão evidente, fui para casa. *Casa*.

A imagem do Taco surgiu em minha mente.

Mas, tirando meu melhor amigo, e minha família, o que me restava na Espanha para chamar de casa? A sensação de pertencimento tinha diminuído desde o acidente. Era como se algo não estivesse mais lá. A Espanha já não me chamava mais. E eu não tinha minha própria família, ninguém para chamar de meu e para quem eu quisesse voltar. Com todas as viagens e demandas da minha carreira, isso nunca... aconteceu.

Balancei a cabeça, desliguei o chuveiro e enrolei uma toalha na cintura antes de sair do banheiro. Mais cansado que de costume, decidi perguntar a Rosie se ela se importava que eu passasse o dia em casa, mesmo que ela tivesse planos de escrever. Eu ficaria quietinho na minha.

Abri a porta do banheiro e meu olhar focou imediatamente na minha colega de apartamento parada ali, de shortinho e camiseta de dormir. *Dios,* aquele shortinho ia ser meu fim.

– Bom dia, Ros...

– *Te voy a matar.*

A ameaça à minha vida interrompeu minhas palavras. Veio de um lugar ao meu lado e foi expressa por uma voz familiar que não deveria estar ali. A não ser que...

– *Lucas, ¿qué está pasando aquí?*

A pergunta saiu engasgada, e só então percebi a expressão no rosto de Rosie. O alerta. A cara de preocupação.

Me virei bem devagar.

– *Hola, prima...*

E ali estava, o rosto contorcido de Lina. Meus olhos saltaram para o homem ao lado dela. Ele me olhava e, embora seu olhar parecesse menos assassino, ainda assim era ameaçador.

– É um prazer conhecer você, Aaron – continuei. – Parabéns pelo casamento com este tesouro.

Aaron não fez nem um cumprimento breve com a cabeça, se limitando a levantar uma sobrancelha e responder um:

– É.

O que exatamente aquele "é" queria dizer, eu não fazia ideia. Mas, a julgar pela expressão, talvez significasse que eu estava prestes a levar uma surra.

Um som estranho veio da minha prima, chamando minha atenção de volta a ela.

– Por que você está andando por aí *seminu*?

Essa última palavra saiu como um guincho agudo. Olhei para baixo, observando meu peito nu, a toalha enrolada em meu quadril. Minha boca se abriu, mas Lina soltou outro som esganiçado, me interrompendo.

– Por que minha melhor amiga está aqui, de pijama, tão cedo, com você... – disse ela, e fez uma pausa antes de repetir: – *Seminu?*

– Lina – disse Rosie, interrompendo e vindo para o meu lado depressa. – Não é o que você está pensando.

A veia da testa da Lina, que eu conhecia bem desde que éramos crianças, pulsava.

– Não é o que eu estou pensando? – perguntou ela antes de apontar o dedo para mim. – Por acaso ele está vestindo uma blusa invisível?

Eu ri e senti o cotovelo de Rosie me cutucar. Por reflexo, sem nem pensar no que eu estava fazendo, porque eu ainda não tinha nem tomado a porcaria do meu café da manhã, e pensar pelo jeito não era meu forte ultimamente, segurei o braço dela e murmurei:

– Isso não foi legal, Rosie.

O que claramente foi um erro, porque minha prima ficou dura, o rosto ainda mais vermelho.

– Lina, antes que você tire conclusões malucas e precipitadas…

Mas Lina se deixou levar por qualquer que fosse a conclusão maluca que estava tirando da cena. Por sorte, o marido a interceptou, segurando-a pela cintura com o braço forte.

– Amor – disse ele, segurando-a contra o peito. – Não faça isso.

Ao mesmo tempo, Rosie gritou:

– Lina, o que é isso?

Mas Lina estava ocupada rosnando e apontando para mim.

– Ela é minha melhor amiga, seu *energúmeno* – disse ela, agitando o braço no ar. – Minha melhor amiga no mundo inteiro. Você não podia ter guardado seu charme pra você? Não podia ter segurado o pinto dentro da porcaria da calça?

Eu provavelmente devia ter ficado ofendido com Lina agindo como se meu *charme* tivesse destruído sua melhor amiga, mas não fiquei. Naquele momento, só consegui me concentrar no quanto Rosie parecia angustiada, e em como seu lábio estava fazendo aquela coisa que fazia quando ela estava chateada. Dando um tremelique. E eu sabia o motivo. Eu já conhecia Rosie bem o bastante para saber que ela estava se sentindo responsável por aquilo. Que estava se sentindo culpada por não ter contado a Lina que estávamos ficando juntos no apartamento.

Foi por isso que só abaixei a cabeça e sussurrei para ela:

– O que é um energúmeno?

Ela virou a cabeça para mim bem devagar e, quando olhou nos meus olhos, foi com surpresa. E também com vontade de rir. Exatamente como eu queria.

– *Lucas*, isso é sério – repreendeu ela, mas pelo menos seu lábio inferior não estava mais tremendo.

– Aaron, *amor mío* – disse Lina, retomando o assunto em questão. – Você pode, por favor, me soltar para eu poder dar um chute nas bolas energúmenas do meu primo? Pelo jeito ele está achando que isso aqui é uma piada.

Aaron revirou os olhos levemente, mas em seguida me lançou um olhar sério. Ele era mesmo um cara intimidador. Todo alto e carrancudo, mas não que eu estivesse intimidado. A única pessoa ali de quem eu tinha um leve medo tinha 1,60 metro e uma veia que talvez fosse pipocar para fora da testa.

– Ok, Lina. Você precisa se acalmar – falei para minha prima, suspirando. – A gente passou a noite juntos, aqui, no seu apartamento. Mas não é o que você está pensando, tá?

Os olhos de Lina se estreitaram. A cabeça de Aaron pendeu para o lado. Dava para ver a desconfiança dela estampada no rosto.

– Só tem uma cama, Lucas. E eu preciso repetir que você está praticamente pelado?

Eu conhecia Lina: sabia que ela não ia desistir antes… antes do fim dos tempos. Ela era teimosa pra caramba. Então, eu disse do jeito mais claro possível:

– Rosie e eu não transamos.

Senti a respiração profunda da minha colega de apartamento ao ouvir minhas palavras, mas ignorei. Eu tinha que ignorar. Eu estava de toalha e precisava convencer uma prima enfurecida, pelo amor de Deus.

Lina soltou um barulho estranho e, depois de alguns segundos, Rosie deu um passinho à frente.

– Lembra aquelas ligações perdidas? Assim que você viajou?

Lina fez que sim, o olhar assassino suavizando ao se direcionar a Rosie.

– Bom, naquela noite aconteceu um… um pequeno incidente no meu apartamento.

– O teto da sala dela cedeu. Não tem nada de *pequeno* – falei.

– Tá – disse Rosie. – Pequeno ou não, eu não podia ficar lá. Na verdade, meu apartamento está inabitável até a obra terminar, por isso decidi vir pra cá e naquela noite eu te liguei pra perguntar se você se importaria se eu passasse algumas noites aqui. Como você não respondeu, provavelmente porque vocês deviam estar em algum lugar sem sinal, eu simplesmente peguei minhas coisas e vim. Usei a chave extra. Naquela mesma noite Lucas chegou em Nova York.

Um silêncio longo se impôs, durante o qual Aaron voltou a franzir a testa e a veia de Lina foi diminuindo até ficar quase imperceptível, *gracias a Dios.*

Minha prima finalmente falou:

– Então vocês dois – disse ela, fazendo um gesto na nossa direção – estão morando aqui? Juntos?

Assenti e vi Rosie fazer o mesmo.

– O que significa – continuou Lina – que vocês não estão se pegando e que não flagramos vocês de gracinha pós-sexo?

Rosie grunhiu, o rosto ficando vermelho:

– *Gracinha pós-sexo?*

Eu só cruzei os braços em frente ao peito nu e respondi um simples:

– Isso.

Lina pareceu processar a informação e sua expressão se fechou quando ela perguntou:

– Por que vocês não me falaram?

Rosie respondeu primeiro.

– Eu estou me sentindo péssima e...

– Fui eu – interrompi, assumindo a culpa. – Eu convenci Rosie de que não deveríamos incomodar vocês. Que não havia motivo pra contar.

Rosie virou a cabeça, olhando para mim por um instante antes de voltar à melhor amiga.

– Desculpa, Lina. A gente deveria ter contado. Deveria muito mesmo, mas não queríamos que você se preocupasse com nada. E eu... bom, com tudo o que está acontecendo, eu esqueci que você voltava hoje, então não tive nem tempo de avisar.

Lina assentiu devagar, absorvendo a informação, parecendo mais triste que com raiva. Senti o olhar de Aaron em mim. Seus olhos se estreitaram, mas não com reprovação.

– Lucas tem sido ótimo comigo – disse Rosie, dando alguns passos à frente. – Não, ótimo é pouco. Ele tem sido maravilhoso. Na verdade, não vejo necessidade de pegar tão pesado com ele. O Lucas é um cara gentil, superatencioso, e tudo o que ele fez foi garantir que eu me sentisse segura. Então não precisa chutar as bolas de ninguém. Principalmente as dele.

Ouvir Rosie dizer aquilo sobre mim me fez desejar não estar de toalha na frente da minha prima com ódio e do marido dela. Porque eu queria abraçá-la e segurá-la e apertá-la contra meu corpo durante um tempo que eu sabia que seria inadequado.

Porque ela me defendeu.

Quando nem eu pensei em fazer isso. Eu estava pronto para aguentar a surra.

Engoli em seco, ignorando o que aquilo me fez sentir.

Lina abriu os lábios, o corpo agora relaxado nos braços de Aaron. E Aaron estava... sorrindo? Se é que aquela curva quase imperceptível em seus lábios podia ser considerada um sorriso.

Foi Lina quem rompeu o silêncio, e sua voz tinha voltado ao normal, o tom gentil e doce:

– Tem certeza que não estão se pegando?

Rosie bufou.

– *Lina.* Quer parar de fazer essa pergunta? Não estamos transando.

– Nem um flertezinho? – perguntou minha prima, insistindo. – Uns olhares intensos? Toques sensuais? Carícias pesadas? Beijos? De língua ou não, os dois contam.

– *Déjalo ya*, Lina – falei, embora talvez ela tivesse alguma razão.

Eu não via problema nenhum em admitir para ela que Rosie e eu estávamos conduzindo um projeto de encontros experimentais para o livro dela, mas jamais faria isso sem consultar Rosie. Sermos *parceiros* de pesquisa era importante. Éramos um time.

– Rosie e eu somos amigos.

E, acima de tudo, nós éramos *mesmo*.

Minha prima ficou um bom tempo olhando nos olhos da melhor amiga, e, quando finalmente olhou para mim, ela disse:

– *Lucas, Rosie es mi mejor amiga. Como una hermana para mí. Es demasiado buena y...*

Sim, boa demais pra mim.

Lina não disse essa última parte, mas a verdade era essa.

E eu não discordava.

Rosie era muita areia para o meu caminhãozinho. Mulheres como ela não ficam com homens que perderam tanto, que não têm mais nada a oferecer. Homens que nem ficariam mais do que algumas semanas no país.

Lina olhou nos meus olhos por um momento, então apontou um dedo para Rosie.

– Uma palavrinha – disse ela, fazendo um gesto na direção do corredor. – A sós, por favor.

Aaron finalmente soltou a esposa, mas não sem antes beijar sua testa e murmurar:

– Seja boazinha, ok?

Rosie olhou para mim, e eu pisquei para ela antes de vê-la seguir a melhor amiga até o corredor, me deixando para trás com Aaron.

– Então… – falei, e soltei um suspiro. – Acha que minhas bolas já estão fora de perigo?

Os olhos dele saltaram para a porta, como se ele pudesse enxergar através dela, então voltaram para mim.

– Se você andar na linha…

Levantei uma sobrancelha.

– E por andar na linha você quer dizer…

Aaron cruzou os braços e pensou na resposta.

– Você sabe que ela mais late do que morde.

Seu olhar disparou na direção da esposa mais uma vez e voltou para mim.

– Ela ama você, Lucas. Estava tão animada pra ver você que viemos direto do aeroporto, sem avisar.

Isso aqueceu meu peito. Eu também amava Lina. É claro que amava.

– Mas acho que não vou conseguir, nem querer, na verdade, impedi-la de te matar se você magoar a Rosie.

Percebi que ele não estava de brincadeira. Provavelmente Aaron ajudaria a me matar se eu magoasse Rosie. E gostei disso, gostei de saber que pessoas como Aaron e Lina se preocupavam com ela também.

Foi por isso que olhei em seus olhos quando respondi:

– Eu nunca a magoaria. Jamais seria capaz de fazer isso.

Os lábios de Aaron se curvaram em um sorriso largo surpreendente.

– Eu sei.

DEZESSEIS

Rosie

Lina balançou a cabeça.

– O que foi? – sussurrei. – Por que essa cara de irritada?

Após aparecer e descobrir sobre o meu acordo com Lucas, Lina exigiu que nos encontrássemos de novo no fim da tarde para conversar, então estávamos em nosso café favorito de Manhattan.

Não só para conversar. Para ter *uma conversa*. Longe dos homens.

– Não se faça de desentendida – respondeu Lina, bufando talvez pela centésima vez. – Você sabe por quê. Eu saio de lua de mel por algumas semanas e quando eu volto encontro você toda… cheia de intimidades com meu primo.

– Tem razão – falei, porque Lina tinha mesmo. – A gente deveria ter falado a verdade desde o início. Estou me sentindo péssima, Lina. Por ficar no seu apartamento sem você saber.

Lina soltou um grunhido.

– Não é com isso que eu estou chateada, Rosie.

O impulso de defender Lucas voltou com tudo, mas consegui me conter. Fazia só três semanas que eu o conhecia oficialmente, não era função minha. Eu já tinha dito o bastante de manhã.

– É com o quê, então? Por que o fato de eu e Lucas sermos amigos te incomoda tanto?

– Em primeiro lugar, eu amo o Lucas, ok? – disse ela, erguendo as mãos. – De todos os meus primos, ele é o mais próximo. Então, quando eu digo que o amo, não significa que "eu aguento o Lucas porque ele é da família". Ele é o irmão mais velho que eu nunca tive. E isso… Não sei. Talvez isso seja parte do problema. A ideia de ele ficar entre nós duas e magoar você me faz querer cortar o...

– Tá – interrompi, antes que ela voltasse a fazer ameaças. – Primeiro de tudo, ninguém vai ficar entre nós duas, ok? Estou falando sério.

Lina assentiu.

– Segundo – continuei –, por que você acha que ele vai me magoar? Isso tem a ver com o tal *charme* que você comentou hoje de manhã?

Lina deu de ombros.

– Talvez.

– Pode me explicar? Me dizer por quê?

As mãos de Lina envolveram a caneca de café, levando-a aos lábios.

Ela bebeu um gole antes de continuar.

– Bem, o que acontece é o seguinte: o superpoder do Lucas é despertar o amor nas pessoas. E, por mais irritante que ele fosse quando a gente era criança, ele é *mesmo* amável. Às vezes. E pode acreditar, eu sei que ele tem um sorriso de arrancar calcinhas e que ele é muito charmoso com aquele... jeito despreocupado. E também sei que ele sabe ser engraçado.

– Ok – murmurei.

Porque ele era mesmo todas essas coisas. Além das muitas, muitas outras coisas que me faziam gostar tanto dele.

Lina tamborilou as unhas na caneca.

– Só que, mesmo sendo tudo isso, ele nunca levou uma mulher a um evento de família. Nunca teve um relacionamento sério. Desde... sei lá, desde a escola?

– Lorena Navarro – falei, antes mesmo de me dar conta do que estava fazendo.

– Como é que voc...

– A gente conversa – respondi, rápido. – Ele falou dela.

Olhei para trás da Lina, fingindo observar as flores lindas que enfeitavam a janela, porque, meu Deus, eu estava ficando muito boa nisso de "mentir por omissão". E essa habilidade não causava uma sensação boa. Eu me odiava por isso. Mas como dizer a Lina que o desastre que ela temia estava prestes a acontecer? Que o *charme* de Lucas tinha funcionado, tão bem que sua mágica na verdade estava me ajudando com o livro? Que mais cedo naquele dia, depois que ela e Aaron tinham ido embora, eu *finalmente* tinha escrito? Que uma torneira tinha se aberto e um fluxo de emoções e ideias e inspiração começava a fluir?

Lina franziu a testa, mas pareceu aceitar minha explicação.

– Não que ele tenha ficado em um lugar tempo suficiente pra construir um relacionamento. E, com todos esses torneios pelo mundo inteiro, ele passa seis meses longe e seis em casa. Às vezes só três. Nunca dá pra saber. Então, acho que talvez faça sentido ele nunca ter se estabilizado.

Ninguém nunca havia partido o coração dele, Lucas tinha dito.

No entanto, por mais que ele viajasse, para mim era uma surpresa que ninguém tivesse conseguido conquistá-lo até hoje.

– O fato de ele estar aqui, de férias, não é diferente – continuou Lina.

Pensei na noite anterior, quando Lucas confessou que estava lesionado. Só eu sabia que aquelas férias eram permanentes.

Eu precisava ser cuidadosa ao escolher as palavras.

– Por que não é diferente?

– Quem garante que ele não está usando o borogodó dele em você? Sorrisinhos, risadinhas, um amasso aqui e ali. Ele vai embora. E *bum*.

Engoli em seco. Pensar que ele iria embora me deixou tonta por vários motivos.

– E *bum* é igual a "eu vou me magoar"?

– Aham, exatamente. E eu vou ser obrigada a matá-lo – falou Lina, suspirando. – E, como eu disse, ele é meu primo favorito. E eu... argh, eu não quero ter que fazer isso. Eu ando bem preocupada com ele.

Fiquei calada, esperei que ela continuasse.

Os lábios de Lina se curvaram para baixo.

– Eu acho que tem alguma coisa rolando. A *abuela* disse que ele teve um ataque de pânico. Antes da viagem.

Senti um aperto no peito ao ouvir isso. Ao pensar em um homem tão seguro, tão forte, passando por isso. Fiquei me perguntando o que exatamente teria acontecido.

Lina pareceu arrasada ao continuar:

– Parece que o Taco foi buscar a *abuela* e conseguiu levar ela até o Lucas. Graças a Deus ele é treinado para apoio emocional.

– Sério? Eu não sabia. Lucas nunca post...

Parei de repente, percebendo o escorregão a tempo.

– Lucas nunca disse nada. Nem você.

Lina assentiu.

– Quando o Taco era filhote, ele foi encaminhado para um dos vizinhos da *abuela*, um policial aposentado que tinha transtorno de estresse pós-traumático. O homem morreu pouco tempo depois, ataque cardíaco – disse ela, com mais um suspiro. – Enfim, a família ficou tão arrasada que não teve condições de ficar com o filhote, então minha *abuela* se ofereceu para ficar com ele por algumas semanas. Durante uma das visitas do Lucas, ele e o Taco se apaixonaram um pelo outro. Quando semanas viraram meses e a família do vizinho não deu nenhum sinal de que queria o Taco de volta... o Lucas o adotou.

– Então não foi o Lucas quem escolheu o nome dele? – perguntei, quando na verdade aquela história estava me fazendo sentir várias coisas novas por ele.

– Não – disse Lina, rindo. – Foi a neta do policial. Enfim, depois do ataque de pânico, *abuela* sugeriu que ele fizesse uma viagem. Que mudasse de ares para arejar a cabeça.

– E ele veio pra cá – completei.

Senti minha voz oscilar enquanto tentava não permitir que tudo o que eu estava sentindo afetasse meu tom.

– Bem, tenho certeza de que, o que quer que tenha acontecido, o Lucas vai acabar contando para vocês. Ele ama vocês. Talvez só precise de um tempinho para fazer isso do jeito dele.

Fiz uma pausa.

– Às vezes, quando estamos em sofrimento, para aceitar ajuda, primeiro temos que entender sozinhos que precisamos de ajuda.

Lina estendeu a mão sobre a mesa e segurou a minha.

– Como você é sábia, minha amiga.

Eu não era. Não *mesmo*. Mas sorri e esperei que ela continuasse me amando quando eu contasse tudo o que estava escondendo a respeito de Lucas.

– Enfim – disse Lina, balançando uma das mãos. – Você tem certeza que não quer ficar comigo e com o Aaron? Temos um quarto sobrando e espaço mais que suficiente no apartamento dele. Nosso apartamento agora.

– Tenho – respondi com confiança.

A última coisa que eu queria era incomodar os recém-casados.

– Tá bom, se você diz…

Ela deu de ombros e olhou a hora no celular.

– Está ficando tarde, e eu falei pro Aaron que ajudaria com o jantar.

– É, vamos embora – concordei, apoiando as mãos na mesa e empurrando a cadeira para trás. – Preciso ir também, Lucas já deve ter começado a preparar o jantar.

Lina soltou um "tsc".

– É por isso que você não quer ficar com a gente.

Eu sabia exatamente do que ela estava falando, mas me fiz de desentendida.

– O quê?

Ela riu.

– Não culpo você, Lucas cozinha muito bem. Ele conseguiu elevar o caderno de receitas da minha *abuela* a um patamar de outra galáxia. A *tía* Carmen vive tentando convencê-lo a participar daqueles programas de competição culinária.

Sorri ao pensar no Lucas na TV. Meu Deus, ele ia ganhar o prêmio e o coração de todo mundo num piscar de olhos.

Lina ergueu a mão de repente.

– Ah, antes que eu esqueça, você tem planos para o Halloween?

Peguei a jaqueta que estava pendurada na cadeira.

– Você sabe que não.

Lina se juntou a mim ao lado da mesa, os lábios se contorcendo em um sorriso diabólico.

– Bom, acho que agora tem – disse ela, vestindo a jaqueta. – Aaron foi convidado para um… se prepare… Baile de Máscaras. Sábado que vem.

Minhas sobrancelhas se ergueram de uma vez.

– Que chique.

– Na verdade é uma festa à fantasia, mas vocês nova-iorquinos têm um nome sexy para tudo. Enfim, é um daqueles eventos de caridade para os quais ele é convidado todo ano, mas nunca vai. Você sabe como ele é.

– É, imagino que se fantasiar não seja muito a praia dele.

Ou socializar, em geral.

– Mas imagino que ele vá nesse? Por você?

– Aham, e nem precisei me esforçar muito para convencê-lo – disse ela com um brilho no olhar. – Meu marido é o melhor.

O rosto dela se iluminou, como sempre acontecia quando falava dele, e senti de novo aquela pontada de ansiedade. Foi breve, mas ainda assim me tirou do eixo.

Sem ter percebido nada, Lina continuou:

– Os organizadores ficaram tão felizes por ele ter confirmado que mandaram mais dois convites.

Ah.

– Não sei, amiga, eu...

– Você tem um prazo a cumprir, eu sei – disse ela, e de repente pareceu se lembrar de uma coisa. – Você baixou o Tinder de novo? Como eu sugeri?

As pontas das minhas orelhas queimaram.

– Não. Acabei encontrando outro... método. É uma longa história que eu posso te contar amanhã porque estamos... é... com pressa agora.

Lina pareceu desconfiada.

– Está funcionando?

– Aham – confirmei sem pensar.

Porque estava. Estava *mesmo*.

– Então talvez você possa se dar ao luxo de tirar uma noite de folga? – perguntou ela, sorrindo. – Se divertir um pouco no Halloween? Diversão faz bem pra mente.

Fomos em direção a saída, e eu me ouvi dizer:

– Você tem dois convites, certo?

Lina soltou um suspiro.

– Isso quer dizer que você quer levar meu primo?

Olhei muito séria para ela.

– Você tem certeza de que vocês dois não estão... de trelelê? Você sabe que pode me contar, né? Depois de tudo o que eu te contei... Mesmo que ele seja meu primo, o que faria dessa uma conversa bem bizarra e...

– Não estamos – respondi, sorrindo. – E onde você está aprendendo todas essas palavras bizarras, trelelê, borogodó? Ou são bem antigas ou... enfim, são estranhas.

– Eu dou meus pulos.

Lina deu de ombros, mas, antes de chegar à porta, olhou para mim uma última vez.

– Então tem certeza de que não está rolando nada entre vocês, né?

– Tenho – respondi, com o tom mais natural possível. – Isso nunca foi uma possibilidade entre a gente, Lina.

A primeira coisa que percebi ao entrar no apartamento foram as duas mulheres em cima do Lucas no fogão.

– Oi... pessoal?

As três cabeças viraram: a do Lucas, a da nossa vizinha, Adele, e a da filha dela, Alexia.

– Que surpresa boa.

– Você voltou – disse Lucas. – Finalmente.

Argh. Aquele *finalmente* me deu tanta... esperança que a confiança dele vindo na minha direção ficou em segundo plano.

Quando chegou perto de mim, ele se inclinou e sussurrou:

– Temos companhia, como você pode ver. Espero que não seja um problema.

– Problema nenhum – respondi, ciente da nossa proximidade e de como ele se agigantava sobre mim.

Engoli em seco.

– Adele é sempre bem-vinda, você sabe disso.

Lucas franziu a testa e perguntou de repente:

– A Lina pegou pesado com você?

Balancei a cabeça.

– Não, ela só está...

Preocupada. Comigo, com você também.

– Ela tem boas intenções, só foi pega de surpresa por tudo isso. Expliquei a situação, mas não contei sobre... sobre o experimento.

Não consegui dizer a palavra encontro. Lucas pareceu perceber minha hesitação, porque uma expressão preocupada diminuiu o brilho em seus olhos. Notei ele me olhando de cima a baixo quase distraído, como se não se desse conta do que estava fazendo.

– Tudo bem – disse ele, pegando a sacola de compras que eu esqueci que tinha nas mãos. – Você chegou bem na hora. Eu precisava colocar isso na panela agora mesmo.

Ah.

Foi por isso que ele olhou para baixo. Por isso o *finalmente.*

Ele tinha mandado mensagem pedindo que eu comprasse salsinha e pimenta-malagueta se pudesse. Lucas estava esperando pelos ingredientes. Não por mim.

E tudo bem. Eu não tinha motivo nenhum para ficar decepcionada. Eu...

Lucas deu um beijo rápido no meu rosto, e o contato interrompeu meus pensamentos. Em um instante seus lábios estavam tocando minha pele, bem ali, a centímetros da minha boca, e no seguinte ele se afastou.

– Obrigado por isso – disse ele. – Agora vamos, o jantar vai ficar pronto já, já.

Eu estava paralisada e perplexa. Lucas tinha me beijado. No rosto.

Como amigos, lembrei a mim mesma. Porque na Espanha os amigos se beijam no rosto o tempo todo. Colegas de apartamento também, quando são amigos.

Tentando muito ignorar o pedacinho de pele ainda formigando, fui atrás dele até a ilha da cozinha para falar com nossas vizinhas.

– Oi, oi. Tudo bem com vocês?

– Oi, Rosie – disse Alexia, me cumprimentando com aqueles olhos que eram iguais aos da mãe. – Estamos bem. *Agora.*

Adele ignorou o olhar atravessado da filha.

– Este jovem está preparando o jantar para nós.

Ela olhou para Lucas, que estava de volta ao fogão

– Ele disse que sabe o que está fazendo e me fez prometer sentar e parar de importuná-lo a cada passo.

– O que você não cumpriu – resmungou a filha, colocando as mãos nos ombros de Adele e levando-a até a banqueta. – Então, agora, que tal parar de ficar em cima dele como uma mosquinha intrometida e se sentar um pouco, hein?

Adele resmungou, mas obedeceu, e uma Alexia satisfeita voltou a ficar ao lado de Lucas, aparentemente fascinada pelo talento culinário dele.

Quando conheci Alexia não tive tempo de observá-la com atenção, principalmente porque eu estava em cima do balcão da cozinha, horrorizada por causa do rato. E também distraída com o fato de que estava dançando com Lucas (na verdade, com o fato de que estava em seus braços) segundos antes de Alexia bater na porta.

Percebi que ela devia ter uns cinquenta anos, o que significava que Adele era um pouco mais velha do que eu havia imaginado.

Lucas olhou para mim por cima do ombro e disse:

– Senta, Ro.

Ro.

Aquele apelido, de novo. Fazendo meu corpo sentir coisas bobas.

– Estou bem aqui – respondi, tentando manter a postura.

– Eu sei, mas sentar faz bem para as costas e estou vendo que você está com os ombros tensos de passar o dia escrevendo.

Ele deu uma piscadinha rápida, me deixando sem escolha a não ser obedecer antes que eu caísse de cara no chão.

Estou vendo que você está com os ombros tensos.

Fui até a única banqueta disponível e me sentei ao lado de Adele.

– Ótimo – murmurou ele, antes de levar a panela de volta ao fogão. – Muito bem, garotas, mais alguns minutos, e o jantar está pronto.

Nós três soltamos um suspiro feliz e sincronizado.

Eu ri ao olhar na direção de Lucas e percebi Alexia olhando para mim, segurando um sorriso.

– Você é uma garota de sorte, Rosie.

Minha expressão perplexa deve ter entregado o quanto eu fiquei confusa, porque ela explicou:

– É difícil encontrar homens como o Lucas.

Comecei a assentir, mas me contive.

– Ah, não. Somos só amigos. Não estamos juntos. Somos só colegas de apartamento. *Amigos.*

Alexia ergueu as sobrancelhas, e meus olhos saltaram para Lucas, que disse, com uma voz confiante:

– Melhores amigos, muito em breve.

– Você fica repetindo isso… – resmunguei. – Mas, enfim, estamos aqui temporariamente. Logo, logo eu vou voltar para o meu apartamento, e ele…

Fiz uma pausa, tive dificuldade de concluir a frase.

– Ele vai voltar para casa. Para a Espanha.

Lucas fez uma pausa imperceptível em sua tarefa de picar a salsinha.

– É uma pena, de verdade – disse Alexia, suspirando. – Seria bom ter um cara como ele por perto. O jeito como ele socorreu a mamãe... Ele é mesmo um herói.

– Socorreu? – perguntei. – Aconteceu alguma...

– Foi só um susto, querida – disse Adele, contraindo os lábios. – Não precisa se preocupar.

– Esta senhora aqui – declarou Alexia – deixou a panela de pressão no fogo e foi tomar um banho de banheira de meia hora.

Adele soltou o ar de um jeito barulhento.

– Aquela coisa estava com defeito. E banhos longos fazem bem para os ossos.

– Lucas deve ter ouvido a explosão – explicou Alexia, ignorando a mãe. – Porque, quando cheguei para deixar os remédios dela, eu o encontrei limpando o ensopado das paredes com ela.

– Foi uma explosão pequena – disse Lucas, finalmente entrando na conversa. – E não me deu trabalho nenhum.

– Viu? – disse Alexia, rindo. – Ele não aceita nem levar o crédito. E, acredite, foi uma limpeza e tanto. Sujou a cozinha inteira. Pessoas como ele...

– ... são muito raras – concluí por ela.

Mais uma interrupção de movimento da parte de Lucas e desejei que ele não estivesse de costas, para que eu pudesse ver seu rosto.

Algo me ocorreu.

– Então foi por isso que vocês vieram jantar aqui?

Lucas não só tinha socorrido Adele e ajudado com a limpeza, mas também se oferecido para alimentá-las.

– Aham – disse Alexia, com um sorriso largo. – Nós duas ficamos um pouco abaladas, mas não vamos demorar, minha esposa vem nos buscar em uma hora – acrescentou ela. – Minha mãe vai passar alguns dias com a gente, né, mãe?

Adele soltou um suspiro.

– Não que eu tenha escolha.

– Enfim – disse Alexia, virando na direção de Lucas. – Preciso confessar que estava ficando louca tentando descobrir de qual apartamento vinham esses cheiros maravilhosos sempre que eu vinha visitar a mamãe. A maioria das pessoas aqui no prédio pede *delivery*.

Lucas deu um passo para trás, desligou o fogão, envolveu o cabo de uma panela grande de ferro com um pano e levantou-a no ar.

– Era tudo o Lucas – falei, sem querer que ela tirasse conclusões precipitadas sobre meus talentos culinários.

Ele foi até a ilha, onde eu e Adele estávamos, e colocou a panela entre nós duas. Filés selados com *chimichurri* vermelho reluziram à luz da cozinha, e meu estômago roncou.

Alexia se juntou a nós na mesa, e, com apenas duas banquetas disponíveis, levantei da minha e ofereci a ela.

– Por favor, senta. Você é convidada.

– Ah, eu não quero…

– A Rosie pode sentar comigo – anunciou Lucas.

Franzindo a testa, virei e vi que ele estava segurando um banquinho dobrável.

– Onde …

– Encontrei em um armário – disse ele, montando o banquinho. – Só um, vamos ter que dividir.

– Não sei…

Olhei para Lucas, que sentou.

Eu não podia sentar no colo dele, podia? Eu não sabia qual era a gravidade da lesão dele.

Como se conseguisse ler meus pensamentos, ele deu dois tapinhas na coxa direita.

– Esta está boa – disse. – Vem, Ro. Vamos comer. Estou morrendo de fome.

O jeito com que Lucas olhou para mim, como se eu estivesse fazendo algo por ele ao aceitar, me estimulou. Então, fui até onde ele estava e me permiti sentar em seu colo. Em um nanossegundo, Lucas abraçou minha cintura com um braço forte e apertou de leve.

– Cronuts – disse ele, muito baixinho.

A menção ao nosso código causou alguma coisa dentro de mim, uma coisa poderosa e que eu não esperava. Uma coisa que me fez desejar que aquele fosse o código para outra coisa que não "obrigado".

Tentei me concentrar na comida maravilhosa à nossa frente e não no homem em cujo colo eu estava sentada.

– Parece incrível, Lucas.

Senti, mais que ouvi, um suspiro de alívio, bem perto da minha orelha. Meu corpo reagiu na hora ao sentir sua respiração na minha pele. A reação foi tamanha que ele provavelmente percebeu, porque disse:

– Prova.

– Meu Deus, essa batata-doce – disse Alexia, com um gemido. – O que é esse molho? Iogurte com...

– Alho assado, limão e tahine – respondeu Lucas, despejando nas minhas batatas um pouco do molho que Alexia estava elogiando.

Alexia encheu a boca com mais uma garfada.

– Você assou a cabeça inteira com as batatas e depois usou no molho? – perguntou ela.

Lucas assentiu.

– Boa sacada – completou Alexia.

E, simples assim, Alexia monopolizou a conversa, interrogando Lucas a respeito de cada passo do preparo da carne, do *chimichurri* e do que eu descobri que seria a sobremesa: *milhojas* de ruibarbo e pera, que se mostrou um *twist* delicioso de uma tradicional sobremesa espanhola.

– Muito bem – disse Alexia, quando a comida acabou e os pratos de sobremesa estavam limpos. – Imaginei que você soubesse o que estava fazendo, mas não tinha ideia de que era tão bom assim.

Lucas respondeu com um murmúrio e uma movimentação do corpo que me encaixou melhor em seu colo. Tentei sair, mas ele me segurou contra o peito, trazendo à vida cada pedacinho do meu corpo que estava encostada no dele.

– Então, o que você faz, Lucas? – perguntou Alexia, enquanto eu tentava recuperar o fôlego. – Você trabalha em restaurante na Espanha? Veio estudar gastronomia?

Lucas soltou uma risada incrédula.

– Não, não. Nunca pensei em estudar gastronomia. Nunca tive... tempo, acho.

– Você pode fazer isso agora. Se for o que você quer – falei, sem conseguir me segurar. – Você é um cozinheiro incrível, Lucas.

Ele apertou minha cintura e agora era impossível ignorar o calor do corpo dele.

– Obrigado, Ro – disse ele num tom um pouco mais suave. – Mas... não sei. Estou um pouco velho para estudar.

– Você não está velho – disse Alexia, estreitando os olhos. – Onde você aprendeu a cozinhar assim? A massa folhada do *milhojas* estava divina, amanteigada no ponto, e definitivamente não parece ter sido comprada pronta. E essa também não é a primeira vez que você prepara um filé. Eu já vi filés serem *assassinados* por pessoas que estudaram gastronomia.

Perdi o fôlego quando ele pousou a mão na minha coxa.

– Aprendi com minha *abuela*, minha mãe... Sei lá, em todos os lugares. Sou autodidata, acho. Gosto de experimentar, tentar coisas novas. E também tem um monte de informação disponível na internet. Então eu meio que aprendo fazendo, sei lá. Nada sofisticado ou digno de ser comparado ao trabalho de alguém que estudou para isso. Ou alguém que tenha talento de verdade. Minha vocação é... *era* outra coisa.

Eu discordava. Não achava que fosse possível colocar Lucas em uma caixinha, mas fiquei calada e deixei que minha mão repousasse sobre a dele. Ele entrelaçou os dedos nos meus, e eu seria capaz de jurar que todas as minhas terminações nervosas reluziram com aquele simples contato.

E foi por isso que quase não ouvi o que Alexia disse na sequência.

– Eu sou chef executiva do Zarato, então sei do que estou falando. Você tem talento, *sim*. Estudar gastronomia não é moleza, nunca é, mas não está fora da sua capacidade.

– Eita, uau.

Soltei um suspiro. Virando para olhar Lucas por cima do ombro, expliquei:

– O Zarato é *o* restaurante do West Village. As pessoas esperam meses para conseguir uma reserva. Acho que está entre os três melhores restaurantes de Nova York hoje.

Alexia riu.

– Cinco melhores, mas a competição em Manhattan é selvagem, então a gente nunca sabe para que posição vai cair no ano seguinte.

Ela estava sendo humilde. Se até eu – que não sabia nada de gastronomia e só jantava fora de vez em quando – tinha ouvido falar e adoraria vivenciar a *experiência Zarato*, isso queria dizer que o burburinho a respeito do restaurante era forte.

– Uau, que incrível – disse Lucas, e ouvi em sua voz a sinceridade em cada palavra.

Ele se virou para Adele.

– Você deve ter muito orgulho da sua filha.

– Eu não poderia ter mais orgulho – respondeu Adele, os olhos se enchendo de lágrimas. – Mas você sabe disso, não sabe, Mateo?

Um silêncio se instalou entre nós quando ouvimos aquelas palavras de Adele, que tinha passado o jantar em silêncio, e a atmosfera logo ficou pesada com o lembrete da doença iminente.

– É – disse Lucas, por fim. – É claro, nós temos muito orgulho.

Alexia abraçou a mãe, apertou seus ombros e mexeu os lábios com um *obrigada* para Lucas. Então passou a falar com mais firmeza:

– E, Lucas, estou falando sério. Eu sei reconhecer talento. Foi assim que eu conheci minha esposa. Ela começou na posição mais baixa na cozinha, um diamante bruto, e hoje é *sous chef* no Zarato. Então, nunca se sabe.

Ela inclinou a cabeça.

– Acho, aliás, que vocês dois deveriam nos fazer uma visita. Como meus convidados, por tudo o que fizeram.

Ah. Uau. U-a-u.

– Não precisa se incomodar, Alexia – respondeu Lucas, dando voz a meus pensamentos, mas notei uma pontinha de curiosidade em suas palavras. – Não é problema nenhum, de verdade.

– Eu insisto – respondeu ela, com firmeza.

Então, tirou um cartão da bolsa, colocou na mesa e acrescentou:

– Rosie vai amar.

Como se isso mudasse alguma coisa.

Lucas soltou a minha mão e pegou o cartão.

Era tarde, bem tarde da noite quando um barulho me acordou. Parecia um gemido, só que mais profundo. Gutural.

De início, achei que estivesse sonhando, mas o barulho voltou. Mais alto. Mais urgente.

Eu me sentei na cama e esquadrinhei o espaço pouco iluminado, até pousar o olhar onde eu sabia que Lucas estaria dormindo no sofá. Só que ele não estava dormindo. Impossível, estando tão inquieto.

Ele soltou mais um gemido, misturado à respiração irregular, e travei. Porque parecia que... que ele estava se esforçando para puxar o ar. Que não estava conseguindo respirar. Um pavor congelante me fez ir até lá no mesmo segundo e me ajoelhar ao lado do sofá.

– Lucas? – sussurrei.

Mas ele se debateu de um lado para o outro quando minhas mãos tocaram seus ombros. Falei mais alto, com um tom gentil, mas firme.

– Lucas, acorda.

Ele resmungou alguma coisa, mas deve ter sido em espanhol, porque eu não entendi. Com todo o cuidado possível, levei as mãos até seu rosto.

– Lucas, por favor. Você precisa acordar. Está tendo um pesadelo.

Os movimentos bruscos pararam de repente, e ele arregalou os olhos, revelando dois poços castanhos de medo.

Senti um aperto no peito. Foi difícil manter a calma e mais difícil ainda não pensar no quanto eu gostava daquele homem e no quanto odiava vê-lo sofrer.

– Você estava tendo um pesadelo – falei, o nervosismo muito evidente no meu tom. – Mas está tudo bem agora. Você está acordado.

Seu olhar começou a clarear bem devagar. Mas o medo, o desespero ainda estavam ali, gravados em sua expressão.

Meu toque em seu rosto ficou um pouco mais desesperado.

– Você está bem. Foi um pesadelo, mas você está bem – repeti.

A mão de Lucas repousou sobre a minha. Sua pele estava fria, úmida.

– Rosie – disse ele, em um suspiro. – Você está aqui.

Sem explicação, sem sorriso, sem tentar disfarçar com uma piadinha.

– Chega um pouquinho pra lá – falei, para que eu pudesse deitar no sofá com ele.

Sem dizer uma palavra, Lucas abriu tanto espaço quanto possível, ainda deitado de barriga para cima. Eu me deitei de frente para ele, me aconchegando na lateral de seu corpo. Então coloquei um dos braços sobre ele. A camiseta estava grudada em seu peito.

– Estou todo suado, Rosie. Eu...

– Está tudo bem – falei, me aproximando ainda mais e deixando que meus dedos traçassem círculos em seu peito. – Eu gosto de homens que suam quando estão dormindo. Agora pode voltar a dormir. Estou aqui com você.

Lucas não disse uma palavra, não moveu um músculo. Nem tentou me apertar contra seu corpo, como fez tantas vezes. E tudo bem. Porque, naquele instante, era ele quem precisava de mim. Então fiquei exatamente onde eu estava, quase na beirada do sofá, esquentando o corpo dele com o meu. Meu toque e minha voz foram acalmando Lucas aos poucos, até que ele voltou a dormir.

Só relaxei quando sua respiração desacelerou, mas continuei acordada por um bom tempo. Pensando, alerta, e me lembrando da conversa com Lina. Lucas, sempre sozinho, agora se isolando, sem confiar em ninguém. Pensei em como ele estava sempre distribuindo sorrisos generosos. No quanto ele tinha me dado durante o pouco tempo que estivemos juntos. E ali, abraçando-o, não pude deixar de me perguntar se alguém já tinha feito o mesmo por ele.

DEZESSETE

Rosie

Eu estava aplicando o último toque de pó compacto quando a campainha tocou.

Franzindo a testa para o espelho, coloquei o pincel na penteadeira e dei uma olhada rápida no meu reflexo.

Meus cachos caíam em um penteado que demandou uma hora – e cinco tutoriais no YouTube – para arrumar. Eu tinha pintado os lábios com um tom claro de cor-de-rosa e os olhos em tons naturais, fazendo quase parecer que estava sem maquiagem. Eu estava bonita e sabia disso. Estava bem longe de ser uma influenciadora de moda e estilo, mas me preocupava em estar bem-vestida, com uma boa aparência. Exceto pelo cabelo. O cabelo eu sempre negligenciava. Deixava aquela confusão de ondas cair solta e pronto.

Mas não hoje. Não esta noite. Porque íamos a uma festa. Um Baile de Máscaras. E, levando em consideração o frio na minha barriga, eu estava empolgada e ansiosa.

Um nervosismo bom, um nervosismo ruim, eu não sabia ao certo.

A verdade era que eu não sabia o que esperar. Aquilo parecia muito um encontro duplo, só que não era. Quando contei ao Lucas sobre o Baile de Máscaras, ele só disse que topava e começamos imediatamente a falar sobre ideias de fantasia. Fantasias de casal, embora fôssemos como amigos. Apenas amigos, nem sequer parceiros de experimento, já que Aaron e Lina estariam lá.

O que me lembrou que logo eles viriam nos buscar, e Lucas ainda não estava em casa. Duas horas antes, quando tirei minha fantasia do armário, ele disse que ia providenciar um detalhe de última hora e desapareceu.

A campainha tocou mais uma vez e me tirou dos meus pensamentos.

Corri pelo apartamento, o barulho do tecido do vestido de baile inspirado na Era Vitoriana ressoando a cada passo.

Na pressa, abri a porta com tudo e… Uau.

Arregalei os olhos ao ser arrebatada por um misto de sentimentos. Surpresa, fascínio e… desejo.

Sim, definitivamente desejo.

– *Lucas.*

Meu olhar corria para cima e para baixo, e procurei algo para dizer enquanto uma onda de calor poderosa percorreu meu corpo. De algum jeito consegui soltar um:

– *Uau.* Você está muito, muito, muito bonito.

Ele estava com um fraque vitoriano de veludo e um colete bordô, e sua expressão nem se alterou com meu olhar faminto e com o *muito, muito, muito bonito* que eu tinha acabado de soltar. O cabelo estava penteado para trás e o rosto bronzeado bem à mostra, fazendo com que seus belos traços chamassem mais atenção do que nunca.

Eu, por exemplo, estava sendo atraída de muito bom grado.

Ele deu uma risadinha.

– Gostou?

– Gostei.

Muito, muito, muito, muito. Só um *muito* não era o bastante.

– Você está cem por cento maravilhoso. Não, cento e vinte por cento porque você… você ultrapassou a pontuação máxima.

Ele riu mais uma vez, e eu tive que fechar a boca para não me expor mais.

Eu estava exausta de trabalhar no manuscrito o dia todo. O que era ótimo, incrível, na verdade. A inspiração estava de volta como não vinha há… caramba, nem sei dizer quanto tempo. Provavelmente nunca. Eu não me lembrava de já ter sentido o que estava sentindo ao escrever, como imagino que seria pegar uma onda. Algo selvagem, libertador, imprevisível. Como eu me sentia com Lucas.

– Seu vestido… – disse Lucas, e agora ele não estava mais rindo. – É lindo. Combina com seus olhos.

Ele deixou que seu olhar percorresse meu corpo de cima a baixo, como eu mesma fizera com ele no instante anterior. Com um interesse declarado.

E eu... gostei. Amei. Ver aquilo em seu rosto me fez sentir várias coisas. Palpitação. Calor. Desejo. Coisas que eu deveria manter sob controle, para meu próprio bem.

Me recompondo, balancei de um lado para o outro e repeti a pergunta dele:

– Gostou?

Seus lábios se abriram em um sorriso largo e travesso, revelando as presas falsas, e foi difícil não retribuir o sorriso.

– Se eu gostei? – repetiu ele, balançando a cabeça. – Você está incrível, Rosie.

Seu sorriso diminuiu, e aquela intensidade à qual eu não sabia como reagir surgiu em seu rosto.

– *Estás muy hermosa.*

Hermosa.

Mas, me olhando daquele jeito, qualquer coisa que Lucas dissesse teria intensificado o que eu estava sentindo. Multiplicado. Tanto que eu nem entendi como consegui ficar ali ouvindo o elogio com tranquilidade quando tudo o que eu queria era pular em seus braços.

– O visual vampiro vitoriano cai muito bem em você – consegui dizer depois de alguns segundos. – O protagonista da nossa série vai ter que se esforçar para superar isso.

E jamais vai conseguir, eu queria acrescentar.

Mas Lucas não sorriu como antes, só soltou um "humm" como resposta, toda a intensidade ainda ali.

Tentando não demonstrar o quanto aquela atitude e aqueles olhos cor de chocolate me encarando mexiam comigo, desviei o olhar para seu peito. Vi um botão aberto na parte de seu colete que estava à mostra e estendi a mão. Deixei que meus dedos se dedicassem à tarefa, o calor de seu peito atravessando as camadas de tecido, deixando minhas mãos desajeitadas e minha respiração entrecortada.

– Onde você achou essa roupa? – perguntei com a voz mais baixa do que pretendia. – É igualzinha à da série.

Porque estávamos fantasiados como nosso casal de vampiros favorito, só que na versão de um dos episódios de flashback que se passavam na Era Vitoriana.

Lucas abaixou a cabeça, observando minhas mãos ainda dedicadas àquele botão. Ele deu um passo à frente, e ficamos ainda mais próximos.

– Eu tive uma ajudinha – respondeu, e senti sua respiração na minha pele. – Da minha prima ranzinza de 1,50 metro.

Meus dedos ajeitaram o botão que agora estava fechado, e procurei uma desculpa para deixá-los ali, em seu peito.

– Ela não é tão ranzinza assim. Nem tão baixinha – disse, obrigada pela lealdade – Ela é fofa.

– Eu acho você fofa – disse Lucas.

Meus dedos congelaram, e ele soltou um suspiro lento.

– Não. Você não é fofa. Você é linda.

Engoli em seco, querendo implorar a ele que retirasse aquelas palavras, ao mesmo tempo querendo que ele as repetisse para que eu nunca mais as esquecesse.

Mas o que eu disse foi:

– Agora você está pronto.

E passei a ponta dos dedos no tecido de seu colete, prometendo a mim mesma que aquele seria o último toque.

Antes que eu interrompesse o contato, no entanto, Lucas deu mais um passo à frente, e ficamos quase colados. Minhas mãos se ajustaram à nova posição, à nova proximidade, minhas palmas agora apoiadas em seu peito.

– Não sei – disse ele, a voz rouca, profunda, mexendo comigo. – Talvez outros botões precisem de atenção. Você fez um trabalho tão incrível com este, melhor garantir.

Levantei o olhar e encontrei aquela versão do Lucas que passou molho de tomate na minha boca olhando para mim. Minha pulsação acelerou e meu corpo inteiro percebeu o movimento de seu peito e a intensidade de seus olhos. O quanto sua expressão parecia séria e determinada, como se todo o humor e a leveza usuais dele tivessem desaparecido.

Ele ficou exatamente onde estava, esperando, mas o que eu podia fazer? Pedir a ele que abrisse todos os botões para que eu pudesse fechá-los de novo em seu corpo lindo e firme?

Sim, uma voz dentro de mim me incentivou. *Seria um bom começo.*

– Eu… eu acho que fechei todos – respondi.

Qualquer outra resposta me faria parecer louca. Idiota. Irresponsável.

A pontinha da língua dele percorreu seu lábio inferior antes de ele responder:

– Tá.

– Tá – repeti.

E de repente ele deu um passo para trás e abriu um espaço entre nossos corpos.

– Antes de irmos…

Lucas recuou e desapareceu no corredor por um instante. Depois, voltou segurando alguma coisa atrás das costas.

– Isso é pra você.

Ele mostrou o que estava escondendo. Meu queixo caiu no chão, e meu coração se juntou a ele menos de um milissegundo depois.

– Pra… pra mim? – respondi, gaguejando.

Ele segurava um arranjo de magnólias cor-de-rosa. O arranjo que não ganhei do Jake no baile de formatura. Ele tinha se lembrado.

– Lucas, não precisava. Essa noite não é um dos nossos…

Me contive antes de dizer encontros. *Um dos nossos encontros.*

– Esta noite não faz parte da nossa pesquisa.

– Não importa – disse ele, com naturalidade.

Minha vontade era perguntar *Como?*. Como podia não importar para ele se importava para mim? Mas ele me interrompeu antes:

– Eu sei que não fui eu que planejei esta noite, então teoricamente não é um encontro, mas depois do modo como o último terminou, sem que eu pudesse te alimentar direito, pensei em aproveitar a oportunidade para me redimir. Considere esta noite parte da fase dois. Explorando a faísca.

Então aquilo era só pesquisa.

– Foi por isso que você saiu? – perguntei, pegando o arranjo da mão dele e levando ao peito. – Você foi comprar um arranjo para mim?

– Aham.

Ele deu um sorrisinho tímido e, apesar de tudo, foi muito difícil não me apaixonar um pouquinho mais por aquele homem. Meu Deus, era isso que estava acontecendo, não era? Eu estava me apaixonando por ele.

– Eu queria fazer uma surpresa. Além disso, eu sabia que você ia se arrumar e queria garantir que não ia te pegar de *anáguas*, Lady Rosalyn. É um limite que não deve ser ultrapassado.

Assenti, a decepção fazendo meu estômago se contrair.

– É, acho que você não ia querer ver uma coisa dessa.

Lucas inclinou a cabeça.

– Como assim?

Balancei a cabeça com um sorriso sem vontade.

– Nada não.

Antes que eu percebesse sua movimentação, Lucas me encostou contra o batente e levantou meu queixo. Não tive escolha a não ser olhar em seus olhos e desejei não ter feito isso. Porque vi alguma coisa ali que não consegui decifrar.

Ele passou o polegar no meu rosto com muita delicadeza.

– O que você quis dizer, Rosie?

Balancei a cabeça levemente.

– Eu só quis dizer que, como meu amigo e colega de apartamento, não é mesmo algo que você fosse querer ver, ora.

Porque nós dois éramos apenas isso, amigos e colegas. Nossos encontros experimentais eram pesquisa, e Lucas estava só tentando me ajudar. Até voltar para a Espanha.

Ele manteve os olhos fixos nos meus e pareceu estar elaborando alguma coisa em sua cabeça. Quando seus lábios finalmente se abriram, ele só conseguiu dizer.

– Esta noite...

– Por que vocês estão demorando tanto?

A voz de Lina trovejou no corredor vazio antes mesmo que ela chegasse.

– Estou ouvindo vocês dois aí em cima e estamos parados em fila dupla.

– Depois eu continuo – disse Lucas em voz baixa, para que só eu ouvisse.

Ele se afastou, relutante, como se não quisesse encarar o que estava a apenas alguns metros de distância.

Lina apareceu na nossa frente.

– *Hola, prima* – disse ele, cumprimentando-a e soltando um suspiro. – A gente já estava descendo.

Lina ficou olhando para a situação em silêncio por um bom tempo.

– Você está maravilhosa, Rosie. São magnólias? Que lindas – disse ela para mim. – Onde você comprou?

Lucas falou algo em espanhol, rápido e complexo demais para que eu tentasse entender.

Os olhos de Lina se estreitaram quando ela respondeu.

E, antes que eu pudesse abrir a boca para perguntar qualquer coisa, Lucas deu um puxãozinho em um dos meus cachos perfeitos. Ele olhou para mim com um sorrisinho torto que não combinava com o que eu vi em seu olhar.

– Vamos pegar sua dentadura e descer, Ro.

– Vamos – concordei, olhando para o arranjo de flores.

Lucas foi até o banheiro pegar a dentadura enquanto eu colocava no pulso o arranjo de magnólias que ele tinha comprado para mim por nenhum outro motivo além da pesquisa.

Porque ele estava decidido a me ajudar.

E eu deveria estar feliz e satisfeita com isso.

Não triste.

– Puta merda – disse Lucas ao meu lado.

– Puta merda mesmo – resmunguei, recolhendo meu queixo do chão.

Lina estava à nossa frente, bloqueando parcialmente a vista do salão imponente onde o Baile de Máscaras estava acontecendo. Ela não era exatamente alta, nem de salto, mas o cabelo azulado e a tintura corporal que cobria seu rosto, seu pescoço e seus braços distraíam bastante.

Ela e Aaron estavam de noivos-cadáver, e Lina levou a tarefa muito a sério. As fantasias eram as mais parecidas com o filme que eu já tinha visto. Até Aaron estava maquiado, os olhos cobertos de sombra marrom esfumada, fazendo seus olhos azuis se destacarem mais do que o normal. Isso, a altura, o terno e a noiva morta-viva em seu braço formavam uma imagem poderosa.

Eles pareciam o casal modelo do submundo. Ao contrário de mim e do Lucas, que definitivamente *não* éramos um casal, apesar das fantasias combinando. Não que isso importasse. Uma olhada em nosso reflexo no espelho do elevador quase me fez cair dura mesmo assim. Especialmente depois de colocarmos as máscaras lindas que Lina tinha comprado de surpresa. *Para dar um tchan*, tinha dito ela com uma piscadinha, sem saber que a máscara deixava Lucas ainda mais... tentador para mim.

– Não é maravilhoso isso tudo?

Lina sorriu antes de virar para observar o local como um todo.

– Sei que vou soar meio cafona, mas vocês acham que vamos ver algum famoso?

– É possível – respondeu Aaron. – Estamos em Nova York, e eles convidaram pessoas de várias áreas.

Lina juntou as mãos sob o queixo.

– Continuo esperando encontrar o Sebastian Stan.

Aaron resmungou alguma coisa incompreensível, bem baixinho.

Eu ri.

– Ah, eu não me importaria nem um pouco.

Lucas se movimentou à minha esquerda, de testa franzida.

– Quem é esse? Esse tal de... *Sebastan-tan*?

Lina levantou uma das mãos.

– *Sebastian S-tan*. E ele é só o ator mais engraçado, fofo e charmoso de Hollywood. Completamente subestimado.

Assentindo, acrescentei:

– Ele já foi visto em Nova York muitas vezes, então a Lina acha que um dia vamos cruzar com ele.

Lucas deu de ombros.

– Bom, espero que o *Sebastan-tan* não se importe de esbarrar com duas *stalkers*.

Aaron riu e ganhou uma encarada da esposa.

– Para de assassinar o nome dele, Lucas – disse ela antes de acariciar o peito de Aaron. – E você não tem nenhum motivo para ficar com ciúme, *mi amor*. Quero conhecer o Seb, mas só para a Rosie poder ficar com ele.

Aaron colocou o braço sobre os ombros da esposa, encaixando-a na lateral de seu corpo.

Olhei para o Lucas e vi que ele estava olhando para mim. Achei que ele fosse dizer mais alguma coisa sobre o assunto, ou errar o nome do Sebastian mais uma vez, mas ele só deu uma piscadinha para mim. Presunçoso, como se soubesse o quanto estava bonito com aquela roupa e aquela máscara. Qualquer fantasia de encontrar Seb ou qualquer outro famoso desapareceu da minha mente na mesma hora.

Dei um passo à frente, ficando ao lado de Aaron e Lina, que deu um beijo no rosto dele e se afastou, entrelaçando o braço no meu. Entramos juntas na festa, deixando os dois homens para trás.

Depois de atravessar a pista de dança menos iluminada, chegamos à outra extremidade do salão e encontramos um lugar no bar, onde eles se juntaram a nós.

– Acho que talvez a gente tenha chegado um pouco cedo – disse Lina, olhando ao redor e apontando para os poucos grupos de pessoas espalhados pelo salão. – Que horas dizia no convite mesmo, Aaron?

Ele abraçou sua cintura, repousando a mão em sua barriga.

– Oito. As pessoas vão aparecer, não se preocupe. Este é um dos eventos mais esperados do ano, só perde para o leilão de solteiros.

– Ah, eu definitivamente me lembro desse.

– Eu também.

Aaron abaixou ainda mais a cabeça e encostou os lábios no ombro dela, fazendo minha melhor amiga se derreter em uma poça de gosma azul.

Minha expressão devia estar revelando tudo o que eu sentia – felicidade, ansiedade, aquela pontada bem-intencionada de inveja – porque, mais uma vez, um dos meus cachos foi puxado de levinho pelo homem que estava aprendendo a me decifrar como se eu fosse um livro aberto.

Lucas estava um pouco mais perto de mim do que antes.

– Eu adoraria uma bebida – falou ele, olhando para mim. – E a senhorita, Lady Rosalyn? Gostaria de beber algo? – disse ele, mostrando as presas pontiagudas. – Talvez um pouco de O negativo?

Não pude deixar de rir.

– Com prazer, milorde. Mas nada com sangue esta noite – respondi, enrugando o nariz. – Só de pensar já estou ficando tonta.

Os lábios de Lucas se contraíram, e ele cutucou meu ombro com o dele, a expressão brincalhona iluminando seu olhar.

Com nossas bebidas em mãos, ficamos em nosso pequeno círculo, em uma conversa animada, observando o salão ficar cada vez mais cheio.

A cada minuto e a cada novo convidado, eu ia me aproximando mais de Lucas. Tanto que, sem saber como, de repente meu ombro estava apoiado no dele. E aquilo era bom. A conversa fácil, a sensação do toque dele, nossas piadas internas, os momentos em que vi seu olhar encontrar o meu ou o jeito como ele me perguntou se eu estava me divertindo... Tudo aquilo era muito bom.

Era exatamente como se estivéssemos em um encontro duplo com minha melhor amiga e o marido dela.

Confortável. Empolgante. *Real.*

DEZOITO

Lucas

Aaron estava certo, era *mesmo* um evento bem esperado.

Era difícil dar um passo sem esbarrar em alguém. O lugar estava lotado. De pessoas que frequentavam círculos sociais que eu nem conhecia, imaginei. Pessoas que iam a bailes de máscaras em salões imponentes de hotéis onde nunca cogitei passar a noite. Não porque eu não pudesse, mas porque não seriam a minha escolha.

Eu não estava acostumado a multidões como aquela. Ou com *qualquer* multidão, a não ser com outros atletas e pessoas que iam aos torneios. Mas preciso admitir que não me senti tão desconfortável quanto esperava. Tinha a ver com o fato de ser Halloween, é claro, mas muito mais a ver com a garota encostando o ombro no meu braço. Eu estava ali por causa dela.

E, se dependesse de mim, encaixaria o corpo dela no meu, como Aaron e Lina. Não porque eu quisesse fazer isso – o que, não me entenda mal, eu queria –, mas porque o espaço livre ao nosso redor estava acabando e a multidão começava a ficar embriagada e, portanto, descuidada.

Não gostei quando um zumbi nos empurrou por trás e não gostei quando um super-herói que eu não conhecia fez a mesma coisa. Naquele ritmo, nossas bebidas corriam o risco de acabar no chão, Rosie podia se machucar, e eu seria obrigado a socar a máscara de algum bêbado idiota.

Dando uma olhada no copo de Rosie para ver se ela havia terminado a bebida, foi fisicamente impossível impedir meus olhos de viajarem até o rosto dela. Depois, eles desceram por seu pescoço e, incorrigíveis, mergulharam para dentro do decote.

Não foi a primeira vez que fiz isso naquela noite, e provavelmente não seria a última. Eu parecia incapaz de me conter.

Principalmente por causa do volume dos seios empurrando o vestido de um jeito que fazia meu sangue fluir para determinadas áreas do meu corpo a ponto de deixar minha calça um pouco apertada perto do zíper. Eu não estava morto, né? E havia um limite do que eu era capaz de suportar com aquela pele macia dela ali bem à mostra, provocando pensamentos impróprios para o local onde estávamos. E diante da companhia que tínhamos.

– Tudo bem? – perguntou Lina, obrigando meus olhos a se afastarem de Rosie. – Você está meio… esquisito. Está com fome ou coisa assim?

Procurei me conter dando o sorriso mais despreocupado possível.

– Estou sempre com fome – respondi, e, com o canto do olho, vi Rosie dar uma risadinha. – Tirando isso, tudo bem. *Gracias, prima.*

No mesmo instante, alguém esbarrou em mim e em Rosie por trás. De novo. Provavelmente mais uma pessoa tentando chegar ao agitado e levemente caótico balcão do bar.

Com um palavrão, finalmente dei um passo para o lado e me posicionei atrás de Rosie. Então, passei o braço por trás de suas costas e apoiei o cotovelo no bar, criando uma parede atrás dela.

Rosie mexeu a cabeça, espalhando seu perfume ao balançar o cabelo.

Meu pai amado, aqueles pêssegos estavam começando a me deixar um pouco doido… Minha vontade era enfiar o nariz em seu pescoço e dar uma boa fungada, como se eu não passasse de um animal. Como o homem nada sofisticado que eu era.

Aaron olhou nos meus olhos e assentiu em aprovação. Retribuí, me perguntando o que exatamente ele estaria aprovando.

– Obrigada, Lucas – disse Rosie, chamando minha atenção de volta.

Aqueles olhos verdes oscilando tão calorosamente pareciam sentir a mesma preocupação que eu.

– Você não precisa, sabe, me proteger ou sei lá. Mas eu agradeço.

Eu não preciso?

Dios.

Eu já tinha falado para ela o quanto eu odiava que suas expectativas fossem tão baixas e estava sendo muito sincero. Eu ficava com ódio só de pensar que alguém que dava vida a heróis de romance, a histórias de amor pelas quais as pessoas ansiavam, não esperava todas essas coisas na vida real. Porque ela parecia mesmo se conformar a não ter a expectativa de que um homem correspondesse a seus heróis. Por ela, tudo bem.

– Não precisa me agradecer – falei, me aproximando um pouco mais porque simplesmente não conseguia me conter.

Meu olhar desceu mais uma vez a tempo de vê-la engolir em seco, e aquele movimento lento de sua garganta e o modo como seus seios subiram com sua respiração foram o suficiente para que eu me contorcesse dentro da calça. Meu Deus, que belo amigo eu era.

– Para mim é um prazer protegê-la, Lady Rosalyn.

Rosie não disse nada, mas notei que seus olhos estavam... diferentes. Surpresos, semicerrados. Provavelmente iguais aos meus.

– Que tal uma dança? – sugeriu Lina, com um entusiasmo alegre, quebrando o encanto. – Acho que já ficamos bastante tempo aqui.

Aaron ficou em silêncio. Rosie hesitou. E eu... dei de ombros. Minha perna estava doendo depois de tanto tempo em pé, mas eu os acompanharia na pista de dança se esse fosse o plano.

– Vamos – insistiu Lina.

Mas, antes que qualquer um de nós pudesse responder, mais uma pessoa esbarrou em mim, me fazendo encostar todo o corpo no de Rosie. Sem pensar, segurei-a com um dos braços só para sentir seu quadril na minha virilha. Mais uma injeção de sensações se espalhou por meu corpo, deixando meu membro em posição de sentido.

– Sim! – exclamou Rosie. – Vamos dançar!

Sem que eu ou Aaron tivéssemos escolha, as mulheres entrelaçaram os braços e foram em direção à multidão.

Aaron me lançou um olhar, e o que quer que tenha visto no meu rosto o fez rir.

– Qual é a graça? – perguntei, me obrigando a assumir uma expressão casual.

Seus olhos percorreram o mar de gente à nossa frente e focaram em um ponto onde imaginei que as duas estivessem.

– Você nem precisa falar nada – respondeu, olhando para a frente. – Sabe, não fica mais fácil. Mas fica melhor.

Forcei uma risada, fingindo não saber do que ele estava falando.

Mas você sabe do que ele está falando, disse uma voz dentro de mim. *Só que não vai melhorar. Porque ela não é sua. E, seja como for, você vai embora.*

Balancei a cabeça, Aaron assentiu, e nos aventuramos na pista de dança.

As mulheres estavam dançando, entregues, rodopiando com os braços no ar. Isso me fez lembrar da Rosie que vi rodopiando ao som de "Dancing Queen". Um sorriso estampou meu rosto com a lembrança. Na verdade, acho que eu estava comendo cada movimento dela com os olhos, fascinado, como quem assiste ao sol nascer pela primeira vez.

Um pensamento estranho se infiltrou na minha mente. Rosie, sentada na minha prancha, flutuando no oceano. O cabelo molhado grudando na pele, um sorriso no rosto. Eu adoraria ensiná-la a remar, a pegar a primeira onda, ouvir sua risada sobre o som das ondas. Só que eu não podia fazer nada disso.

Nossos olhares se encontraram e o que quer que ela tenha visto no meu rosto fez seus lábios se curvarem para baixo em uma expressão séria, preocupada. Ela veio na minha direção imediatamente, e, embora eu não quisesse estragar sua diversão, fiquei satisfeito ao vê-la se aproximar. Vir até mim.

Ela parou perto o bastante para que eu sentisse mais uma vez o aroma de pêssego – o cheiro dela – e ficou na ponta dos pés para que eu pudesse ouvi-la mesmo com a música.

– Você não está dançando. Sua perna está incomodando?

Lina e Aaron estavam há vários metros de distância – seus corpos quase se fundindo – engolidos pela multidão.

Talvez tenha sido por isso que eu me senti livre para dizer a verdade.

– Estava distraído demais para fazer qualquer coisa. Olhando pra você.

O verde dos olhos de Rosie ficou mais profundo.

– Pra mim?

Assenti devagar, tudo em mim gritava para chegar mais perto dela, perto do ouvido. Para colar os lábios em sua pele delicada e sentir seu corpo se contorcer.

– É difícil não olhar, Rosie. Você dificulta.

Ela abriu os lábios, mas, antes que pudesse dizer alguma coisa, foi empurrada contra mim com toda a força.

Rosie ofegou quando a abracei e a mantive junto ao peito. Senti o líquido escorrendo em suas costas.

– Isso tem que parar – falei baixinho rangendo os dentes. – *¿Qué cojones le pasa a esta gente?*

Sério, qual era o problema com as pessoas daquela maldita festa?

Olhei para cima e vi uma pessoa vestida de… Chewbacca? Ele se virou, tirou a cabeça peluda e a enfiou embaixo do braço.

– Desculpa. Eu não vi você aí, querida.

Ignorando o jeito com que ele olhou para Rosie e aquele *querida* que ele soltou como se não houvesse um cara – *eu* – a abraçando, olhei para ela.

– Você está bem, Ro?

– Estou – disse ela de pronto, sem sair do meu abraço. – Mas estou encharcada com o que ele estava bebendo.

De fato. E, sentindo o tecido de seu vestido entre meus dedos, percebi o quanto.

Chewbacca se aproximou de nós dois.

– A lavanderia fica por minha conta, por favor – disse ele, enfiando um cartão de visita na cara de Rosie e acrescentando: – Meu número está aí. Pode me ligar. Ou posso pagar uma bebida, quero me redimir…

– Está tudo bem, mesmo – disse ela, sem pegar o cartão. – Nada disso é necessário.

Ótimo, agora desaparece daqui, uma parte irracional e primitiva de mim queria dizer.

– Tem certeza? – insistiu Chewbacca. – Nem um drinque?

– Agradeço, mas tenho certeza.

Ela deu um sorriso educado para o homem, se apoiando mais em mim.

Chewbacca ficou olhando para Rosie por mais tempo que o necessário, como se estivesse esperando que ela mudasse de ideia.

Franzi a testa, me segurando para não gritar com o cara porque, primeiro, eu não tinha esse direito. Segundo, Rosie tinha se virado muito bem sem mim.

Então, em vez disso, coloquei o braço em cima dos ombros dela, como tinha passado a noite inteira querendo fazer. Uma pena que só consegui depois de ela estar encharcada e eu irritado.

– Vamos dar um jeito de secar isso. Os banheiros devem ser por aqui, eu ajudo você.

Desviando do enxame de criaturas dançando – entre elas super-heróis e vários personagens da cultura pop que eu não conhecia –, finalmente encontramos os banheiros.

Rosie se soltou de mim, me deixando para trás.

Escolhendo ignorar a etiqueta, ou as regras sociais em geral, fui atrás dela, e, no instante em que viu meu reflexo no espelho, ela ficou paralisada.

– Lucas, o que você está fazendo?

– Ajudando você – falei, dando meu melhor sorriso. – Como eu disse que faria. E, antes que você pense em reclamar, sim, eu tenho que fazer isso, e sim, eu quero fazer isso.

– Mas isso aqui é um banheiro feminino. Você não pode entrar aqui.

Olhei em volta para garantir que não tinha mais ninguém ali.

– Sempre quis saber como era um banheiro feminino.

Mentira, eu só queria estar ali por causa dela. Estava me sentindo meio superprotetor no momento.

– Sempre me perguntei por que as mulheres passam tanto tempo aqui dentro.

Me ignorando, Rosie pegou umas toalhas de papel que pareciam bem caras.

Ao ver uma *chaise longue* em um canto, dei um sorriso.

– Viu? Me parece uma boa explicação. Vocês podem deitar um pouquinho. Relaxar. Entregam bebidas aqui também?

Rosie parou de passar as toalhas de papel no ombro e olhou para mim.

– Você é ridículo.

Mas ela riu, o que eu sempre considerava uma vitória.

– Você não veio até aqui para me ajudar?

– Vim – respondi, animado.

– Então anda.

– Ah. – Levei a mão ao peito. – Como eu amo quando você me dá ordens, Graham – falei, atravessando o banheiro desnecessariamente grande.

Ela estava com um dos braços esticados por cima do ombro, tentando alcançar um ponto nas costas.

– Espera, deixa que eu seco aí.

– Obrigada – disse ela, em voz baixa.

Peguei algumas toalhas de papel e assumi a tarefa, secando com delicadeza a pele visível em suas costas.

– O que é que aquele Chewbacca estava carregando? Um balde?

Rosie riu e juntou o cabelo em uma das mãos, apoiando-a no ombro e revelando a nuca. Era longa, delicada, e aquilo me fez lamber os lábios.

Animal, eu me repreendi.

Mas fiquei me perguntando qual seria a sensação de tocar sua pele se a camada de papel desaparecesse. Se ela estremeceria ao meu toque. O que aconteceria se eu me abaixasse e...

Meu Deus. *Nem pense nisso, Lucas.*

Com um gemido silencioso, voltei à tarefa, minha mão contornando seu ombro no automático e chegando até a frente. Parei, os dedos pairando sobre aquele ponto que chamou minha atenção a noite toda.

Meu coração deu um salto, o desejo voltando com tudo. Deve ter sido por isso que, ao ver uma gota fugitiva escorrendo por seu peito, avançando pela curva da clavícula e caindo perigosamente perto do decote, nem pensei duas vezes.

Refiz o caminho da gota com o papel, devagar, com delicadeza, vendo a pulsação de Rosie ganhar vida sob meu toque. Ela ofegou.

E, como eu queria – precisava – ver seu rosto, meu olhar disparou e encontrou o dela pelo espelho.

Havia uma pergunta ali. Espanto. Apetite. Curiosidade, também.

– Só estou tentando secar tudo – falei em um murmúrio baixinho, sem tirar meus olhos dos dela. – Não quero que você saia por aí assim e pegue um resfriado.

– Ah, sim – disse ela, com um suspiro.

E agora eu sentia seu coração batendo na ponta dos meus dedos, através do papel.

– Maravilha, muito bom.

– Fico feliz em poder ajudar – falei, embora a essa altura minha mão nem estivesse mais se mexendo.

Ela engoliu em seco.

– A gente não enxugou nem a metade, você sabe, né? – perguntou ela, sua voz baixa e rouca como a minha. – Sabe-se lá como, a bebida entrou pelo vestido. E acho que talvez minha calcinha esteja... sabe, molhada.

Engoli em seco com tanta força que até ouvi o barulho.

– Você... acha? Não tem certeza?

Ela balançou a cabeça.

Minha imaginação se voltou contra mim, me mostrando todo tipo de imagens. O vestido de Rosie escorregando por seu corpo. Rosie de calcinha. Gotinhas escorrendo por suas costas. Chegando até o cós da calcinha. Descendo ainda mais, por suas coxas, e...

– Acho que preciso tirar – disse ela, me trazendo de volta.

Mais ou menos. Na verdade não, porque...

– Tirar? O vestido? – perguntei com a voz rouca (ou talvez tenha rosnado, não dava para ter certeza). – *Agora?*

Rosie se afastou, rompendo o contato e fazendo minha mão cair ao lado do corpo.

– É, agora – respondeu.

Apertei a toalha de papel.

Ela levou o braço às costas, tentando alcançar o zíper, mas não conseguiu.

– Eu vou... – Ela esticou mais o braço. – Vou tirar o vestido e secar no secador de mãos.

O braço dela estava dobrado em um ângulo estranho.

– Acho que você pode ir, Lucas.

Sim. Não. Eu... Eu não deveria estar ali se ela ia tirar o vestido. Porque eu ia perder a cabeça. Ia pular nela, considerando o nível de desafio ao autocontrole que aquela noite estava apresentando. Eu ia querer fazer coisas com ela. Coisas como...

Esfria a cabeça, Lucas.

Engoli em seco

– Rosie?

– O quê?

– E se a gente entrar em uma das cabines, eu abrir o zíper e você tirar o vestido lá dentro? O que você acha?

Ela parou de repente. Suas costas voltaram à posição natural e seus braços caíram ao lado do corpo.

– Tá. Acho que pode ser uma boa.

– Viu? – Soltei um suspiro, aliviado, mas nem tanto. – Eu disse que estava aqui para ajudar.

Ela fez uma careta.

Fomos até a cabine mais próxima, eu abri a porta, segurei-a com o quadril e coloquei Rosie virada para a parede.

E... toda a minha tranquilidade momentânea foi por água abaixo.

Para que ela não se assustasse com meu toque. Para que eu pudesse ter dois segundos para me preparar, perguntei:

– Pronta?

– Nasci pronta – murmurou ela.

– Vou começar pelo botãozinho de cima, depois vou abaixar o zíper.

Ela soltou o ar devagar.

– Não precisa narrar o que está fazendo, Lucas. Vai logo.

Meus lábios se curvaram com aquela impaciência, mas, no instante em que meus dedos abriram aquele primeiro botão, o sorriso desapareceu.

Contraí a mandíbula com força quando comecei a abrir o zíper, deslizando-o com uma delicadeza intencional, dizendo a mim mesmo que era por causa do peso e da densidade do tecido quando, na verdade, eu estava com dificuldade de fazer meus dedos funcionarem. Respirando fundo pelo nariz, continuei descendo o zíper, e aquela pele macia e rosada foi se revelando cada vez mais. Meu sangue latejava pelo corpo inteiro.

Eu estava louco para tirar aquele vestido do caminho e sentir a pele dela, ver se seria quente ou fria sob meus dedos. Percorrer suas costas com o dorso da mão só para ver se ela estremeceria.

Ficamos ali em um silêncio carregado, o único barulho no espaço fechado era o zumbido lento dos dentes metálicos à medida que minha mão direita descia, puxando o zíper e chegando a algo que eu não estava preparado para ver.

O cós da calcinha de Rosie.

De renda. Preta.

Eu quase infartei. Meu sangue rodopiou e desceu totalmente. A lugares que fariam com que fosse bastante desconfortável explicar se alguém nos visse naquele instante.

– Lucas?

– Quê? – Eu pensei ter dito.

– Acho... – Ela fez uma pausa, a voz rouca. – Agora eu já consigo sozinha.

E, antes que eu pudesse abrir a boca para tentar responder, ela desapareceu para dentro da cabine.

Bati com a testa na porta fechada.

Puta merda.

Eu não esqueceria o cós daquela calcinha preta de renda tão cedo.

Rosie resmungou lá de dentro.

– Ah, meu Deus. Que merda.

Uma pausa.

– Estou *totalmente* molhada.

Molhada. Ela estava totalmente molhada.

Um ruído de sofrimento deixou meus lábios ao ouvir essa declaração.

– Pode me passar umas toalhas de papel? – perguntou Rosie em seguida. – Por debaixo da porta?

– Claro, *coleguinha.*

Isso aí, ela é sua colega de apartamento, lembra, Lucas?

Fui buscar as toalhas de papel e segui suas instruções.

– Aqui.

– Obrigada – disse ela, tirando-as da minha mão.

Dois segundos depois, o vestido estava pendurado na porta da cabine.

Fechei os olhos, reunindo toda a minha força de vontade para não pensar no que aquilo significava. Rosie quase nua. A calcinha de renda preta. *Molhada.*

– Lucas?

Limpei a garganta.

– Sim?

– Pode colocar o vestido embaixo do secador de mãos? Só uns minutinhos. – Um instante de silêncio. – Enquanto eu me seco.

Peguei o vestido, fui até o aparelho e segurei a peça embaixo do ar quente. A tarefa era uma distração dos meus pensamentos completamente impróprios.

– Está dando certo? – perguntou Rosie depois de alguns minutos.

Não estava. Não era tão rápido assim. O tecido estava pesado e levemente menos úmido nas minhas mãos.

– Ainda está um pouco molhado.

– Acho que vou vestir de novo. Faz bastante tempo que estamos aqui, e acho que não vai ficar melhor do que está.

Voltei até a cabine e segurei o vestido à minha frente. E, é claro, foi neste

exato instante que alguém decidiu entrar no banheiro. Mais uma super-
-heroína que eu não reconhecia. Aquilo eram... chifres em sua testa?

– Oi – cumprimentei-a com um aceno de cabeça. – Por favor, não se
incomode comigo. Estou...

E, antes que eu me desse conta do que estava acontecendo, fui puxado
para dentro da cabine em que Rosie estava e a porta se fechou atrás de nós.
Fechei os olhos.

– Por que você estava conversando com ela? – sussurrou Rosie.

– Eu só estava sendo educado, Ro – respondi, olhando para a porta e
ficando de costas para Rosie por via das dúvidas. – Minha *abuela* me ensi-
nou que boas maneiras e um sorriso podem nos levar longe. Não precisa
ficar com ciúme.

– Não estou com ciúme – respondeu ela, sarcástica. – Vestido?

Ainda de costas – porque eu não tinha esquecido o fato de que ela estava
quase pelada atrás de mim – levantei o vestido por cima do ombro.

– Aqui. Mas não vou mentir, não sei se você vai querer vestir.

Ouvi Rosie resmungar ao pegá-lo.

– Merda.

Meu impulso era virar e dizer que tudo ia ficar bem, consolá-la de alguma forma, mas eu não podia fazer isso, não devia, porque ela estava praticamente nua, e eu me esforçava para não perder o juízo.

– Pode usar minha camisa, Rosie. E meu paletó. Acho que o compri-
mento é suficiente.

– Espera. Usar só... só isso?

Não visualize, não visualize, repeti em silêncio.

Mas a imagem provocante – Rosie, com minhas roupas, as pernas nuas,
molhada – tomou forma na minha cabeça tão rápido e de maneira tão nítida que a palavra a seguir mal conseguiu sair da minha boca.

– Aham – eu disse, e limpei a garganta. – Eu não me incomodo de andar
por aí sem camisa, você sabe disso. Além do mais, eu tenho o colete.

Silêncio.

– Aceite – insisti. – Aí eu tiro você daqui e vamos pra casa.

Ela soltou um suspiro e devia estar bem perto de mim porque senti seu
hálito nas costas. Depois ela repousou a testa em mim.

– Pra casa – disse ela, com outro suspiro. – Estraguei a noite, né?

A decepção óbvia em sua voz fez algo no meu peito se contorcer.

Sem pensar em todos os motivos pelos quais eu não deveria fazer isso, virei e envolvi seu corpo seminu nos meus braços, trazendo-a até meu peito.

Sua pele estava quente e pegajosa por causa da bebida e não pude deixar de sentir seu cheiro ao fechar os olhos com mais força ainda, só por garantia.

– Sinto muito, Ro – falei, descansando o queixo no topo da cabeça dela.
– Eu faço pipoca pra você. Aquela de caramelo salgado de que você gosta. E a gente pode assistir a um filme de terror. Não estragou a noite, não.

Rosie estava com os braços presos entre mim e ela, e senti suas mãos se mexerem, repousando no meu peito. Eu quis pegá-la pelos pulsos e colocar seus braços ao redor do meu pescoço.

Quando Rosie soltou um ruído estrangulado, abafado pelo tecido da minha roupa, comecei a soltá-la, mas ela logo se agarrou ao tecido do meu colete e me manteve no lugar.

– Você é…

Ela soltou o ar, trêmula, o que me fez franzir a testa e querer abrir os olhos para ver seu rosto.

– Você é incrível, Lucas. E acho que você nem imagina o quanto.

Com os olhos ainda fechados, deixei minha mão direita descer – só alguns centímetros, com segurança – até parar no meio de suas costas. Meu polegar acariciou sua pele quente e grudenta.

– Por que você acha isso?

– Porque você está aqui, me ajudando, em vez de estar lá na festa se divertindo e… Bem, sei lá, curtindo a vida sem ter que se preocupar comigo.

O vinco na minha testa ficou ainda mais fundo.

Sem ter que me preocupar com ela?

Ela achava que eu me sentia obrigado a me preocupar? Ela realmente não via aquilo como algo natural em mim? Que eu não seria capaz de controlar nem se quisesse?

Antes que eu pudesse expressar essas perguntas, senti sua cabeça saindo debaixo do meu queixo.

– Você é tão incrível que até fechou os olhos para não me ver de calcinha – disse ela com uma voz distante que me deixou muito preocupado. – E eu nem pedi que você fizesse isso.

– Porque você não precisa pedir, Rosie.

Senti Rosie estremecer nos meus braços. Então seu corpo inteiro começou a tremer, fazendo meu cérebro entrar no piloto automático. Tentei puxá-la de volta para mim, aquecer sua pele como eu pudesse, mas Rosie resistiu.

– Você está tremendo, Rosie.

Não reconheci minha voz naquele instante. Fazia muito tempo que eu não soava tão... desesperado. Suplicante. Mas eu não estava com vergonha de nenhuma dessas emoções, então levei a mão ao peito.

– Vem cá, deixa eu esquentar você.

Mas ela ficou imóvel e em silêncio por um bom tempo.

Até que ela disse:

– Abre os olhos, Lucas.

Fiz que não na mesma hora.

– Não.

Ela me puxou pelo colete, me trazendo mais para perto. Fazendo meus batimentos acelerarem. Selvagens.

– Foi isso que eu quis dizer naquela hora – disse ela. – Quando você disse que saiu de casa para que eu pudesse me trocar. Que você não queria me ver de anágua.

Eu me lembrava, é claro que me lembrava.

– Seria tão ruim assim? Olhar pra mim?

Não gostei do tom de sua voz, como se eu a tivesse magoado. Algo que eu não conseguia suportar, porque era algo que eu não sabia como consertar.

Rosie me puxou mais uma vez, acabando com meu autocontrole: eu sentia cada pedaço do corpo dela – a curva de seus seios, a barriga – colado ao meu. Eu estava no limite.

– Quero que abra os olhos, Lucas. Preciso que faça isso.

Preciso que faça isso.

Foi aquele *preciso* que me matou. Saber que ela precisava, queria que eu fizesse algo por ela. Foi a gota d'água. Eu já não conseguiria mais bancar o amigo respeitoso.

Abri os olhos.

Meu olhar se banhou na imagem à minha frente. Rosie, só de calcinha, os cachos emoldurando seu lindo rosto, suas curvas macias me chamando. Para tocá-la – não como fiz no passado –, mas de um jeito que me permitisse aprender o formato de suas curvas. Eu queria passear as mãos lentamente por ela toda, até não haver mais nenhum centímetro que eu não conhecesse de cor.

Rosie era maravilhosa. Esplêndida. Tudo o que um homem poderia querer. E estava olhando para mim como se estivesse se preparando para me ver sair correndo, quando tudo o que eu queria era ficar.

– Rosie – falei, ao recuperar a droga do fôlego. – Se você achou que eu não queria ver isso, então entendeu tudo errado.

Seus lábios se abriram com surpresa.

Surpresa.

Balancei a cabeça e, como meu autocontrole tinha ido pelo ralo, finalmente, declaradamente, me permiti me esbaldar com aquela visão. Desci o olhar para o pescoço macio, para a curva do ombro e depois para os seios que quase escapavam do sutiã de renda preto.

Já sem qualquer gota de bom senso, também me permiti tocá-la – finalmente, finalmente, caramba! – e coloquei as mãos na cintura dela para sentir seu calor e sua maciez e movimentá-la como eu quisesse.

A respiração de Rosie saiu em um sopro, e ela segurou meus ombros.

Minhas mãos foram subindo, até meus polegares acariciarem a curva sob seus seios.

– Você achou que eu não queria te ver?

As pontas dos meus dedos a tocaram mais uma vez, o contato através da renda já me deixando louco.

– Que eu não queria tocar você assim?

Rosie reagiu arqueando as costas, chegando mais perto, e meu pau se contraiu dentro da calça.

– Não tem nada em você que eu não queira ver.

Agarrei um dos punhos dela rapidamente e trouxe até a boca.

– Você é uma visão e tanto, Rosie – falei, com meus lábios roçando sua pele. – Uma visão mesmo, uma ilusão. Tipo uma miragem. Que homem em sã consciência não ia querer olhar para você?

Os lábios de Rosie soltaram um gemido, evocando a parte primitiva de mim que eu tentava manter sob controle.

Em vão. Incapaz de raciocinar, encostei Rosie na porta fechada e baixei a cabeça, até estar com a boca bem pertinho do ouvido dela.

– Você é real?

– Eu sou real – disse Rosie, tão sem fôlego que as palavras mal saíram. – Pode me tocar se não acredita em mim.

– Tocar.

Gemi só de pensar em fazer aquilo de verdade. Não apenas roçar os dedos de leve, mas tocá-la de verdade, inteira. *Eu quero isso.* Levantei os braços de Rosie, prendendo suas mãos acima da cabeça.

– Não fale da boca pra fora, Rosie. Não faça promessas que não pode cumprir.

Ela voltou a arquear as costas, encostando os seios no meu peito.

– Quem disse que eu não posso?

Minhas mãos seguraram seus pulsos com mais firmeza e baixei a cabeça, deixando meus lábios tocarem sua pele ao dizer:

– Estou tentando ser cavalheiro, Rosie.

Enfiei o nariz em seu cabelo, farejando seu cheiro como o animal que eu era.

– Mas é muito difícil quando tudo o que eu mais quero é fazer coisas pecaminosas com você.

Seu peito arfou contra o meu antes que ela dissesse:

– Você pode ser as duas coisas. Fazer as duas coisas.

Não.

– Lembra quando eu disse que não podia ser fofo e bagunceiro? – murmurei, dando um passo à frente, pressionando-a com mais força contra a porta.

Ela assentiu, e eu soltei um "humm" do fundo da garganta.

– É a mesma coisa aqui. Se for para fazer a coisa certa, vou me afastar, vestir meu paletó em você e levar você pra casa.

Rosie puxou as mãos que eu estava segurando. Ao notar que eu não cedi, ela olhou nos meus olhos e disse:

– Não.

O desejo em seu olhar, o modo com que ela estremeceu ao pensar que eu poderia me afastar, foi isso que arrebentou o último fio e liberou algo em mim, uma sensação mais intensa, mais selvagem. Rosie tinha despertado a fera.

– Deixa as mãos aí.

Então segurei os pulsos dela com mais força acima da cabeça e engoli em seco, incapaz de me conter.

– É pecado que você quer, Rosie? – falei, descendo as mãos, abertas e preparadas. – Porque seria tão fácil...

Meus polegares acariciaram as curvas sob seus seios, então brincaram com os mamilos rijos sob a renda do sutiã antes de voltar a descer e alcançar o cós da calcinha. Brinquei com o tecido fino, meus batimentos acelerando, do mesmo jeito que os pensamentos que corriam na minha cabeça.

– Eu posso afastar isso aqui um pouquinho e te deixar maluca. Posso te comer gostoso só usando os dedos...

Rosie ofegava. De surpresa – de *desejo* – e aquele som, a imagem de Rosie com os lábios abertos com um prazer que eu ainda nem tinha dado me deixou tão excitado que eu tive que pressionar meu corpo contra o dela, bem rápido e firme, o que lhe arrancou mais um gemido.

– Ah, Rosie... – sussurrei de novo, agora agarrando o tecido de sua calcinha, segurando aquela última ponta de racionalidade. – O que um anjo como você está fazendo com alguém como eu?

Um som estrangulado deixou seus lábios, e ela sussurrou meu nome:

– Lucas...

– Rosie? – chamou uma voz familiar, interrompendo o momento. – Oi, Rosie? Você está aqui?

Soltei um palavrão baixinho, meu corpo congelando junto ao dela.

Rosie fechou os olhos, e vi a expressão desolada em seu rosto.

Uma desolação contra a qual lutei com unhas e dentes, tentando me recompor, acalmar o que quer que estivesse acontecendo dentro da minha cabeça, do meu peito e da minha cueca.

– Oi? – A voz de Lina soou mais uma vez, a angústia óbvia. – Meu Deus, eu procurei você em todos os lugares.

Rosie abriu os olhos e seu rosto se contorceu numa careta.

– Estou! Estou aqui! Oi.

Ela olhou para mim e me obriguei a dar o sorriso mais tranquilo que consegui. Então, beijei o topo de sua cabeça.

– Finalmente! – exclamou Lina, sua voz mais próxima da cabine. – O que aconteceu? Você sumiu e eu não conseguia te achar.

Os lábios de Rosie se abriram, mas nenhuma palavra saiu.

– Você viu o Lucas? – continuou Lina. – Também não sabemos onde ele está.

Percebi que Rosie estava se esforçando para responder. Para explicar como tinha ido parar dentro de uma cabine comigo. Para explicar o motivo de estar seminua e eu com aquele olhar de um homem faminto e uma protuberância empurrando meu zíper.

– Aaron foi ao banheiro masculino pra ver se encontra ele – acrescentou Lina.

Os lábios de Rosie não paravam de tremer e ficou claro qual era a dificuldade. O que eu precisava fazer.

Balançando a cabeça, movi os lábios: *Eu não estou aqui.*

Ela franziu as sobrancelhas.

– Rosie? – chamou Lina. – Tudo bem aí?

Balancei a cabeça mais uma vez.

– Tudo – respondeu Rosie, desviando o olhar. – Um cara derrubou a bebida em mim. Eu estava me limpando.

– Ah, não. Que droga. Você conseguiu ou quer que eu entre e ajude…

– Não! – gritou Rosie, com os olhos ainda fixos em um ponto à minha esquerda. – Está tudo sob controle.

O rosto dela tinha ficado cor-de-rosa, provavelmente enquanto eu a apalpava como o imbecil desesperado que eu era.

– O Lucas está esperando lá fora então? – perguntou Lina, rindo. – Ele não está escondido aí dentro com você, né?

Rosie pareceu desconcertada com o comentário, e eu entendia. De verdade. Lina tinha deixado bem claro o que pensava da possibilidade de nós dois juntos.

Balancei a cabeça para ela. Ainda que detestasse fazer isso.

– Não – respondeu Rosie com uma risada falsa. – Nós dois na mesma cabine seria loucura! E burrice.

Senti uma pontada amarga ao ouvir aquelas palavras, mas peguei o vestido no chão, onde ele foi parar quando saltei sobre ela, e a ajudei a vesti-lo em silêncio.

Só quando Rosie já estava vestida e com o zíper fechado ela voltou a olhar nos meus olhos.

Percebi que ela estava se esforçando para esconder o que sentia em relação a tudo aquilo, o que não era bom, mas, por mais que eu também não gostasse nada da situação, não tive escolha a não ser indicar, só mexendo os lábios: *Vai primeiro. Eu espero.*

Assentindo, Rosie saiu da cabine e ouvi os passos quando ela e Lina saíram. Fiquei ali sozinho com meus pensamentos, esperando por tempo suficiente para não ser flagrado.

Flagrado.

Nunca na vida eu permiti que alguém influenciasse minhas ações. Nunca permiti que o mundo, ou as opiniões das pessoas, ditasse como eu vivo. Que ditasse de quem eu ficava amigo, com quem saía ou com quem transava. E não estava nem aí com o que Lina pensaria sobre nós dois.

Mas eu me importava com Rosie.

Em ter a sua confiança e a sua amizade. Eu queria fazer a coisa certa com ela. Queria que ela tivesse tudo o que merecia. Porque ela merecia *tudo*, por mais que esse tudo não fosse eu.

Porque você vai embora, lembrei a mim mesmo.

É, por isso também.

DEZENOVE

Rosie

Uma semana após o Baile de Máscaras, duas coisas ficaram claras.

A primeira: o que aconteceu naquela cabine no banheiro do baile não mudou nada entre nós, por mais que eu achasse que mudaria.

Os sorrisos de Lucas não diminuíram em tamanho ou quantidade. Nossa rotina seguia a mesma: ele cozinhava todas as noites, e eu ficava assistindo do meu posto na ilha da cozinha. Depois do jantar, maratonávamos nossa série e, quando íamos para a cama – e para o sofá –, ele perguntava quantas palavras eu tinha escrito, e eu perguntava sobre o dia dele.

As respostas de Lucas geralmente incluíam alguma coisa engraçada ou estranha que ele tinha vivido naquele dia, e a minha trazia uma contagem de palavras decente.

Até que enfim.

Porque eu estava escrevendo. Nosso experimento, nossa pesquisa, ainda que teoricamente incompleta, já estava dando resultado. Para o bem ou para o mal, eu começava a perceber que Lucas talvez fosse o mais próximo que eu já cheguei de ter uma *musa*. E isso era… empolgante e assustador.

Nós éramos amigos. Morávamos juntos. Tínhamos encontros que não eram de verdade, que não tinham o objetivo de fazer um relacionamento avançar. Compartilhamos momentos quentes, íntimos e apressados em cabines de banheiro e fomos em frente como se aquilo não tivesse passado de um sonho.

O que me levava à segunda coisa que eu tinha percebido: aquele era um jogo perigoso. Porque, por mais que estivesse me ajudando, o fato de a estadia de Lucas em Nova York – na minha vida – ter data de validade ocupava cada vez mais espaço na minha mente. Eu estava começando a ficar desesperada para me agarrar a cada pedacinho dele que eu pudesse antes que ele fosse embora. Não para a Rosie das noites de Encontro Experimental, mas para a Rosie da vida real.

E eu parecia disposta a ignorar as consequências. O preço. A ignorar que ainda sentia as mãos dele na minha pele, ou fingir que não me lembrava de cada palavra que ele tinha sussurrado no meu ouvido. De qualquer forma, tínhamos feito um pacto. Juramos não deixar que o experimento mudasse as coisas entre nós, afetasse nossa amizade. Ele jurou que não se apaixonaria por mim, caramba. E provavelmente foi por isso que nada mudou para ele depois da noite do Baile de Máscaras.

– Terminou, Rosie?

Era Sally, a barista do meu café favorito em Manhattan, me trazendo de volta à realidade. Ela equilibrava uma bandeja no quadril.

– Posso levar sua caneca?

– Pode, sim, obrigada.

Entreguei a caneca e o prato vazios para ela.

– Aliás, incríveis esses novos rolinhos de canela. Acho que vou levar uns pra casa.

Porque o Lucas ia amar.

– Quer mais um agora? Pelo visto você está trabalhando, né? – disse Sally, apontando para o notebook em cima da mesa. – É sempre bom um pouco mais de combustível.

– Não, obrigada. Acho que vou terminar aqui e ir pra casa logo.

Assentindo, ela colocou tudo na bandeja e voltou para o balcão.

Enquanto eu salvava o arquivo de segurança, um homem perto do balcão chamou minha atenção. Estava com um smoking preto elegante e batia o pé no chão. Ele se destacava na atmosfera casual do café.

Como acontecia de vez em quando, minha cabeça começou a imaginar cenários possíveis que o teriam levado até ali. Talvez ele estivesse a caminho de um evento de gala, o que não era exatamente raro em Manhattan. Ou talvez estivesse voltando de um e precisasse de cafeína. Ou quem sabe tivesse saído escondido de um evento e o que eu julgava ser impaciência na verdade era ele tentando lutar contra o desejo de fugir antes que fosse pego. Talvez ele fosse um... noivo em fuga.

Noivo em fuga deixa noiva no altar e se apaixona por barista assim que entra no café. Ou pela chef. Ou pela cliente em quem derrama todo o seu café na pressa de fugir.

Eu estava sorrindo para mim mesma, pensando que adoraria ler esse romance quando ele se virou e seu olhar encontrou o meu.

Ele arregalou os olhos ao me reconhecer.

O noivo em fuga era Aiden Castillo, o empreiteiro.

Ele acenou com a mão, hesitante, e eu retribuí com um movimento de cabeça. Então ele pegou seu pedido e veio até mim. Quando nos conhecemos, eu não havia percebido o quanto Aiden Castillo era bonito.

– Você está ótimo, Sr. Castillo – falei distraída quando ele chegou à minha mesa.

Ele franziu a testa, e eu balancei a cabeça.

– O que é um jeito estranho de dizer: Oi, tudo bem?

– Oi, tudo bem, sim. E obrigado pelo elogio – disse ele, rindo, e então, falando mais baixo como se estivesse me contando um segredo: – Mas, para falar a verdade… odeio usar smoking e depois do dia que tive não vejo a hora de tirar essa coisa.

Por mais curiosa que eu estivesse, o que tinha acontecido no dia dele não era da minha conta.

– Ah, que pena.

Uma risadinha alta veio da mesa que ficava próxima à janela e com uma olhada rápida percebi que a fonte era um grupinho de adolescentes.

– Não olha agora – falei –, mas acho que talvez você tenha um fã-clube ali. E elas ficariam muito decepcionadas se ouvissem o que acabou de dizer.

A expressão do Sr. Castillo se encheu de bom humor.

– Bom, não quero decepcionar, então é melhor que isso fique entre a gente.

Ele era um homem gentil, pensei.

E, por algum motivo, tive um flashback: eu chorando encostada ao peito do Lucas.

– Sobre aquele dia no meu apartamento, talvez eu deva pedir desculpas pelo quanto deve ter sido… constrangedora aquela visita para você. Então, já que estamos aqui, eu queria, sabe, me desculpar.

– Imagina, não precisa pedir desculpas – disse ele, levantando uma das mãos. – Não dá pra negar que meu cunhado é um babaca.

– Ah, então o Sr. Allen é seu cunhado?

Ele assentiu e soltou um suspiro.

– Feliz ou infelizmente – respondeu ele, parecendo pensar por um instante. – Aliás, ele já te ligou para contar a novidade?

Franzi a testa. *Novidade?*

– Tá, estou vendo que não ligou. – Ele balançou a cabeça. – Eu sigo uma regra de não falar de trabalho aos domingos, mas acho que posso abrir uma exceção. Seu apartamento vai ficar pronto logo. Provavelmente na sexta-feira.

Sexta-feira.

Isso seria... em cinco dias. Menos de uma semana.

Ele sorriu, e naquele momento pensei no sorrisinho torto de Lucas. E em como o sorriso do Sr. Castillo não me fazia sentir... nada.

– Ah – falei com um suspiro, a decepção se instalando no meu estômago. *Decepção.*

Porque isso significava que eu não moraria mais com Lucas. E logo nosso experimento de quatro encontros chegaria ao fim, porque já estávamos no terceiro encontro de quatro se contássemos o dia do Baile de Máscaras. O que provavelmente era o caso, afinal, onde mais aquela noite se encaixaria?

E depois que a pesquisa acabasse, se não morássemos juntos, eu não passaria mais tempo com Lucas.

Não ia mais ter Lucas.

Porque depois disso ele também iria embora de Nova York.

Dando um suspiro profundo e trêmulo, percebi que o Sr. Castillo estava franzindo a testa.

– Isso é ótimo, muito bom – falei ao me recompor. – Muito bom mesmo. Obrigada.

Ele inclinou a cabeça.

Eu balancei a minha, me repreendendo por ser tão boba. Eu deveria estar feliz. Era uma notícia boa.

– Desculpa, eu estou...

Por que minha garganta estava seca?

– Estou cansada e por isso não estou conseguindo demonstrar direito, mas estou muito feliz. Obrigada por me avisar, Sr. Castillo.

Isso de algum modo pareceu tranquilizá-lo, porque ele levantou uma das mãos e, com um novo sorriso, disse:

– Pode me chamar de Aiden mesmo.

– Claro, pode me chamar de Rosie também – respondi, me esforçando para sorrir.

– Ótimo.

Aiden assentiu devagar, como se tivesse acabado de tomar uma decisão.

– Sabe, na verdade estou feliz por ter encontrado com você. Eu estava pensando, agora que a gente...

A porta se abriu atrás do Sr. Castillo, e sua voz desapareceu no plano de fundo quando vi o homem que tinha acabado de entrar no café.

Meu coração deu uma cambalhota e fui preenchida por uma sensação deliciosa de surpresa, apesar de eu ter avisado a ele que estaria trabalhando ali.

Lucas me viu imediatamente. Ele usava o boné azul escrito *I* ♥ *NYC* e exibia no rosto aquele sorriso largo que eu queria que fosse só para mim. Para *mim*, Rosie. Não a Rosie colega de apartamento ou amiga.

Ele veio caminhando até mim, o olhar fixo no meu, avançando rápido como as batidas do meu coração. Era um homem com uma missão.

Ele parou ao lado de Aiden, os olhos ainda fixos em mim, e disse:

– Olá, *hermosa*.

– Oi – respondi, meio trêmula diante daquele *hermosa*.

Ergui os olhos. Eu sabia o significado e talvez fosse uma das minhas palavras favoritas agora que ele usava sempre que me encontrava.

Hermosa. Bela. Linda. Maravilhosa.

Aiden deu uma tossidinha, me lembrando que ainda estava ali. E, a julgar por sua expressão, ele estava esperando... alguma coisa?

– Então, o que acha, Rosie? – perguntou ele, olhando para mim com a testa levemente franzida. – Conheço um lugar ótimo que não fica muito longe daqui.

Olhei surpresa para Aiden. Droga. Eu não fazia a menor ideia do que ele tinha me perguntado. Eu tinha me distraído, perdida com a chegada de Lucas. Com aquele *hermosa*. Com ele.

O sorriso de Aiden vacilou e foi diminuindo aos poucos.

– Eu estava dizendo que, se você tiver terminado, a gente podia sair e comer alguma coisa.

Aiden fez uma pausa, e vi seu olhar indo para cima, provavelmente acompanhando o movimento das minhas sobrancelhas que se ergueram em choque. *Ele estava... me chamando para sair?*

Ele coçou a nuca.

– Eu falei que, se você não se importasse com o smoking ou com o meu fã-clube, eu podia te levar lá. Eu tinha achado que...

Aiden soltou uma risada estranha, e tenho quase certeza que ficou corado.

– Mas acho que talvez eu tenha entendido errado.

Tá, ele estava *mesmo* me chamando para sair.

Meu rosto ardia.

E Lucas continuava bem ali, sem dizer nada. Só... observando. Em silêncio. Provavelmente constrangido e pensando na piada que faria mais tarde.

– Eu... – Hesitei para responder. – Não, você entendeu certo, sim, Sr. Castillo. O smoking é lindo. O senhor está muito bonito.

Foi então que, por algum motivo, resolvi olhar para Lucas. E não deixei de notar que ele parecia tenso. Percebi que ele olhou para baixo. Uma olhada rápida, como se quisesse se certificar de alguma coisa. Foi só então que notei a sacola na mão de Lucas. Reconheci o logo na lateral na hora.

Voltei a olhar para Aiden, que, como se estivesse esperando que eu voltasse minha atenção para ele, disse:

– Pode me chamar de Aiden, lembra?

De esguelha, vi Lucas segurar a sacola com mais força. Quando o encarei diretamente, vi sua expressão neutra e seu sorriso forçado.

– Lucas – falei, odiando como seus lábios se contraíam em algo que não era o sorriso *dele*. – Você se lembra do Aiden? O empreiteiro lá do meu prédio?

Lucas assentiu.

– Lembro, sim.

Aiden retribuiu.

– Bom te ver de novo, Lucas. Você e a Rosie são...

Ele hesitou.

Meu coração quase parou, embora eu não tivesse motivo nenhum para ficar ansiosa pela resposta.

Depois do que pareceram os cinco segundos mais longos da minha vida, Lucas respondeu:

– Somos amigos.

E eu estaria mentindo se dissesse que aquilo não doeu um pouquinho. Porque doeu. Por mais que fosse a verdade.

– Certo, ótimo.

Juntei as mãos, afastando aquele sentimento indesejado.

– Todos se lembram de todos, ótimo. Muito bom.

Meus olhos saltaram de um homem para o outro, finalmente se fixando em Aiden, a quem eu ainda devia uma resposta.

Amigos.

Lucas e eu éramos amigos.

Então eu podia aceitar o convite de Aiden. Eu podia ir nesse encontro. Não seria mais do que isso, um jantar, mas eu podia. Talvez eu devesse. O problema é que cada célula do meu corpo me dizia que havia comida para dois naquela sacola na mão de Lucas. Que ele já tinha feito planos para o nosso jantar, como fazíamos todos os dias. E, por mais que isso provavelmente não significasse nada para ele, nada além de um jantar corriqueiro com sua colega de apartamento, sua amiga, para mim significava. Tanto que percebi o quanto eu queria que fosse Lucas me chamando para sair. Me levando para um encontro. Um que fosse de verdade.

Mas Lucas não tinha encontros de verdade. Não mais. Não agora. Ele tinha sido claro quanto a isso.

– Obrigada pelo convite, Aiden – respondi, com um sorriso educado. – Mas acho que vou para casa.

Eu estava ocupada avaliando a reação de Aiden, porque decepcionar as pessoas me deixava ansiosa e porque eu gostava dele e estava com medo de tê-lo deixado constrangido.

– Comigo – disse Lucas.

Meu coração bateu asas dentro do peito.

– Ela vai pra casa comigo.

Ele não falou alto, não usou um tom de desafio. Ele nem sequer colocou emoção nas palavras, o que era raro para ele. Ainda assim, aquele "comigo" tinha sido tão poderoso, tão significativo para mim que eu sabia que ficaria gravado na memória por um bom tempo.

Porque ele tinha falado como se eu fosse dele.

– Isso.

Senti necessidade de explicar. Para Aiden? Para mim mesma? Eu não sabia.

– Estamos morando juntos até meu apartamento ficar pronto.

A ficha de Aiden pareceu cair.

– Ah, sim, faz sentido. Tudo bem, então acho que o Ed… o Sr. Allen vai ligar para você ainda essa semana para falar sobre os detalhes da sua volta.

Aiden me deu um último sorriso.

– Boa noite, Rosie. – Ele se virou para a esquerda. – Lucas.

E com isso Aiden saiu do café.

Quando finalmente olhei para Lucas, encontrei seus olhos fixos em mim. Sua expressão continuava a mesma. Distante.

– Da sua volta?

– Ah – falei, juntando minhas coisas e jogando na bolsa do notebook. – Aiden disse que talvez eu possa voltar pra casa na sexta.

Ouvindo o quanto minha voz soou sombria, soltei um:

– Uhul!

Lucas hesitou por um instante, mas logo um sorriso genuíno – não aquilo que estava em seus lábios até então – tomou conta de seu rosto.

– Ah, isso é incrível, Ro.

Ele colocou as mãos no meu ombro, me fez virar de frente para ele e me abraçou. E eu... derreti, como a boba indefesa de sempre em matéria de Lucas.

– É uma ótima notícia.

Pelo menos alguém achava, né?

Quando ele me soltou, dei um passo para trás, desajeitada, e me atrapalhei com a jaqueta, tentando esconder a expressão atordoada.

– A gente devia comemorar – sugeriu Lucas.

Fiz que sim com um entusiasmo fingido.

– Ainda bem que comprei Frango Karaage. Pra dois. Na verdade, provavelmente pra quatro.

Ele levantou a sacola, e senti um aperto no peito porque eu estava certa. Lucas tinha comprado comida para mim também. É claro que tinha.

– Podemos abrir um vinho também.

– Parece ótimo – respondi com meu sorriso sem graça.

Lucas pegou a bolsa do meu notebook e a pendurou cruzada no peito.

– Então vamos pra casa – Ele deu um passinho para trás, me deixando ir na frente. – Você primeiro, *hermosa*.

Dei uma tropeçadinha ao ouvir de novo aquela palavra, mas segui em frente.

Então vamos pra casa.

Casa. Com Lucas.

Mas por pouco tempo.

VINTE

Lucas

Ciúme. Isso era novidade.

Bem diferente das reações rápidas e impensadas que eu tinha sentido no passado. Ah, não. Era mais intensa do que rápida, e com certeza não era impensada. Era a experiência completa. Sangue fervendo, nó nas entranhas, vontade de rosnar.

Eu quis dizer alguma coisa no café. Quis demarcar meu território e dizer *minha*, como um neandertal. Um animal.

Do mesmo jeito que eu tinha agido na festa de Halloween.

Mas, em tese, eu não deveria pensar nisso.

Eu havia me esforçado ao máximo nos últimos dias e fracassado. Tentei fingir que não lembrava do que tinha rolado na cabine sempre que Rosie mordia o lábio, perdida em pensamentos, ou quando ela se aproximava e eu sentia seu cheiro, ou quando nossas mãos se tocavam ao pegar a pipoca de caramelo salgado que eu fazia para ela.

Às vezes, eu arranjava desculpa só pra conseguir tocar nela. Dizia que tinha alguma coisa em seu cabelo. Ou que eu achava que tinha alguma coisa presa em sua roupa. Às vezes, eu estendia a mão e não conseguia inventar uma desculpa a tempo, então eu só sorria como um idiota e torcia para me safar ileso.

E aqui estava eu, com ciúme. Como se eu tivesse algum direito de reivindicar propriedade sobre Rosie depois de uns encontros experimentais e de sussurrar umas safadezas no ouvido dela.

Como eu ousava dizer que ela era minha depois disso?

Ela merecia caras de smoking que a levassem a lugares chiques de

Manhattan. E eu... eu nem tinha smoking. Eu não tinha sequer uma camisa de botão ou um blazer, pelo amor de Deus.

Chegava a ser engraçado, sério.

Não é de se admirar que Lina tenha enlouquecido só de pensar em nós dois virando um... alguma coisa, qualquer coisa.

– Lucas?

A voz de Rosie chamou minha atenção quando saímos da estação de metrô mais próxima do nosso apartamento. *Nosso apartamento*, que nem era nosso e que não dividiríamos por muito tempo.

Soltei um suspiro.

– O que foi, Ro?

– Eu estava pensando – disse ela, tão devagar que me fez olhar para ela. – Na verdade, não faz muito tempo que estou pensando nisso, mas eu estava me perguntando, sabe, agora que estou escrevendo e que nosso experimento está funcionando, se ele ainda faz sentido.

Meus dedos seguraram a sacola com mais firmeza.

– Como assim?

– Bom, você já me ajudou tanto, sabe? Acho que talvez eu já tenha tudo sob controle. As ideias estão vindo, devagar, mas já não me sinto mais tão sem horizonte como se estivesse em um nevoeiro. E eu sei que a gente disse que não ia deixar que isso criasse nenhum climão entre nós, mas eu...

Ela suspirou.

– Eu... não sei, Lucas, foi um pouco estranho hoje no café e eu só...

Ela parou de falar. Olhava para todos os lugares, menos para mim, e eu não gostava disso. Nem um pouco. Porque queria seus olhos em mim, principalmente quando o assunto era importante.

Parei na calçada e esperei que ela olhasse nos meus olhos.

– Você quer sair com ele? Com o Aiden? – perguntei, mantendo o tom de voz o mais suave possível.

Porque, se fosse esse o motivo, eu queria ouvir. Eu *precisava* ouvir.

– Você quer um encontro de verdade?

Eu quis retirar as palavras *de verdade*, porque o que quer que tivesse acontecido entre nós, naqueles encontros experimentais ou mesmo no Baile de Máscaras, não foi fingido, forçado ou *de mentira*. Mas falei mesmo assim, porque, se ela queria encontros de verdade com outros homens, quem era eu para impedir?

Mas Rosie não pareceu se importar com o uso da palavra, e eu estaria mentindo se dissesse que isso não doeu.

– Talvez eu queira. Não com o Aiden, mas talvez eu queira encontros de verdade, sim.

É claro que ela queria.

Foi tipo um soco no estômago.

Será que eu podia dar isso a ela? Não, porque eu estava prestes a ir embora. Eu queria dar a ela coisas que eu não tinha.

Alguma coisa deve ter mudado na minha expressão, porque ela pareceu confusa.

– Os três encontros experimentais que a gente teve foram melhores do que eu poderia imaginar.

– Dois encontros – rebati, colocando a mão em suas costas com delicadeza para que voltássemos a andar. – A gente só teve dois encontros, Ro.

– Achei que o Baile das Máscaras contasse.

Tirei o braço, arrumando a alça da bolsa do notebook no ombro para não fazer nada idiota. Ou inconsequente.

– Por quê? Não fui eu que planejei. Na verdade, eu não fiz nada.

Fase três. Paixão. Intimidade. Sedução. Eu me lembrava perfeitamente dos três pontos. Andava pensando muito neles.

– Fez, sim – disse ela, voltando a olhar para a calçada à nossa frente. – Na fase três, a conexão física assume o comando. A paixão fica tangível, se torna uma coisa viva entre os dois... indivíduos. Na fase três, as barreiras se rompem, a gente se solta. Vemos se a pessoa se aproxima o bastante para que as coisas avancem. Para que evoluam para a intimidade física.

– Entendo.

Eu não só *entendia*; eu *sentia* a cada batida do coração, vibrando por todo o meu corpo.

Rosie deu uma risadinha suave e um pouco constrangida.

– Acho que nunca fui seduzida direito.

A minha vontade era uivar para a lua feito um doido. Qual era o meu problema?

Ela continuou:

– Tipo, é claro que todos os homens com quem saí disseram ou fizeram coisas para conseguir me levar para a cama. Com sucesso, devo acrescentar.

Isso não ajudava em nada a acalmar a fera. Segurei a sacola com tanta força que as juntas dos meus dedos ficaram brancas.

– Mas nunca como, tipo, você sabe. O que aconteceu.

O que aconteceu.

Antes que eu me desse conta do que estava fazendo, parei de novo.

– Rosie…

– Não quero que as coisas fiquem estranhas entre a gente – disse ela, parando um passo à frente. – Eu tenho certeza que foi um lapso, sei lá. – Seu rosto ficou corado. – Assim, eu literalmente tive que te obrigar a me olhar. Só que ainda conta. Pesquisa é pesquisa.

Era isso que ela achava que tinha acontecido?

– Me obrigar? – falei de repente, dando um passo em sua direção. – Você acha que *me obrigou* a te olhar? Em nome da pesquisa?

– Você não tem que explicar nada. E eu também não deveria ter dito com essas palavras.

A descrença virou frustração. Senti meus dentes rangerem. Como ela podia achar que eu…

– Rosie.

Fiz questão de chegar o mais perto possível sem tocá-la porque, se eu fizesse isso, sabia que seria fim de jogo para mim.

– Se nós não fôssemos amigos – falei, e minha voz saiu rouca –, bons amigos, como somos, melhores amigos…

Vi Rosie fechar os olhos.

– Eu levaria você até um canto escuro e arrancaria sua roupa com os dentes sem me preocupar em ter um motivo. Pra ver você inteira, pra ter você só pra mim.

Ela abriu a boca e, quando umedeceu os lábios com a ponta da língua, foi quase fisicamente impossível me conter. Meu Deus, eu queria tocar, lamber, beijar aquela mulher por inteiro.

Dei um passo atrás em um movimento rápido. Então me aproximei de novo e, como se tivesse sido compelido, segurei a mão dela.

– Pode contar a festa de Halloween como um encontro experimental se quiser – falei, trazendo-a mais para perto. – Mas combinamos que seriam quatro. Quatro encontros.

Senti Rosie apertar a minha mão.

– Então eu já planejei o próximo e queria pedir para você não marcar nada na quinta.

Lembrei da notícia *maravilhosa* de Aiden Castillo.

– Ou, se você quiser arrumar suas coisas na quinta, posso ajudar e podemos adiar. Acho…

– Não – disse ela, com um tom que me fez parar e olhar para ela. – Quinta está ótimo. Está marcado.

Assentindo, me obriguei a desviar o olhar e mordi os lábios antes que eu dissesse alguma coisa idiota, como apontar o fato de nenhum de nós ter chamado aquele quarto encontro de experimental.

Alguns minutos depois, estávamos subindo a escada até o apartamento, a mão de Rosie na minha, quando ela me chamou:

– Lucas?

– Oi?

– Espero… espero que isso te faça feliz.

Franzi a testa, sem entender. Mas, no instante em que entramos no corredor e vi a porta do apartamento escancarada, meu queixo caiu.

Ouvi gritos vindos lá de dentro, então uma bola de pelos preta correu na minha direção.

– *Pero qué cojones…*

Eu caí de bunda no chão frio quando uma bola de calor e energia aterrissou no meu peito.

– *¡Te dije que lo sujetaras!* – Veio uma voz do apartamento.

Olhei para baixo e reconheci aquela bola de pelos que agora se enroscava em mim. Foi como ser atingido por um trem de carga.

– Taco – falei, ouvindo a emoção cada vez mais forte na minha voz. – *Taco, chico. ¿Qué haces aquí?*

Meu pastor belga pulou dos meus braços e fez um círculo ao meu redor antes de voltar para o meu colo e dar um beijo molhado no meu rosto.

Tentei dizer alguma coisa, mas as palavras tinham sido arrancadas de mim. Eu só sentia felicidade por ver meu cachorro, por tê-lo ali comigo.

Dando um beijo em seu pelo, soltei Taco e dei uma risada estranha.

– Não acredito que você está aqui, cara.

Acariciei a lateral de seu corpo. Ele choramingou.

– Também senti sua falta, *chico*.

Meu Deus, como senti. Muita falta.

Aos poucos, comecei a registrar as outras coisas ao meu redor e não fiquei surpreso quando a primeira que meus olhos encontraram foi Rosie. Ela estava à minha direita, com os olhos cheios de lágrimas apesar do sorriso iluminado no rosto lindo.

– O Taco está aqui – falei, como se ela não tivesse visto.

Ela assentiu, o sorriso ficando ainda maior.

Seus olhos saltaram para minha perna ruim, esticada no chão à minha frente.

– Estou bem – sussurrei, antes que ela perguntasse. – Mais do que bem.

– *Hermanito* – chamou uma voz que eu não esperava ouvir. – *Este perro es incontrolable.*

– Charo?

Charo também estava ali, apoiada no batente da porta. E duas cabeças apareceram atrás dela.

– Surpresa! – gritou Lina, com Aaron logo atrás. – Tá, nós não somos uma surpresa. A Charo e o Taco são. Só viemos pela diversão e pelas risadas. E também para pedir a guarda compartilhada do Taco? Por favor? Talvez não hoje, mas amanhã?

– Mas... Como?

O cabelo vermelho flamejante de Charo balançou quando ela deu de ombros.

– Eu estava a fim de uma aventura, e sabe a *tía* Tere? Bom, a prima da melhor amiga dela é comissária de bordo e...

– Charo – disse Lina, interrompendo. – *No te enrolles.*

Minha irmã suspirou.

– *Ay*, enfim. Viemos te ver. Principalmente o Taco, que vai ficar. Eu só vou passar alguns dias com a Lina e o Aaron e depois vou para Boston, onde minha amiga Alicia está morando desde o ano passado depois que...

Lina cutucou minha irmã, fazendo-a parar de tagarelar mais uma vez.

Taco, que já tinha se acalmado, estava enroscado nas minhas pernas. Quando ele roçou o focinho em uma delas, minha mão foi até sua cabeça em um gesto automático para um carinho entre as orelhas.

– Como você conseguiu trazer ele no avião? Como...

– Bom... – Charo me interrompeu com um sorriso maligno. – Curioso você perguntar isso.

Quando me viu de testa franzida, Lina disse:

– A gente garantiu que ele viesse seguro e confortável.

Balançando a cabeça, eu estava prestes a agradecer e dizer que aquele gesto era muito importante para mim, quando Charo falou:

– Foi a Rosie que cuidou de tudo.

Virei a cabeça na direção dela, que estava de olhos arregalados.

– Foi ela quem fez todas as pesquisas pra que a gente trouxesse o Taco na cabine. Ela até cuidou de grande parte da documentação, pagou a passagem dele. Na verdade, nossa vinda foi ideia dela.

Rosie corou ao murmurar:

– Isso era para ser segredo, lembra, Charo?

– *Ay, mujer* – disse Charo, rindo. – Você é da família, não tem isso de segredo quando se é da família.

Você é da família.

Senti meu peito se expandir com essa possibilidade.

– Você fez isso, Ro? – perguntei com a voz rouca. – Por mim?

Rosie deu de ombros.

– A Lina disse que o Taco é treinado pra apoio emocional, e a Charo...

– Deu tudo certo – disse minha irmã, interrompendo. – Não precisa entrar em detalhes.

Engoli em seco, meu cérebro tentando encaixar as peças.

Percebi que Charo interrompeu Rosie para que ela não continuasse falando, mas não consegui pensar em nada além do que significava ter o Taco aqui. Rosie tinha feito isso. Por mim. Para *me* fazer feliz.

Eu queria me jogar aos pés dela. Nunca ninguém tinha feito algo tão carinhoso por mim. Algo tão íntimo, algo pensado para proporcionar alegria apenas para mim.

Eu queria abraçá-la e agradecer, queria venerá-la, queria que ela soubesse o quanto eu estava grato. Puta merda. Eu queria ela. Mais do que nunca.

Taco latiu, me distraindo daqueles pensamentos bem perigosos. Rosie deu um passo à frente, hesitante, a mão estendida.

– Posso?

– Claro, ele não morde – respondi e, quando ela se aproximou, acrescentei baixinho, só para ela ouvir: – Já eu morderia você todinha.

Rosie riu, como se eu estivesse brincando. Eu não estava. Começaria pela boca.

Então, ela disse bem baixinho:

– Quero que ele goste de mim.

– Rosie – falei, vendo o grupo reunido ao nosso redor. – O Taco vai…

Ele pulou em Rosie, derrubando-a no chão.

– … amar você.

Taco já estava beijando o rosto dela inteiro. Rosie ria como se fosse a melhor coisa que já tinha acontecido em sua vida.

– O Taco vai amar você.

Uma pontada da emoção que eu tinha sentido mais cedo voltou e não consegui acreditar. Eu não teria acreditado se não sentisse em meu âmago.

Mas, olhando para Taco e Rosie, era impossível negar que eu estava com ciúmes de Taco por ele estar nos braços dela, livre para beijar seu rosto inteiro.

Ah, ciúme, meu velho amigo.

VINTE E UM

Rosie

Alguma coisa em Lucas estava diferente.

Não era só a camisa social e o terno.

E não era o fato de ele ter arrumado o cabelo de um jeito que me fez querer passar a mão para ver se estava tão sedoso e macio como parecia.

Era alguma coisa no jeito como ele sorria, se movimentava ou até respirava perto de mim. Como ele sussurrou no meu ouvido dizendo que eu estava linda. Ou como colocou a mão nas minhas costas quando entramos no Zarato, o restaurante de Alexia. A intensidade que eu havia sentido nele durante a última semana estava de volta, mas dessa vez... dessa vez parecia mais. Maior, mais poderosa, como uma força independente e inescapável.

Como a gravidade.

Olhei ao nosso redor, observando todos os detalhes do restaurante, e fiquei maravilhada. Era como se estivéssemos em uma bolha, um sonho onde não éramos apenas amigos, ou colegas de apartamento, onde o propósito da noite não era me ajudar a escrever e onde a presença de Lucas na minha vida não tinha data de validade. Um sonho onde éramos reais, permanentes.

Com um suspiro, me obriguei a voltar à realidade. As paredes daquela bolha eram finas.

Mas não vão estourar, falei para mim mesma. *Não ainda. Porque eu ainda tenho esta noite.*

Era a primeira vez que eu jantava em um restaurante como aquele, então eu queria aproveitar a experiência e a companhia do homem maravilhoso sentado ao meu lado.

A atmosfera era refinada, mas descontraída, e nós estávamos no balcão do bar, de ferro forjado preto e em formato de ferradura. O melhor lugar da casa segundo Alexia, que nos recebeu quando chegamos.

Lucas acariciou a pele entre meus ombros nus, e o toque causou um arrepio delicioso nos meus braços, validando minha escolha de usar um vestido frente única apesar da queda de temperatura e das nuvens escuras e pesadas que pairavam sobre Nova York.

– Você parece feliz – comentou Lucas, com a voz rouca e profunda que vinha usando a noite toda. – Está gostando de tudo?

– Estou feliz.

Sorri para ele, e quando seus olhos saltaram para minha boca seu olhar ficou mais intenso.

– Está tudo maravilhoso. Obrigada por me trazer aqui – falei, agitada e meio sem fôlego.

– Eu não queria mais ninguém comigo aqui hoje, Rosie.

Meu coração disparou com essas palavras, querendo mais. E, embora aquela fosse a pergunta mais idiota que eu poderia fazer, me vi precisando deixar a situação mais leve:

– Nem o Taco?

– Não.

Lucas balançou a cabeça como se eu tivesse falado algo sério. Então, chegou mais perto até nossos narizes quase se tocarem.

– Você é a única pessoa que eu queria aqui, compartilhando esse jantar comigo e tão perto que está sendo muito difícil manter as mãos longe de você.

E eu... *Tá.*

Eu dou conta disso, falei para mim mesma. A vibração no meu peito estava sob controle e sua reverberação para outras partes interessantes do corpo era totalmente imperceptível.

Eu só precisava falar alguma coisa. Qualquer coisa. Manter a conversa fluindo.

– Acho... acho que a fusão entre a culinária japonesa e a argentina é minha nova paixão.

Lucas riu e se afastou alguns centímetros.

– Alexia e Akane fizeram um trabalho incrível com esse menu degustação. Acho que não consigo escolher um prato favorito.

Descobrimos que a inspiração para a proposta do Zarato tinha surgido depois que Alexia se apaixonou por Akane, sua *sous chef*, com quem acabou se casando. E foi isso que elevou a reputação e o status do lugar, segundo Alexia nos contou durante o tour rápido pelo restaurante e pela cozinha. Um tour que fez os olhos de Lucas brilharem com um interesse que só o vi demonstrar ao cozinhar. Ele ficou tão envolvido que nem notou que eu o observava, gravando tudo sobre ele na memória.

Os dedos de Lucas deslizaram pela alça fina do meu vestido, evaporando todos os meus pensamentos.

– Qual foi o seu favorito? – perguntou ele, bem baixo. – De qual você mais gostou?

E fiquei tentada a responder *Você, você é meu favorito. Você é o que eu mais gostei.*

– Eu amei tudo.

– Eu sei que você tem um favorito – disse ele, com um sorriso de quem sabe tudo. – E acho que consigo adivinhar, mas quero ouvir de você.

Eu tinha mesmo. *Ele já me conhece tão bem.*

– O *mochi*.

Ele soltou um "humm", e seu polegar percorreu minha espinha, parando na minha lombar.

– Eu soube na hora em que você deu a primeira mordida. Foi o recheio de *dulce de leche*, né?

Assenti e suspirei ao ouvir aquelas palavras em espanhol. Eu nunca ia superar Lucas falando sua língua materna.

– O que foi isso? – perguntou ele, uma nova faísca de interesse em seu olhar. – Isso que você fez.

Droga, como ele era bom observador.

Engoli em seco.

– Não foi nada, eu estava pensando no *mochi*.

– Foi alguma coisa, sim. Você soltou um suspiro de leve.

Para minha completa surpresa, nesse momento ele levou o polegar que estava acariciando minhas costas até meu rosto e tocou a pele da minha bochecha que estava em chamas.

– E ainda tem isso. Esse rosado lindo. O que está causando isso, Rosie? – perguntou ele, e então, com a voz mais baixa: – O que está te deixando com calor?

Suas palavras ecoaram nos meus ouvidos, alcançando um ponto bem no meio das minhas coxas. Segundos se passaram e nada de resposta. Para falar a verdade, eu achava que não seria capaz de responder.

– Ei.

Lucas tocou em uma mecha do meu cabelo que havia se soltado da trança improvisada. E só quando meus lábios se abriram ele colocou a mecha atrás da minha orelha com uma delicadeza que me deixou sem fôlego.

– Não fique sem graça, Rosie. Sou eu.

E não era esse o problema? Eu não era tão transparente e me sentia tão abalada porque era ele quem estava ali comigo?

Depois de um instante, finalmente admiti.

– Foi a sua mão nas minhas costas. As palavras em espanhol também. Tudo isso me deixou... distraída. Principalmente as palavras.

O interesse em seu olhar se aguçou.

– O que exatamente te deixou tão distraída?

Falei a verdade. O que eu tinha a perder àquela altura?

– O *dulce de leche* – respondi, certa de que estava assassinando a pronúncia. – Só achei... sexy quando você falou.

Lucas piscou, uma única piscada lenta, então seus olhos se encheram de outra coisa. Algo sedutor e um pouco sombrio.

– Você gosta quando eu falo em espanhol com você.

Obviamente.

– Acho que sim.

– Posso repetir pra você. Quer?

Em vez de esperar a resposta – *Sim, por favor, senhor, e pode gravar também para que eu possa ouvir nos próximos anos?* –, ele chegou para a frente. Mais perto. Muito, muito perto mesmo. Até seus lábios tocarem minha orelha.

– *Dulce de leche.*

Se fosse possível uma pessoa evaporar, teria sido eu.

Era esse o nível de tesão que aquele homem me fazia sentir com nada mais que três palavras que nem deveriam ter esse feito, mas tiveram, porque eu estava muito excitada.

– Foi bom?

Lucas manteve a boca exatamente onde estava, o toque de seus lábios mandando ondas e mais ondas de arrepios pelos meus braços.

– Quer mais?

Para minha completa surpresa, assenti e respondi:

– Por favor.

Ouvi Lucas respirar fundo, lentamente, e dizer:

– *Eres hermosa. Me recuerdas a una flor. A una rosa.*

Meus lábios se abriram. Meu corpo inteiro agora se agitou.

– O que isso quer dizer?

A voz de Lucas saiu incrivelmente baixa quando ele respondeu:

– Que você é maravilhosa. Que me lembra uma flor. Linda como uma rosa.

Perdi o fôlego.

– Você fica vermelha como as pétalas de uma rosa. É tão perfeito. Caramba... linda demais.

E eu... eu não estava bem.

O que eu estava sentindo não era normal. Meu coração e meu corpo pulsavam de tanta necessidade, tanto desejo por ele, que não tinha como aquilo ser normal.

Não podia ser. E, se fosse, beirava o insuportável.

Mas Lucas tinha mesmo dito tudo aquilo: ele me chamou de linda. Disse que eu era maravilhosa. Em dois idiomas diferentes, e eu... sabia que ele estava sendo sincero. Eu tinha uma certeza visceral.

Eu nunca senti nada tão real, pensei.

Mas eu não podia me permitir reconhecer isso em voz alta. Porque aquela noite era parte da pesquisa – nosso último encontro experimental –, e eu sabia que corria o risco de ficar de coração partido. Talvez no dia seguinte, quando eu voltasse para o meu apartamento e não o visse mais todos os dias. Ou em algumas semanas, quando ele voltasse para a Espanha.

– Obrigada – eu disse, com um suspiro pesado e trêmulo.

– Obrigada?

Desviei o olhar, por mais que eu não quisesse parar de olhar para ele.

– Sim. Isso foi digno de um gesto grandioso.

Porque aquele era o tema da noite. Fase quatro, o gesto grandioso.

Geralmente, nos romances, o gesto grandioso vinha depois de uma crise, após os sentimentos serem colocados à prova. Mas, no nosso caso – como se tratava só de um experimento –, isso não fazia sentido. Então avançamos.

Por um bom tempo, Lucas não disse nada e só ficou olhando para mim, os lábios curvados no sorriso mais discreto que ele já me dera.

Segurei minha taça de vinho e fiquei pensando no que dizer. Enfim optei por algo que já tinha passado pela minha cabeça, mas eu nunca tinha perguntado.

– Posso te perguntar uma coisa?

– Você sabe que pode perguntar qualquer coisa.

– Você nunca fala sobre a Espanha.

Eu estava tentando a sorte. Ele não queria falar sobre a lesão na perna, ou sobre o que tinha acontecido com ele, disso eu já sabia. Mas eu não conseguia parar de pensar no fato de que ele ia embora em algum momento.

– Você só falou sobre sua *abuela*. Ou sobre o Taco. – Fiz uma pausa. – Sabe, o plano era trazer sua avó. Com o Taco. Mas ela disse que cansou de Nova York quando veio visitar Lina há alguns anos. Ela disse que tudo é tão grande que dá *pele de galinha*? Charo não conseguiu traduzir pra mim.

– *Piel de gallina*. Arrepios. Significa que isso deixava ela arrepiada – disse ele com uma risada sem muita vontade. – Mas o que você quer saber, minha linda?

Tudo.

– Você sente falta de casa?

– Sim e não.

Sentei na beiradinha da banqueta, meus joelhos se enfiando no espaço entre os dele.

– Do que você sente falta então?

Ele pareceu murchar com a pergunta, então coloquei a mão em seu joelho. Para encorajá-lo. Em resposta, ele pressionou a coxa contra a minha.

– Eu sinto falta… da minha vida. De como minha vida era antes. Às vezes eu acordo achando que voltei no tempo, e minha cabeça começa a pensar em pra qual praia eu posso ir antes que a multidão chegue. Então eu me lembro.

– Se lembra do quê?

Seus olhos estavam fixos nos meus dedos em seu joelho.

– Que não estou mais lá. Que não sou mais eu mesmo.

– Lucas? – chamei, e o que quer que ele tenha ouvido na minha voz o fez pegar minha mão que estava em seu joelho e segurá-la. – Por que você veio pra cá? Está fugindo de alguma coisa? Do que aconteceu?

Ele levou nossas mãos até a boca e tocou meu pulso com os lábios.

– Não estou fugindo, *ángel*. Tem dias em que não estou nem saindo do lugar.

Ángel. Meu coração disparou.

– Do que você precisa? – perguntei, porque, o que quer que fosse, eu queria dar para ele. – Pra sentir que está seguindo em frente?

Seu olhar analisou meu rosto.

– Não sei, Rosie. E isso é o que mais me assusta.

Algo no meu peito se partiu por ele. A cada minuto a necessidade de ajudá-lo crescia.

– Eu seguro sua mão – falei, segurando mais firme. – E empurro você. Até você conseguir.

E seguro aquele ángel *também*. Guardo comigo.

Para quando ele fosse embora, e eu ficasse só com essas lembranças.

Ele não falou nada, não logo de cara. Então, disse:

– Espero que você esteja pronta para o gesto grandioso.

VINTE E DOIS

Rosie

– Eu não sei se fiz isso direito – disse ele, atrás de mim, cobrindo meus olhos com as mãos.

Após sairmos do restaurante, Lucas me levou até o elevador do prédio onde o Zarato ficava, e subimos até o último andar.

Antes que as portas se abrissem, ele me disse para fechar os olhos e mais uma vez os cobriu com as mãos.

– Por via das dúvidas – disse ele.

Estávamos andando bem devagar, Lucas me guiando. As pernas dele se entrelaçaram nas minhas e agarrei seus pulsos para não cair.

– Isso é mesmo necessário?

– É, sim – respondeu ele, e me fez parar. – Segundo a *Cosmo*, o elemento surpresa é muito importante.

– A *Cosmo*? – perguntei, deixando escapar uma risada. – Você está falando da *Cosmopolitan*, a revista?

– Qual é a graça? – perguntou ele, e deu para ouvir o sorriso em sua voz.

– Nenhuma. É que parece que você saiu de uma comédia romântica dos anos 2000.

Ele mexeu as mãos e só uma ficou por cima dos meus olhos. Então, senti a outra na cintura, fazendo cócegas.

– Ei! – guinchei, e tive um ataque de riso. – Pra que isso? Foi um elogio! Não tem nada melhor que o Matthew McConaughey dos anos 2000.

Esperei pela risada de Lucas, mas ela não veio.

– Foi só uma provocaçãozinha inocente.

– Não teve nada de inocente, Rosie. Você sabe o quanto eu gosto disso – disse ele.

E, antes que eu pudesse dizer uma palavra, ele me envolveu com um braço e senti a ponta de seus dedos na pele nua das minhas costas.

– Cuidado com o degrau – disse Lucas.

Ele me levantou do chão e colocou de volta em um segundo. Fiquei tão... tão atordoada que nem consegui agradecer. Lucas deu uma risadinha, todo misterioso.

– Só pra você saber, usei outras fontes, não só revistas – disse ele quando viramos à direita e paramos de novo. – Um segundo. Continue de olhos fechados. Eu já volto.

Ouvi seus passos quando ele se afastou.

– Assisti a alguns finais de filmes – disse ele, à distância. – A maioria clássicos. Até descobrir que as pessoas fazem compilados de gestos grandiosos no YouTube.

Sua voz ficou mais próxima, e suas mãos voltaram a me tocar. Na cintura, dessa vez.

– Também li o seu livro.

Meu coração disparou na hora.

– O final foi uma ótima referência. Inspirador.

O final do meu livro. Do livro que eu escrevi. Lucas leu. Ele...

– Pode abrir os olhos agora.

Como se estivessem em piloto automático, minhas pálpebras se ergueram.

E eu... Meu Deus. Desejei não ter feito isso. Desejei não ter aberto os olhos para ver aquilo.

Porque o que eu estava sentindo segundos, minutos, horas antes não era nada, absolutamente nada comparado à sensação que inundou meu peito naquele instante. Meu corpo inteiro. Eu me sentia tão leve, tão exultante e emocionada que seria capaz de sair flutuando no céu escuro de tempestade.

– Lucas – sussurrei.

Suas mãos subiram até meus ombros, as palmas muito quentes na minha pele.

– O que achou?

Estávamos no terraço do prédio. Metade era uma estufa – com flores de todas as cores espalhadas ao nosso redor –, e a outra um espaço aberto onde se via o céu nublado de novembro, que agora parecia aceso pelos cordões de luzinhas etéreas que ziguezagueavam sobre nós.

Era um lugar lindo. Mágico. Transcendental. Aquele tipo de momento que sabemos que vai se tornar uma lembrança antes mesmo de acabar.

As palavras do meu pai voltaram: *Lembre-se de escolher um garoto que vá plantar um jardim para você em vez de só comprar as rosas, Feijãozinho.*

– Não sei se fiz direito – disse Lucas. – É o meu primeiro gesto grandioso.

Lutando contra a emoção que embargava minha voz, balancei a cabeça.

– Você fez, sim. Está perfeito, Lucas. Está tudo tão lindo, eu... – Meu Deus, eu precisava me controlar. Não podia deixar que ele soubesse o *quanto* eu estava sentindo naquele momento. – Eu não mudaria nada. Nadinha.

– Fico lisonjeado, *ángel*. Mas não acabou. Não é isso que eu espero ter acertado.

Ele abaixou a cabeça e roçou os lábios no meu rosto com muita delicadeza, e fiquei surpresa com o quanto aquele gesto pareceu diferente de todas as outras vezes que ele tinha feito isso. E de coração partido também, porque queria muito mais que só um beijo no rosto.

Lucas agarrou minha mão, me puxando para a frente com ele. Só paramos quando chegamos a um banco onde ele tinha colocado uma manta, uma caixinha de som, uma garrafa de vinho e uma caixa cor-de-rosa com um laço.

Ele tirou o celular do bolso do terno e tocou na tela. A música tomou conta do ambiente.

– Você disse que queria que tivéssemos nos conhecido no casamento do Aaron e da Lina.

A expressão dele era séria quando deu um passo determinado na minha direção.

– Pensei que, hoje, pra este último encontro, a gente podia fingir que está fazendo isso. Se encontrando pela primeira vez.

A vibração no meu peito voltou. Mais forte. Maior. Me dominando com uma emoção tão poderosa que tive dificuldade de respirar.

Lucas sorriu, e foi um daqueles sorrisos tímidos, raros.

– O que acha? É... é grandioso o bastante?

Aquele homem generoso, atencioso, bom, admitindo estar aflito para saber se eu tinha gostado de seu gesto grandioso. Se eu achava grandioso o bastante.

Eu queria gritar. Com o mundo por ser tão injusto. Com ele, por conquistar meu coração daquele jeito. Por ter feito isso em tão pouco tempo.

Por que foi isso o que ele fez, não foi? Conquistou meu coração sem nem tentar. Não de verdade. E eu nem sabia o momento exato em que tinha acontecido.

Meu Deus, eu amava aquele homem. Eu estava apaixonada por Lucas Martín.

E eu tinha tanta certeza disso que sentia um aperto no peito.

Eu não tive escolha, não mesmo.

Fiquei ali, sem fôlego, imóvel, tremendo dos pés à cabeça, observando Lucas levar as mãos até a frente de calça e passar as palmas no tecido que cobria suas coxas.

Ele limpou a garganta antes de falar.

– Eu sei que não chega nem perto de um jardim com vista para o golfo da Biscaia, então… também fiz isso.

Ele se ajoelhou e mexeu em alguma coisa embaixo do banco. Um feixe de luz se acendeu, iluminando a parede atrás de nós. Fotos do casamento de Lina e Aaron surgiram na superfície lisa. O local da recepção, a cerimônia, a expressão de felicidade dos noivos, da *abuela*, dos pais de Lina. Vários fragmentos daquele dia foram passando na projeção.

E eu… eu… não conseguia fazer isso.

Não sabendo que a presença dele na minha vida tinha data de validade.

Um cobertor foi jogado sobre meus ombros, e só então eu percebi que estava tremendo.

– Diz alguma coisa, Ro.

Ro.

Ele nunca me chamava assim em um encontro. Esse era o nome que ele usava em *todas as outras noites.*

– Eu…

Soltei um suspiro. Não havia nada que eu pudesse dizer que o fizesse entender o que aquilo significava para mim. O quanto era maravilhoso. O quanto eu estava apaixonada por ele.

– Não acredito que você fez isso. Que pensou nisso. Pra mim. Você é…

Perfeito.

Maravilhoso.

O melhor homem que eu poderia desejar.

Lucas posicionou o corpo de tal maneira que naquele instante ele era tudo o que eu via e passou a parte de trás dos dedos no meu rosto.

– Rosie.

Ele disse meu nome com tanto carinho que tive vontade de implorar para que ele voltasse atrás.

– Se eu estivesse no casamento...

Meu coração parou de bater mais uma vez quando ele olhou nos meus olhos.

– Se eu visse você do outro lado do salão, eu teria pensado *uau*. – Ele parou, o rosto se iluminando. – Essa mulher me deixa sem fôlego, é linda demais. E tem cara de quem ama bolo.

Uma risada de orgulho escapou dos meus lábios, atordoada com aquelas palavras.

Ele pegou a caixa que estava em cima do banco e abriu a tampa. Dentro, havia uma fatia de bolo de morango e creme em um pratinho. Reconheci o bolo na hora. O mesmo que serviram no casamento da Lina e do Aaron. Mas... *como?*

Lucas tirou o pratinho da caixa e colocou-a no chão ao lado dos pés. Então disse:

– Eu teria atravessado o salão lotado, com o bolo na mão, e teria abordado você com um sorriso charmoso.

Meu Deus.

Todas aquelas mulheres que tiveram Lucas em algum momento no passado e deixaram que ele fosse embora tinham sido muito burras. Loucas.

– E eu...

Hesitei, minha fala estava embargada de tanta emoção, e precisei de uns segundos para me recompor.

– Eu teria te olhado de cima a baixo com uma careta – falei, fazendo exatamente isso. – E teria pensado, humm, ele é esquisito, mas pelo menos trouxe doce.

Peguei o prato de sua mão e, quando ele riu, acrescentei:

– E tem uma risada gostosa e um sorriso bonito, então eu acho... acho que vou deixar rolar. E aceitar o bolo.

Seu olhar ficou mais afetuoso ao observar meu rosto.

– Como eu *sou* esquisito, eu ia perguntar se você não ia me dar um pedaço. Seria o mínimo, depois de eu ir até você com o bolo, desviando de tios bêbados e tias curiosas perguntando se eu ia ficar solteiro pra sempre.

Sem me importar com o fato de não ter garfo ou guardanapo, mordi o bolo. Era mais doce, mais macio, muito melhor do que o bolo servido no casamento. E eu soube com toda a certeza que o bolo era dele. Lucas tinha feito esse bolo.

Mal tive forças para falar o que falei em seguida:

– E eu... provavelmente teria dito que talvez você fosse solteiro por sair oferecendo bolo para desconhecidas.

Com as mãos tremendo, segurei o bolo em frente ao rosto dele.

– Mas que talvez, só dessa vez, essa garota, que podia ou não estar disponível e que podia ou não gostar de você, aceitasse te dar um pedaço.

Lucas deu uma mordida do outro lado do bolo e depois lambeu o creme dos lábios. Ele saboreou o bolo, exatamente como eu sabia que faria, mantendo os olhos fixos nos meus. Ele engoliu em seco.

– E, depois de agradecer, eu teria discordado, respeitosamente.

Inclinei a cabeça ao ver toda a leveza deixar seu rosto.

– Porque eu saberia que...

Lucas deu um passo à frente, baixando o queixo para olhar bem nos meus olhos.

– ... estava solteiro só porque ninguém nunca chamou minha atenção e tomou conta dos meus pensamentos com tanta facilidade. E completamente. Não como você.

As palavras dançaram ao nosso redor, valsando direto para dentro do meu coração.

A energia mudou enquanto olhávamos nos olhos um do outro, mil coisas não ditas pairando entre nós dois.

O ar ficou mais denso, mais pesado, e pensei ter ouvido um trovão ao longe, mas eu tinha sido sugada por um vácuo. Nada mais importava, só ele. Só nós dois.

Lucas tirou o bolo das minhas mãos. Então puxou o cobertor dos meus ombros, pegou minha mão e colocou a outra nas minhas costas.

Quando voltou a falar, foi em um tom de voz que eu nunca tinha ouvido. Um tom de voz que nunca vou esquecer.

– Então eu teria implorado pra você dançar uma música comigo. Ou duas. Ou todas as músicas até a noite acabar e nossos pés estarem doendo. E depois disso teria *implorado* para que, por favor, me deixasse te levar para a minha casa. Para a minha cama. Para o meu coração.

Eu me senti flutuar em direção ao céu de tempestade. Totalmente à deriva, não fosse pelos braços de Lucas me segurando.

Como se soubesse disso, ele me puxou para perto, começando a se movimentar no ritmo da música, e dançamos em silêncio. Giramos e balançamos, seus braços na minha cintura e meu rosto repousando em seu peito. E eu seria capaz de jurar que naquele momento absolutamente nada no mundo seria capaz de me afastar dele. Nem uma trovoada, nem um incêndio, nem o apocalipse ou o King Kong escalando o prédio.

Nadinha.

Porque eu estava nos braços de Lucas, e sabia o quanto aquele momento era efêmero. Que eu logo perderia aquilo, seu corpo junto ao meu. Não sobraria nada além de uma lembrança. Uma marca que desapareceria.

Deve ter sido por isso que, quando o céu se iluminou com um relâmpago, eu não consegui me importar. Não consegui largá-lo.

E, quando as nuvens acima estremeceram com um trovão, eu permaneci nos braços de Lucas.

Nem mesmo quando o céu desabou e a água começou a jorrar sobre nós eu me mexi.

Foi o peito de Lucas que sacudiu contra meu rosto com uma risada e um palavrão.

– Pelo amor de Deus.

Balancei a cabeça, abraçando mais forte sua cintura.

– Não me importo com a chuva.

– Você está ficando encharcada, Rosie. Vamos sair daqui.

– Não – respondi, erguendo o olhar para que ele visse meu rosto. – Estou bem aqui. Não quero ir.

Mais um trovão rugiu, como se o céu estivesse tentando mostrar alguma coisa.

Sem pensar, Lucas tirou o paletó da forma que conseguiu, mesmo comigo agarrada à sua cintura, e o segurou em cima da minha cabeça. Ele olhou nos meus olhos.

– Rosie, por favor. Você vai ficar doente. Você não pode ficar doente agora. E o seu livro? O prazo é daqui a menos de três semanas. Você está correndo contra o tempo. Deixa eu te levar pra casa.

E lá ia ele, roubando meu coração de novo. Pensando primeiro em mim. Tornando ainda mais impossível que eu não o amasse.

– Mas e você? – perguntei.

Senti o cabelo grudar no rosto porque o paletó agora também estava encharcado.

– E se eu quiser cuidar de você também?

Lucas engoliu em seco.

– E se você for importante pra mim, Lucas? – falei, porque ele era. E precisava ouvir aquilo. Coloquei as mãos em seu peito e disse bem devagar: – E se eu quiser ser a pessoa que cuida de você também?

A expressão de Lucas mudou por completo. Como se ele não conseguisse processar minhas palavras.

Provavelmente por isso, continuei:

– Você está sempre cuidando de mim, me ajudando.

Lucas fechou os olhos e balançou a cabeça.

– Sempre oferecendo tudo sem pedir nada em troca. Só que eu… Eu também quero fazer coisas por você. Quero te oferecer tudo. Quero que você também queira isso de mim.

Eu sentia o peito pesado, o coração disparado, me desafiando a fazer a pergunta que eu sabia que não deveria fazer.

– Você quer isso de mim, Lucas?

Ele ficou me olhando como se as minhas palavras tivessem sido um golpe no peito. Como se eu tivesse acertado um soco em Lucas e o deixado nocauteado, desorientado. Ele ficou em silêncio enquanto a chuva escorria por seu rosto e pingava de seu queixo.

– Você sabe do que eu estou falando – falei, deixando escapar tudo que eu vinha guardando com tanto cuidado. – Eu sei que sabe, é por isso que está me olhando assim.

Um músculo saltou em sua mandíbula.

Nada de resposta.

Minhas mãos caíram, derrotadas.

– Bem, eu sei que a culpa é minha. A gente disse que as coisas não mudariam entre nós, mas eu deixei que mudassem. Eu... eu sinto muito por isso, Lucas.

Eu me virei e comecei a juntar as coisas que estavam em cima do banco, o rosto virado para que ele não visse o quão idiota eu estava me sentindo. Para que ele não visse tudo o que estava por trás da minha confissão. Em quantos pedacinhos ele estava partindo meu coração.

– Rosie.

Balancei a cabeça quando ele me pegou pelo pulso.

– Está tudo bem – falei.

Ele me fez virar. A água pingava de seu cabelo, escorria por seu rosto.

– Você está chorando, Rosie.

Um som escapou de seus lábios, e ele me puxou de novo, querendo me trazer para si.

– *Ángel, por favor*. Não chore. Não faça isso comigo.

– Não estou chorando – menti. – É só a chuva. Está tudo bem.

Ele segurou meu queixo e ergueu minha cabeça até nossos olhares se encontrarem.

– Mentira. Você está chorando, e isso acaba comigo – disse ele, e havia desespero em sua voz. – Rosie, *hermosa*.

Lucas se aproximou ainda mais, como se não conseguisse se conter.

– Me diz o que fazer pra isso parar.

Aquele "Rosie" somado ao "*hermosa*" me fizeram ceder.

– Eu só queria que você me desejasse – falei e, meu Deus, o quão desesperada a pessoa precisava estar para falar algo assim? – Me desejasse como eu desejo você. Esses vislumbres de tudo o que poderíamos ser estão me matando e é por isso que eu estou chorando, Lucas. Porque estou frustrada, arrasada, com o fato de que não posso ter você. De querer e não poder ter você.

Lucas estava imóvel. Ele ficara parado sob a chuva. Foi só depois que eu parei de falar que o corpo dele ganhou vida. Algo rugiu dentro dele.

Ele me puxou mais para perto.

– Você acha que eu não posso ser seu? – perguntou ele, e senti sua respiração nos meus lábios. – Eu sou o motivo dessas lágrimas?

Meu coração estava entregue.

– Estou chorando porque somos só amigos, porque nada disso é real. Porque talvez eu seja só isso pra você. Sua colega de apartamento. Ro. *Graham*.

Ele colocou as mãos no meu rosto, e senti que estavam trêmulas. Mais um trovão rugiu ao longe.

– Rosie – disse ele, e a força daquele som rivalizou com o rugido do céu. – Sempre que eu te chamo de Graham é pra lembrar a mim mesmo que não posso querer você como eu quero. Em todos os nossos encontros, eu precisei lembrar a mim mesmo que era tudo parte de um acordo. E sempre que eu digo que quero ser seu melhor amigo, no fundo tudo que eu mais quero é ter de você tudo que você pudesse me dar.

O ar que estava nos meus pulmões saiu todo.

– Se quer alguma coisa de mim, é só pedir.

A testa de Lucas descansou na minha, e sua respiração estava entrecortada.

– Não dá pra ver que eu me desdobraria em mil pra te dar qualquer coisa que você queira? Eu não deixei isso claro?

– Você não pode estar falando sério. Você...

– Eu nunca falei tão sério na vida.

Lutando contra meu próprio medo, certa de que aquilo não podia estar acontecendo de verdade – como poderia? –, eu disse:

– Se você está mesmo falando sério, então eu quero que você me beije, Lucas.

Em um segundo, as mãos de Lucas estavam no meu queixo, e no seguinte, deslizaram para minha nuca, se entrelaçando nos cachos do meu cabelo molhado.

Seus lábios tomaram os meus como se ele estivesse lutando pelo último suspiro, como se a chuva à nossa volta significasse o fim do mundo. Lucas me beijou como se aquele fosse nosso primeiro e último beijo, como se aquela fosse sua única chance de me dar o que eu estava pedindo. E isso deveria ter acendido um alerta dentro de mim, mas não me importei. Eu era incapaz de me importar com qualquer coisa que não fosse aquela boca na minha, abrindo meus lábios, devorando-os. Me devorando.

Seu corpo se aproximou ainda mais do meu, uma de suas mãos deixou minha nuca e percorreu minhas costas até envolver minha cintura. Um gemido subiu pela garganta dele quando me entreguei sem qualquer resistência. Como resistir aos dedos espalmados nas minhas costas, ao abraço firme, ao quadril pressionado na minha barriga, meus seios contra ele?

Desesperada por mais, coloquei os braços ao redor de seu pescoço e fiquei na ponta dos pés, desejando que as camadas de tecido pesadas e encharcadas entre nós não estivessem ali. Desejando poder tirar a roupa dele e ver tudo que eu pudesse daquele corpo, tudo que eu fosse capaz de memorizar.

Seus lábios deixaram os meus e deslizaram por meu pescoço e me arrancaram um gemido. O som o alimentou, incentivando suas mãos a agarrarem a parte de trás dos meus joelhos e me encaixarem a ele.

E, como se o movimento tivesse sido coreografado, enlacei as pernas ao redor de seu corpo, e ele me segurou.

– Lucas.

Soltei um suspiro, pulsando com uma nova onda de desejo, deixando que meus dedos se entrelaçassem em seu cabelo.

– Você...

Ele mordiscava a minha orelha.

– Você não pode...

– Vou tomar cuidado.

Quando ele reposicionou meu corpo em um novo encaixe, eu soube, senti, o quanto ele estava grande e duro.

– Algumas coisas são mais importantes do que isso. Você. Você queria um beijo.

Ele olhou nos meus olhos, uma expressão selvagem tomou conta de seu rosto. De sua boca. A fome inundou seu olhar.

– O que mais você quer de mim?

Tudo.

– Mais um beijo. Um segundo. E um terceiro. E um quarto, e...

Suas mãos voltaram até meu cabelo, agarrando-o entre os dedos, puxando para que eu oferecesse o pescoço.

– É só isso? – disse ele, com os lábios no meu pescoço, mordiscando minha pele.

Não, eu quis dizer, mas de repente ele segurou minha nuca e uniu nossos lábios. Então seu quadril se projetou para cima, bem na junção das minhas coxas, e ele estava tão duro, tão quente que eu...

– Lucas...

Soltei um gemido e fechei os olhos.

– Eu te fiz uma pergunta – disse ele, embora também parecesse sem fôlego. – Eu disse que daria o que você pedisse. E você quis minha boca. Um beijo. E agora...

Ele fez uma pausa e mais uma vez encaixou meu corpo no seu, a fricção ao mesmo tempo deliciosa e insuficiente.

– Agora eu quero te dar mais. Não quero parar só na sua boca, Rosie.

Dessa vez fui eu quem me movi, deslizando ao longo daquele pedaço pulsante de seu corpo, provocando a mesma expressão de dor deliciosa no meu rosto e no dele. Puxei o cabelo de sua nuca quando falei:

– Então não para. Me dá mais. Me dá o que você me prometeu no Baile de Máscaras.

Ele engoliu em seco, e seus olhos escureceram com uma constatação, um pensamento.

– Você tinha que ser perfeita, né? Você tinha que ser capaz de me domar e tirar tudo de mim?

Sim.

– Tudo. Eu quero tudo.

A expressão no rosto dele mudou, e, meu Deus, ele parecia prestes a sucumbir, a me dar exatamente o que eu estava pedindo, e eu estava pronta para deixar. Dei um beijo nele, para incentivá-lo. Ele soltou um gemido profundo e... um celular tocou.

De início, nem percebi que era o meu. Não até ele tocar de novo e furar nossa bolha, nos obrigando a parar para respirar.

A voz de Lucas mal saiu, mas ele disse:

– É o seu, *hermosa*.

Ainda atordoada, lutei contra a neblina que me envolvia enquanto o toque parava e recomeçava.

Lucas me beijou no canto da boca, depois na testa, e me colocou no chão. Então me guiou de volta ao lugar onde tínhamos deixado nossos casacos na porta do terraço. Ele pegou minha bolsa, abriu e me deu o celular, que continuava tocando.

Olhei para a tela – número desconhecido – e atendi.

– Rosie... Estou pronto pra ir pra casa.

– *Olly?*

Todas as células do meu corpo, que estavam queimando alguns segundos antes, congelaram.

– Onde você está?

Meu irmão não respondeu, não de imediato, mas ouvi o barulho no fundo. Música. A boate.

– Me manda o endereço. Está me ouvindo, Olly? Me manda o endereço agora. Estou indo.

Ouvi um breve:

– Obrigado.

E a chamada caiu.

VINTE E TRÊS

Rosie

Lucas apertou minha mão mais uma vez.

Ele havia passado o caminho todo fazendo isso, e eu sabia o que significava. Ele não precisava dizer "Estou com você, estou aqui", porque aquele aperto suave, mas firme, aquele casulo que ele formava ao redor da minha mão, era o suficiente. Não. Era mais que o suficiente, na verdade. Ele estar ali, não ter hesitado em chamar um táxi sem perguntar o que tinha acontecido ou pedir detalhes, ele assumir as rédeas de uma situação que eu estava com dificuldade de controlar era mais que o suficiente.

Era tudo.

A imagem de Olly com o lábio machucado em nosso último encontro me veio à mente.

Meu Deus, no que foi que você se meteu, Olly?

Lucas apertou minha mão mais uma vez e pensei tê-lo ouvido murmurar alguma coisa, palavras de consolo, mas só o que eu ouvia na minha cabeça era *Por favor, que ele esteja bem. O que quer que tenha acontecido, por favor, por favor, por favor, que ele esteja bem.*

O táxi parou diante do endereço que Olly tinha informado, e larguei a mão de Lucas tão de repente que ele não teve como me impedir de saltar do carro.

– Rosie, não!

Ele soltou um palavrão, mas continuei andando. Eu estava no piloto automático.

Ouvi Lucas correndo rápido atrás de mim e na mesma hora me senti uma idiota porque eu não deveria fazer esse homem correr, não com a lesão que ele tinha, só que...

Ele agarrou e puxou minha mão, me fazendo parar. Ele deu a volta em mim e me encarou.

– Nunca mais faça isso comigo, por favor.

O cabelo dele ainda estava molhado. As roupas embaixo dos nossos casacos estavam tão úmidas que pesavam o dobro. Provavelmente Lucas estava com tanto frio quanto eu, mas eu sabia que não era por isso que ele parecia tão arrasado.

– Desculpa – falei, e estava mesmo arrependida. – Eu não deveria ter feito isso.

Vi o alívio se espalhar por seu rosto quando apertei sua mão.

Olhei ao redor, frustrada. O estrondo da música à distância era indistinto. Só podia estar vindo da boate que ficava no fim da rua de onde Olly tinha mandado mensagem. Pink Flamingo.

– Você conhece essa parte de cidade? – perguntou Lucas.

– Nunca estive aqui. – Balancei a cabeça. – Mas não é exatamente famosa pela boa reputação – continuei e, depois de uma pausa: – Acho que eu preciso te contar uma coisa, Lucas.

Ele permaneceu em silêncio, os olhos fixos em mim, esperando.

– Meu irmão... apareceu com um olho roxo. Umas semanas atrás. E eu...

E eu não fiz nada. Nadinha. Deixei que ele fosse embora.

Lucas processou a informação. Então, olhou para os dois lados.

– Manda uma mensagem avisando que a gente está aqui. Se ele não responder, a gente entra pra procurar e tirar ele de lá.

Assenti, já me aproximando da entrada iluminada em neon.

Lucas puxou minha mão.

– Você fica atrás de mim, tá? Juro que não estou bancando o super-herói, Rosie, mas, se alguém tentar se aproximar de você, não reage – disse ele, batendo no peito. – Fica perto de mim.

Engoli em seco.

– Mas e se...

– *Ángel* – disse ele, em um tom quase doloroso. – Eu esbarrei com muita gente que eu não deveria ter esbarrado nas minhas viagens, já me envolvi em algumas confusões. Então, por favor, por favor, deixa comigo, ok? Confia em mim e...

– Tá legal – respondi sem hesitar – Eu confio em você. Vou ficar com você. Não vou reagir. – Ele relaxou. – Mas só se você também não reagir. Não quero que você se meta em confusão por minha causa.

Algo mudou em seu olhar, então, sem nenhum aviso, ele beijou o canto dos meus lábios.

– Também confio em você, *ángel*.

Caminhamos até ficarmos a alguns metros do letreiro. Um segurança vigiava a porta coberta por uma cortina marrom.

Dei uma última olhada no celular para ver se Olly tinha respondido. Nada.

– Vamos – falei para Lucas, que tentou avançar.

O segurança nos olhou de cima a baixo com uma careta.

– Proibido para casais. Dançarinos entram pela porta dos fundos.

Eu me adiantei um pouco e parei ao lado de Lucas para tentar explicar ao segurança por que precisávamos entrar. Nós dois.

Mas o homem-montanha me parou com uma das mãos.

– Proibido para casais – repetiu, antes de retomar sua posição e abrir a cortina. – A senhorita pode entrar. – Ele apontou para Lucas. – Você, vaza. Ou pela porta dos fundos.

– Não.

Lucas se recusou. Dei mais um passo à frente, e Lucas praticamente rosnou.

– Rosie, por favor.

Eu estava prestes a soltar a mão dele, a dizer que estava tudo bem, quando a cortina se abriu e ouvi meu nome.

– Rosie – disse meu irmão, meu *irmãozinho*.

Ele estava... sem camisa. Coberto pelo que parecia... óleo. E glitter.

Eu me joguei em cima dele e o abracei.

– Você está bem? Por favor, me diga que você está bem.

Olly deu uma olhada nos arredores.

– Estou bem – balbuciou ele. – Mas é melhor a gente ir agora.

Eu o soltei, coloquei as mãos em suas bochechas e examinei seu rosto. Meu Deus, quando foi que Olly tinha virado aquele homem que estava na minha frente?

– O que está acontecendo, Olly?

O segurança falou antes mesmo que ele pudesse responder:

– Graham, você conhece as regras. Nada de ficar na entrada. O acesso dos dançarinos é pela porta dos fundos. Você tem cinco segundos.

– Olly...

Meu irmão balançou a cabeça e nos levou para longe da boate.

– Vamos, Rosie. Eu vou te contar tudo, mas não aqui, tá?

Lucas fez carinho nas minhas costas.

– Chamei um Uber assim que o Olly apareceu, já está chegando – disse ele, nos afastando mais da entrada da boate.

Ele tirou o paletó e jogou nos meus braços.

– Dá pro seu irmão.

– Quem é esse? – perguntou Olly.

Virei para meu irmão a tempo de vê-lo vestir o paletó que Lucas havia tirado. Então, quando olhou para mim e viu a minha roupa, ele parou.

– Putz, você estava em um encontro.

Puxei Olly e apertei o passo. A resposta para aquela pergunta era complicada demais para elaborar.

– E agora estou aqui. Que bom que você me ligou, Olly.

Lucas assentiu, e ouvi passos pesados atrás de nós. Virei – todos viramos – e vi o homem que tinha acabado de sair da boate e agora olhava na nossa direção.

– Jimmy. Merda – resmungou Olly.

– Ora, ora – disse o homem com a fala arrastada. – Olly, você devia ter avisado que ia convidar essa beleza de irmã para ver o show.

O sujeito me olhou de cima a baixo com um sorriso sarcástico e acrescentou:

– Eu teria me arrumado melhor.

Reconheci o cara que tinha ido buscar meu irmão na Penn Station semanas antes.

Tanto meu irmão quanto Lucas deram um passo à frente, me escondendo parcialmente, mas consegui estabelecer contato visual com Jimmy mesmo assim. Eu sabia reconhecer um valentão.

– Nem um oi? – perguntou ele, estalando a língua. – Isso não é lá muito simpático, né?

Lucas, que percebeu que eu estava querendo avançar em Jimmy, parou alguns metros à minha frente. Vi os músculos de suas costas se contraírem, os ombros de alguma forma ficando mais largos.

– Não fale com ela – disse Lucas com uma voz firme que eu nunca tinha ouvido. – Nem sequer olhe pra ela. Se tiver alguma coisa a dizer pra ela, ou pro Olly, pode resolver direto comigo.

Jimmy riu.

– Bom, então fala pro bonitão aí que a próxima apresentação é em quinze minutos. A multidão já está insana, então é bom ele passar mais óleo e entrar logo.

Próxima apresentação. Foi só nesse momento que a ficha caiu de verdade. Olly, meu irmão, dançarino. Stripper.

– Ou agora que a namoradinha está protegida ele não vai mais se apresentar?

Protegida. Ah, Olly. Qualquer que tenha sido a confusão em que ele se meteu, foi para proteger uma garota, é claro.

As palavras de Jimmy ainda ecoavam na noite quando um carro parou atrás de nós.

Ele estreitou os olhos.

Lucas não virou para nós – para mim – ao dizer:

– Rosie, coloca seu irmão no carro.

Ainda chocada, hesitei. Lucas estava parado feito uma estátua, um muro entre mim e meu irmão e Jimmy.

– *Ángel* – disse ele com a voz grave e firme, rompendo minha hesitação. – Carro, agora. *Por favor.*

Entrando em ação, entrelacei o braço no de Olly e fui em direção ao Uber. Quando meu irmão já estava dentro do carro, virei para ver onde Lucas estava. Na mesma posição, mas agora Jimmy estava bem à sua frente, e os dois conversavam. Nada mais que palavras atiradas entre os dentes semicerrados, mas eu não conseguia ouvir nada.

Não gostei daquilo. Nem um pouco. Todas as células do meu corpo exigiram que eu fosse até lá e arrastasse Lucas para longe.

– Fique no carro, Olly – falei, e fiz um gesto indicando ao motorista que esperasse.

Eu tinha arrastado Lucas para aquela confusão, e não ia permitir que alguma coisa acontecesse com ele. Eu estava quase perto dele, os braços preparados e estendidos em sua direção, quando Jimmy deu um empurrão em Lucas.

O homem que eu tanto amava por sua gentileza, seu carinho, seu coração generoso, cambaleou para trás antes recuperar o equilíbrio. E, em vez de devolver o empurrão ou quem sabe dar um soco em Jimmy, ele deu mais um passo para trás.

– Você é um cara de sorte – disse Lucas com um tom gélido. – Eu prometi para ela não reagir.

O outro homem bufou, o som fraco e as palavras seguintes hesitantes:

– Ah, é?

Lucas ficou encarando Jimmy por um bom tempo, então virou, deixando-o para trás. Ele manteria a promessa que me fez.

Mas então, tão rápido que nem deu pra ver, Jimmy avançou, e vi sua bota acertar a panturrilha de Lucas. A panturrilha direita.

Lucas caiu de joelhos quase sem fazer barulho. A cabeça baixa entre os ombros, o peito arfando. Minha visão embaçou, meus ouvidos zumbiram e tudo ficou vermelho. Fora de mim, avancei.

– Seu filho da puta! – gritei.

– Foi mal, é que promessas não significam muita coisa pra mim, sabe? – falou Jimmy, com sua voz arrastada.

Ignorando qualquer prudência, minha raiva ferveu.

Olhei ao redor, desesperada para fazer alguma coisa, qualquer coisa, para machucá-lo, e tudo o que achei foi a bolsa pendurada no meu ombro.

Agarrei a alça e levantei o braço, pronta para arremessar a bolsa nele já que não tinha conseguido pensar em nada melhor, ignorando o quanto aquilo na verdade seria inofensivo. O quanto seria ridículo.

Dedos quentes envolveram meu pulso, e a única voz no mundo capaz de me impedir de fazer aquela idiotice disse:

– Rosie, *não*.

– *Sim* – eu me ouvi dizer em resposta.

Aqueles dedos se espalmaram, seu toque me trazendo de volta à realidade.

– Não revida. Você prometeu.

Eu tinha mesmo prometido, mas isso foi antes daquele golpe desleal em Lucas.

– Larga a bolsa – pediu ele.

E o que me fez obedecer não foi notar o tom de súplica, mas sim vê-lo em pé e ouvir a dor em sua voz. Olhei para ele, que deu um jeito de sorrir.

– Não vale e pena.

Não valia mesmo.

Mas pela primeira vez na vida eu queria escolher a violência.

– Vamos pra casa.

Lucas me puxou pelo braço, tirando a bolsa da minha mão. Ele a pendurou no ombro, embora eu tenha dito que eu mesma levaria. Lucas não me ouviu. Apenas se endireitou e colocou um braço por cima dos meus ombros, apoiando um pouco do peso do corpo em mim. Enquanto caminhávamos, percebi que ele estava mordendo os lábios de dor. Quando chegamos ao carro, Lucas se virou.

– Não tenho *nada* a perder, Jimmy. Nada. E é bom que você se lembre disso, porque da próxima vez eu não vou deixar passar.

VINTE E QUATRO

Rosie

Ninguém disse uma palavra na volta até o apartamento.

Olly olhava pela janela, usando só o paletó de Lucas.

Sentada no meio dos dois, eu estava de braços dados com meu irmão. E Lucas, cujo rosto não demonstrava emoção alguma, segurava minha mão com firmeza. Como se fosse eu que precisasse de apoio.

Eu, sendo que tinha sido *ele* quem havia levado um golpe. Eu, sendo que era *ele* quem estava sentindo dor. Por minha causa.

Eu estava me sentindo tão culpada que mal conseguia respirar. Talvez tenha sido por isso que acabei entrando no modo gerenciamento assim que chegamos ao apartamento de Lina naquela que seria minha última noite ali. E também porque eu não podia me permitir pensar demais.

Enfiei meu irmão no banheiro e o obriguei a tomar um banho. Quando Olly saiu, fiz o mesmo com Lucas. Peguei a calça e a blusa de moletom que Lucas ofereceu emprestado e enfiei nas mãos de Olly, para que ele vestisse uma roupa quente. Preparei um chá. Peguei cobertores do armário e coloquei no braço do sofá, pronta para enrolar os dois neles caso dessem qualquer sinal de estar com frio. Então, coloquei gelo em um pano para Lucas, sem nem saber se isso ajudaria. Depois, saí à caça de analgésicos. Como a casa não era minha, e eu não sabia onde Lina guardava os remédios.

– O que você está procurando? – perguntou Lucas quando me agachei no chão da cozinha, ainda de vestido.

– O que *você* está fazendo, Lucas? – respondi. – Senta e vai colocar esse gelo na perna, por favor.

– Só depois que você me disser o que está procurando.

– Estou procurando analgésico. Pra você. – Empurrando uma panela grande para o lado, soltei um suspiro. – Já procurei em todos os lugares, banheiro, gavetas… Não sei se a Lina tem.

– Rosie – disse Lucas, e sua voz me fez olhar para cima.

Ele não parecia feliz, o que não era nenhuma surpresa dadas as circunstâncias.

– Não tem nenhum analgésico aí. Só panelas.

– É, tem razão – falei, levantando e sentindo o tecido ainda úmido e grudando nas pernas. – Tem uma farmácia aqui perto na rua. Deve estar aberta.

– Você não vai a lugar nenhum – disse ele. – Vai ficar aqui. Comigo. E vai tirar esse vestido e tomar um banho também.

– Mas…

Ele deu um passo à frente, chegando bem perto e colocando uma mecha do meu cabelo para trás da orelha.

– Isso aqui não é uma via de mão única, Rosie. Você cuida de mim e eu cuido de você, ok? Tem que ser recíproco. Somos uma equipe.

– Tá bom.

Fechei os olhos e suspirei. Ele acariciou meu queixo com tanta delicadeza que eu mal senti.

– Isso. Agora vá tomar um banho e vista uma roupa seca. Eu fico de olho no Olly.

Com medo de deixar escapar o quanto ele era maravilhoso e o quanto eu o amava, só assenti.

A caminho do banheiro, tentei acalmar o coração, todos os sentimentos conflitantes que ameaçavam explodir. Culpa e gratidão. Amor e um medo paralisante de me magoar.

Depois de tomar banho, secar o cabelo com a toalha e vestir o pijama, abri a porta do banheiro para ver Olly enrolado em um cobertor em um canto do sofá e Lucas sentado no chão com as costas apoiadas no outro canto.

Ele colocava gelo no joelho e, quando nossos olhares se encontraram, seu olhar ficou mais caloroso. Fiquei parada ali com meu short de dormir e, quando ele olhou para minhas pernas, o que era calor virou fogo.

Algumas horas antes, um olhar como aquele teria me deixado arrepiada, querendo mais, mas agora tudo aquilo tinha… azedado. Porque eu tinha estragado a noite. E eu odiava isso. Odiava ter sido responsável por ele estar com dor.

– Vem cá – disse ele, dando tapinhas na almofada do sofá atrás da sua cabeça. – Eu estava perguntando ao Olly o que podemos assistir.

Soltei um suspiro.

– Está tão tarde, Lucas. Eu…

Antes que eu pudesse reclamar, Lucas deu aquele sorriso que me deixava distraída.

– Acho que nós três precisamos relaxar, esquecer um pouco essa noite. Eu até prepararia alguma coisa, mas…

– Não.

Dei um passo à frente por instinto, só para que ele não saísse do lugar.

– Nada de cozinhar ou fazer qualquer coisa que precise ficar em pé. Não se mexa.

Seu sorriso se alargou, e, caramba, era difícil não se sentir bem vendo aquele sorriso.

– Acho que ele tem razão, Rosie – disse meu irmão.

– Vocês estão se mancomunando contra mim? – perguntei e parei na frente de Lucas. – Por que você não fica no sofá? Tem bastante espaço pra você esticar a perna.

– Estou bem aqui no chão.

Fiquei olhando fixamente para ele. E, em vez de argumentar, em vez de tentar dizer alguma coisa para me convencer ou fazer com que eu me sentisse melhor, ele colocou a mão na minha coxa e apertou bem devagarzinho. Senti as pontas de seus dedos afundarem na minha pele, e toda a área sob seu toque se aqueceu. A sensação se espalhou por todo o meu corpo.

Lucas deixou a mão ali e olhou para cima, bem nos meus olhos. O queixo firme, a expressão séria.

– Não me faça levantar e pegar você no colo, *ángel*. Porque eu vou te carregar até o sofá se precisar.

E eu sabia que ele estava falando sério.

Meu Deus, aquele homem.

– Tá bem.

Lucas tirou a mão da minha perna e resmungou em concordância.

Escolhendo ignorar o quanto aquele barulho era capaz de me abalar, me joguei no sofá, e ele se posicionou no meio das minhas pernas, entrelaçando em uma delas o braço que não estava segurando o gelo.

– Agora está mais que bom aqui no chão – disse ele, em voz baixa. – Está perfeito.

Eu ri, xingando Lucas mentalmente por ele achar que podia dizer esse tipo de coisa como se não fosse nada. Como se não me fizesse querer sair do sofá e sentar no colo dele.

– Feijãozinho? – chamou meu irmão do outro canto do sofá.

Olhei para ele.

– Oi, Olly.

– Por que estamos na casa da Lina?

– É uma longa história. Vou voltar para o meu apartamento amanhã.

Lucas cutucou meu joelho com a cabeça, e, sem pensar, deslizei a mão até o cabelo dele e comecei a fazer um cafuné, distraída.

– Depois que eu deixar você na casa do papai – acrescentei, sentindo um prazer infinito ao ver a cabeça de Lucas repousar de lado ao meu toque. – Vou pegar o trem até a Filadélfia com você e depois volto.

– Beleza.

Olly aceitou sem reclamar, e fiquei tão aliviada que quase não consegui segurar o choro.

– Eu já disse isso pro seu namorado enquanto você estava no banho, mas… desculpa por ter estragado sua noite – declarou ele.

Nesse momento, o homem sentado entre minhas pernas no chão, o homem cuja cabeça estava apoiada na minha perna e cuja mão estava agarrada ao meu tornozelo, não disse uma palavra ao ouvir o rótulo que meu irmão usou. Nem sequer estremeceu ou encolheu os ombros.

Olly continuou:

– Eu te devo uma explicação, Rosie. Por ser um idiota e te arrastar para a minha confusão esta noite. Porque, se você estivesse sozinha, o Jimmy…

– Mas ela não estava – disse Lucas, interrompendo meu irmão. – E é isso que importa.

– Isso mesmo. E eu sei que você está arrependido, Olly.

Não havia dúvida na minha mente nem no meu coração quanto a isso. Olly estava arrependido, e tudo aquilo pesaria em sua consciência durante muito tempo.

– Mas preciso saber o que aconteceu, o que quer que tenha sido.

Olly assentiu e ficou tão quieto que achei que ele não fosse dizer nada, mas ele falou:

– Tem uma garota, a Lexie. Na verdade, tudo começou por causa dela.

Ele balançou a cabeça, e o gesto por algum motivo me lembrou do quanto ele tinha mudado. Do quando ele parecia mais velho.

– A gente fez uma aposta. Eu estava tentando impressioná-la quando aceitei e… só que eu acabei me divertindo. Mais do que eu esperava. E o dinheiro era bom. Aquele filme não é mentira.

Ele deu uma risada amarga.

– Ganhei o bastante para querer voltar na noite seguinte, mas foi por causa dela que eu continuei voltando todas as noites. Para ficar de olho nela.

Engoli em seco, processando tudo o que ele estava dizendo, e me vieram várias perguntas. Mas a que parecia mais importante era:

– Está tudo bem com a Lexie agora?

– Está, nós… isso não importa. Eu consegui livrar ela da confusão, Rosie. Foi por isso que eu não quis continuar nesse esquema – explicou Olly, com uma expressão bem séria. – O Jimmy, o braço direito do dono, é que não ficou feliz quando eu quis desistir. Pelo jeito eu atraía um bom público, sei lá. Eu sabia que se eu envolvesse você ele me deixaria ir embora. Não é do interesse dele chamar atenção nem criar problema. Eu fui egoísta em te ligar.

Soltei um suspiro, com dor no coração.

– Ah, meu bem, eu sou sua irmã. Pedir minha ajuda não é egoísmo.

– Mas eu fiz seu namorado se machucar. Você também podia ter se machucado.

Então Lucas reagiu.

– Jimmy fez isso, não você. E eu nunca deixaria ninguém machucar a Rosie, Olly. Como eu te falei antes.

– Obrigado – sussurrou Olly.

Meu irmão não disse muito mais do que isso, nem o homem maravilhoso e generoso que estava aninhado entre minhas pernas. Continuei fazendo cafuné nele por um bom tempo, mesmo depois que ele relaxou e pegou no sono. Porque, por mais que tocar Lucas geralmente deixasse cada célula do meu corpo formigando, eu estava começando a entender que tocar a pessoa amada é muito mais do que isso. Nem sempre são faíscas e fogos de artifício. Não é só isso. Muitas vezes é a paz que isso traz. O conforto. Mesmo tendo lido tantos romances e escrito quase dois, aquilo era algo que eu ainda não havia descoberto. Eu *nunca* teria imaginado que tocar um homem pudesse me iluminar por dentro e calar todas as preocupações e ruídos do mundo.

Ficamos assim por um bom tempo, nenhum dos três prestando atenção ao que estava passando na TV. Só quando ouvi os roncos vindos do outro lado do sofá em que Olly estava foi que me aproximei e sussurrei no ouvido de Lucas:

– Vamos para a cama.

Dei a volta nele, levantando e oferecendo as mãos. Com uma expressão cansada que me dizia que estava prestes a seguir o exemplo do meu irmão, Lucas pegou minhas mãos e deixou que eu o levantasse.

E, como acontecia sempre que eu ficava a um abraço de distância daquele homem, acabei em seus braços por um instante longo e celestial.

Ele abaixou a cabeça.

– Você se saiu tão bem esta noite, Rosie. Tão bem.

Eu achava que não tinha feito *nada* certo naquela noite. Ou nas últimas noites.

Balancei a cabeça e me virei, indo em direção à cama.

– Rosie? – sussurrou Lucas, ainda perto do sofá. – Acho que, se você me ajudar... – Sua expressão ficou mais séria quando ele parou para pensar em alguma coisa. – Talvez a gente consiga colocar seu irmão na cama.

– Vem cá – sussurrei para ele.

Levantei as cobertas da cama, mas Lucas hesitou, sem sair do lugar, o que me fez amolecer ainda mais.

– Deixa o Olly aí. Você dorme aqui esta noite. Comigo.

Ele contraiu a mandíbula.

– Lucas Martín – falei, ouvindo a gravidade na minha voz, ainda que sussurrada –, se não deitar nessa cama comigo, nesse exato momento, você vai me deixar magoada. E não acho que eu seja capaz de suportar isso. Não hoje.

Eu não estava brincando.

Porque algumas horas antes eu estava nos braços dele e ele estava me beijando. E, por mais que não tivéssemos conversado sobre isso, alguma coisa... tinha acontecido entre nós. Alguma coisa *a mais*.

Tudo isso devia estar escrito no meu rosto, porque a hesitação de Lucas desapareceu.

Escolhendo não perguntar pela centésima vez se ele estava com dor, deitei com ele na cama e joguei a coberta sobre nós dois. Virei de lado com um suspiro profundo e fiquei olhando para ele, de barriga para cima, com a cabeça virada na minha direção.

– Está confortável?

– Como nunca, *ángel*.

Engoli em seco, procurando em seu rosto o significado por trás daquela frase. Ele estava com dor? Estava arrependido de ter ido comigo até a boate? Arrependido de ter me beijado?

– Me desculpe por ter feito você se machucar, Lucas. Odeio que isso tenha acontecido, mas...

Hesitei, me odiando um pouquinho pelo que eu estava prestes a dizer.

– Vou parecer uma pessoa muito horrível se eu disser que, apesar de tudo, estou feliz porque você estava lá? Comigo?

Ele balançou a cabeça e me olhou como se estivesse esperando alguma coisa.

– Não precisa pedir desculpa por nada, tá? Eu jamais deixaria você ir até lá sozinha, Rosie. Jamais.

Cheguei um pouco mais perto, e Lucas estendeu a mão, tocando levemente o canto da minha boca com a ponta dos dedos. Um toque rápido demais.

– Não acredito que você ia bater naquele cara com a bolsa. Por minha causa.

Ele não estava sorrindo. Ou rindo. E eu também não, porque meu impulso de fazer aquilo tinha sido muito sério.

– E eu não acredito que você me impediu.

– Você é linda – disse ele, e eu fiquei chocada, com o coração acelerado. – Mas confesso que ver você daquele jeito, pronta pra avançar e me proteger...

Lucas fez uma pausa, e seus olhos se encheram de alguma coisa que poderia ser espanto, não fosse a sensualidade que havia ali.

– Foi de tirar o fôlego. Você parecia um anjo vingador. Precisei me segurar pra não te beijar ali mesmo.

Abri a boca e senti o rosto corar. Não por vergonha, mas por causa da onda de desejo que se espalhou por todo o meu corpo. Porque Lucas não estava só dizendo que queria me beijar, ele também me olhava como se fosse morrer se não fizesse isso.

– É melhor não – disse ele, com um suspiro. – Está tarde, é melhor a gente dormir.

Relutante, assenti.

– Minha perna vai estar melhor amanhã, prometo – acrescentou ele.

Não acreditei, mas o amei por tentar me tranquilizar.

– Você disse que eu podia perguntar qualquer coisa, sempre, então quero saber uma coisa.

Ele assentiu.

– Por que você tem pesadelos?

Lucas tentou virar de lado e estremeceu de dor.

– O acidente – admitiu, e então ficou quieto durante o que pareceu um minuto inteiro. – É irônico porque nesses pesadelos eu estou me afogando, mas não foi isso que aconteceu. Parece que minha cabeça inventou jeitos diferentes de me assombrar enquanto eu durmo.

Um suspiro longo e trêmulo escapou de seus lábios.

– Eu nunca consegui falar sobre isso desde que aconteceu.

Cheguei ainda mais perto.

– Por quê?

– Nunca encontrei alguém pra quem... eu quisesse contar, até agora. Alguém que não vai querer me consertar. Porque não tem mais nada para ser consertado, Rosie.

Consertar? Será que ele não via que era perfeito? Não havia nada em Lucas que precisasse de conserto.

– Não tem como consertar o que não está quebrado, Lucas.

Ele passou o braço pela minha cintura, me trazendo mais para perto.

– Eu estava me preparando para uma competição em Hossegor, semanas antes do casamento da Lina – disse ele com a voz rouca.

Naquele momento eu soube que ele ia se abrir. Ele finalmente ia falar sobre o assunto. Comigo. E me senti a mulher mais sortuda do mundo por ser a primeira em que ele confiou.

– Hossegor?

– Na França. Não é uma praia muito perigosa, mas... tem um lugarzinho que é um dos meus picos favoritos.

Ele soltou um suspiro cheio de esperança e felicidade.

– É um lugar tão lindo, Rosie... Nas condições ideais, as ondas podem chegar a três metros. Ondas grandes, maravilhosas. Por isso eu sempre tentava ir até lá pelo menos uma vez por ano. Ainda que às vezes as ondas sejam só espuma e não dê pra surfar.

Ele estava falando com uma paixão que eu reconhecia. Era a mesma que eu ouvia na minha voz quando falava sobre escrever. Sobre o meu sonho. Ou que às vezes via em Lucas quando ele falava sobre culinária.

– Mas o problema naquele pico... – continuou Lucas, e o tom não era mais o mesmo. – É a arrebentação. Quando a gente surfa uma onda que quebra no raso, ela pode arremessar a gente pra fora, direto na areia. Só que com a velocidade e a força, cair na areia é o mesmo que cair no concreto. Dá pra quebrar o pescoço. Lesionar a coluna. Ou algum membro, dependendo da queda.

A voz de Lucas falhou e ele fechou os olhos.

– E eu sabia de tudo isso. Conhecia os riscos. É um lugar perigoso, reservado pra profissionais por um bom motivo. Ainda assim...

Ainda assim aconteceu.

Minha mão repousou em seu peito, e senti seu coração batendo forte sob meus dedos.

– Ainda assim – repetiu ele, ainda sem terminar a frase, a respiração irregular. – Meu joelho se estilhaçou. Tive que fazer uma cirurgia. Foi tudo...

O rosto dele foi dominado por uma expressão fantasmagórica que partiu meu coração em mil pedaços. Minha vontade era gritar contra a injustiça daquele acidente que havia tirado tanto dele, e, de algum jeito, devolver tudo para ele.

– Eu nunca mais vou poder voltar. A minha perna direita... Enfim, eu não posso. Sou velho demais para fazer tudo de novo, para me recuperar e voltar à minha melhor forma. A fisioterapia me ajudaria a ficar em boa forma... mas não ótima, não ideal, só *boa*.

Coloquei as mãos em seu rosto, acariciando-o com o polegar.

– Uma queda. Foi o que bastou. Uma queda feia, e eu...

Ele parou de falar, parecendo desorientado por alguns segundos.

– Eu afundei, Rosie. Cheguei ao fundo do poço.

– Nada disso – falei, deslizando os dedos por seu cabelo, segurando sua nuca. – Você está aqui. Respirando. Inteiro. Vivo.

A expressão de Lucas se contraiu.

– Mesmo tendo perdido tanto naquele dia, ainda assim você está aqui – repeti, me permitindo dizer o que ele precisava ouvir. – Você não é o mesmo nem precisa ser. Porque agora você está aqui, comigo. Abrindo os olhos todas as manhãs e sorrindo para o mundo de um jeito que só você sabe fazer. Você perdeu uma coisa importante, mas não perdeu tudo, Lucas. Você não se perdeu; você só... mudou.

Ele inclinou a cabeça, descansando o rosto na minha mão.

E, no instante seguinte, me abraçou e disse:

– *Ven aquí.*

E, mesmo sem falar espanhol, eu entendi o que ele quis dizer. Vem cá. Chega mais perto.

Eu, que nunca hesitava diante de um pedido dele, atendi na mesma hora. Então, me aninhei em seu peito, repousando a cabeça em seu coração.

– Você tem razão. Estou bem aqui, *ángel* – sussurrou ele, antes de me dar um beijo na cabeça. – E não acredito que encontrei você.

Ele estava enganado. Não foi ele quem me encontrou.

Fui eu que o encontrei.

VINTE E CINCO

Lucas

Fui acordado por uma cãibra na perna inteira.

Eu sabia quais eram as consequências de não fazer todas as sessões de fisioterapia indicadas. Eu não tinha fortalecido as articulações reconstruídas e os músculos atrofiados, e era assim que eles protestavam: assumindo o controle. A única culpada era minha própria teimosia.

Até a noite anterior, eu não havia me importado. Não havia motivo para isso. Mas aquele babaca me atacou pelas costas e me deixou de joelhos. Ofegante e incapaz de me mexer, morrendo de medo de que ele fosse atrás de Rosie e eu não conseguisse impedi-lo. Foi esse medo que me fez levantar. Só para dar de cara com Rosie empunhando a bolsa feito uma princesa guerreira.

Senti mais um espasmo na coxa e estremeci. Notando que estava de lado e com todo o peso do corpo sobre a perna ruim, tentei virar de barriga para cima. Mas alguma coisa me impediu. *Pêssegos.*

Olhei para baixo e encontrei a fonte daquele cheiro delicioso e inebriante. *Rosie.* Meu corpo envolvendo o dela como um casulo.

Estávamos de conchinha, sua nuca na minha garganta, suas costas no meu peito, nossas coxas unidas, quadris alinhados.

A bunda dela colada à minha ereção matinal.

Dios. Nunca uma ereção tinha sido tão boa e também tão… inconveniente. Inconveniente por… motivos que eu não conseguia lembrar.

Motivos que não importavam com o corpo de Rosie tão quente e macio contra o meu. Motivos que pareciam menos importantes à medida que o tempo passava com meus braços ao redor de sua cintura, e minha mão subia pela sua barriga, e meu nariz se enfiava em seu cabelo.

Rosie se mexeu, seu quadril se movendo contra mim, e minha ereção assumiu posição de sentido; qualquer vestígio do sono se dissipou e despertei por completo.

Soltei o ar com força e precisei me controlar para não fazer uma loucura. Do tipo posicionar o corpo dela para que se esfregasse no meu do jeito exato. Como...

Rosie voltou a se mexer, deslizando a bunda por toda a minha ereção, me deixando duro como aço.

– *Ah, joder.*

Soltei um suspiro.

Sem conseguir me conter, espalmei os dedos em sua barriga, as pontas encaixadas nas suas costelas. Eu precisava parar, precisava me conter, mas não conseguia. E nem queria. Tudo em mim queria Rosie mais perto, seu corpo se fundindo no meu, e isso superou qualquer boa intenção que eu talvez tivesse tido em algum momento no passado. Provavelmente foi por isso que não consegui me impedir de abraçá-la e puxá-la para mim.

Ela perdeu o fôlego.

– Tudo bem, *ángel*? – sussurrei em seu ouvido, me sentindo um babaca egoísta ao perguntar.

Uma pequena parte de mim esperava que ela reclamasse, que ela virasse e perguntasse o que eu estava fazendo, que tipo de liberdade eu estava tomando, mas um suspiro satisfeito deixou seus lábios.

– Eu achei que estava sonhando – disse ela bem baixinho.

Rosie se agarrou nos meus braços e se aconchegou contra mim. Na verdade, ela se aconchegou bem na minha ereção, como se não existisse nenhum lugar onde preferisse estar.

– Mas é real. Você está aqui.

Mordisquei a orelha dela.

– Você não está sonhando. Está acordada.

E, como eu era mesmo um babaca egoísta e já sabia o que isso causava nela, fiz questão de sussurrar em espanhol:

– *Buenos días, hermosa.*

Ela suspirou e, mais uma vez, se esfregou contra mim. Rosie subiu e desceu, plenamente consciente do que estava fazendo comigo.

Meus lábios se abriram, um gemido quis escapar, meu quadril louco para se mexer com o dela, meus dentes prontos para mordiscar mais sua orelha enquanto eu sussurrava tudo o que queria fazer com ela.

– Humm, ainda parece um sonho.

A voz sussurrada de Rosie mandou ainda mais sangue para o meu pau, fazendo-o pulsar de desejo.

Respondi com um "humm", permitindo que a mão que estava em sua barriga buscasse a barra da blusa. Deslizei os dedos por baixo, e o contato com sua pele fez meu sangue esquentar. Perdi a consciência de tudo, menos do meu desejo por ela.

– Você também parece um sonho – falei, enterrando o nariz em seu cabelo, inalando seu perfume devagar. – E também tem cheiro de sonho.

Um arrepio fez o corpo de Rosie estremecer, e seus dedos envolveram meu pulso, incitando minha mão a tocá-la, como se eu precisasse de algum incentivo.

Deixando meu corpo pesar ainda mais sobre o dela, fui subindo a mão, passando por sua barriga, suas costelas, chegando à curva sob os seios. Um gemido deixou meus lábios quando percebi que ela estava sem sutiã.

Rosie voltou a pressionar o quadril contra o meu, me instigando. E mais uma vez, não consegui me conter. Era impossível. Era tão delicioso tocar o corpo dela.

Meus dedos acariciaram sua pele quente, fazendo-a estremecer. E, em uma fração de segundo, meu Deus, cobri todo o seu seio com a mão.

Algo que pareceu um "isso" deixou seus lábios e meus dedos se movimentaram, meu polegar acariciando seu mamilo.

Eu queria ouvir aquele *isso* mais uma vez, só que mais alto. Mais claro. Queria que fosse dito em meio a um grito de prazer, seguido do meu nome. Eu queria arrancar isso dela. Mas eu estava esquecendo alguma coisa.

Alguma coisa que...

Merda.

– Rosie – murmurei. – Seu irmão está dormindo logo ali no sofá.

Ela balançou a cabeça, arqueando ainda mais as costas, me atraindo de volta para a névoa, me levando cada vez mais ao limite.

– Ele dorme como uma pedra – balbuciou Rosie.

Meu indicador se juntou ao polegar, se fechando ao redor de seu mami-

lo, e eu quis rugir de tanta frustração por saber que eu não podia provocá-
-la tanto quanto queria. Que eu logo precisaria me conter.

Rosie gemeu baixinho, o quadril agora subindo e descendo no meu colo, me provocando com movimentos de vai e vem.

Tirando a mão do seio dela com toda a minha força de vontade, segurei Rosie, obrigando-a a parar.

Contei até três e colei os lábios no ouvido dela, passando os dentes na pele sensível, embora não devesse ter feito isso.

– Rosie, você precisa parar com isso.

Mas ela não parou. Voltou a movimentar o quadril, me fazendo inchar e latejar em uma onda de desejo ofuscante.

– Mas está tão gostoso... – resmungou ela, parecendo sem fôlego. – Você não acha?

Acho.

– *Hermosa* – rosnei em seu ouvido. – Está delicioso.

E eu não deveria ter feito isto, não mesmo, mas empurrei o quadril contra o dela. Só uma vez.

– Tão delicioso que vou gozar na calça se você não parar.

– Isso não seria um problema – respondeu ela, o desejo envolvendo as palavras sussurradas. – Ia ser ótimo...

Ela tentou se mexer de novo, mas consegui impedir, fazendo-a virar e prendendo-a sob todo o peso do meu corpo. E *senti* a mudança no instante em que ela percebeu o quanto amava ficar presa sob meu corpo. Um gemido retumbou em seu peito.

Xinguei a mim mesmo.

– Você gosta assim, minha linda?

Ouvi minha voz sussurrar, prendendo-a entre meu corpo e o colchão. Ela assentiu, a respiração ficando difícil, entrecortada.

– Gosta de ser dominada? Gosta que eu fique assim, em cima de você?

Ela assentiu mais uma vez. E, sem conseguir me conter, empurrei meu quadril contra o dela mais uma vez. Uma última vez. A última.

– Seria tão bom fazer você gozar desse jeito, Rosie.

Ela soltou um gemido, alto dessa vez, fazendo o sangue pulsar desesperadamente no meu pau. Cobri sua boca.

E isso...

Merda. Aquilo não ajudou, porque seu corpo agora se derreteu como manteiga.

– Rosie – falei, a voz baixa, tão baixa que nem reconheci. – Não vou fazer você gozar com seu irmão por perto. Desculpe, *hermosa*. Sinto muito.

E eu sentia, meu Deus, como eu sentia.

Rosie assentiu, e, quando abriu os olhos, tirei a mão de sua boca.

Encostei os lábios em sua testa.

– Quando eu fizer você gozar, vou querer ouvir esses gemidos.

Fui descendo os lábios, mordiscando e beijando o seu queixo.

– Se eu fizer você gozar, quero ouvir você chamar meu nome.

Então, fiz uma das coisas mais difíceis da minha vida até então: saí de cima dela.

Devagar, virei de barriga para cima; minha perna agradeceu e meu pau... levantou o edredom.

Rosie virou de lado para me olhar, os olhos percorrendo todo o meu corpo. Ela lambeu os lábios, e me ouvi soltando um suspiro forte.

– *Ángel* – sussurrei. – Pode continuar olhando e lambendo os lábios desse jeito, mas por favor não encosta em mim senão eu...

Eu vou perder a cabeça. Eu ia perder tudo. Eu não daria a mínima para quem quer que estivesse no quarto. Eu faria Rosie gritar meu nome.

– Vou me comportar – respondeu ela.

E por que essa frase me fez querer... fazer coisas com ela?

Senti um espasmo na ereção.

Se controla, falei para mim mesmo. *Pense em coisas que não sejam sensuais. Como lixeiras. Ou... aquela vez que o Taco teve diarreia.*

– Lucas?

Olhando para ela, encontrei seus lábios curvados em um sorriso e me dei conta do quanto ela era linda de manhã. Naquela luz. Na minha cama.

– Oi?

Ela colocou as mãos embaixo do rosto.

– Eu queria muito que esse apartamento tivesse mais paredes.

– É. Eu também não sou muito fã desses apartamentos chiques do Brooklyn, Ro – respondi, abafando uma risada.

Ela riu baixinho.

– Mas sou fã da vista – acrescentei, olhando em seus olhos. – Muito fã.

Aquele rubor que fazia de Rosie tão única reapareceu.

– Você está cheio de elogios hoje, Sr. McConaughey.

– Eu vivo para fazer você suspirar.

Minha mente voltou à noite anterior quando nos beijamos. Algo havia se partido no momento em que seus lábios tocaram os meus. Não que eu não tivesse percebido: fazia muito tempo que aquilo fervia entre nós, mas só se concretizou naquele terraço.

Precisávamos conversar. Eu tinha prometido honestidade e não queria que Rosie achasse que aquele beijo não tinha significado nada para mim, ou que eu ia ignorar. Mas eu queria fazer do jeito certo – em tudo o que dizia respeito a ela, eu precisava fazer a coisa certa –, e aquele não era o melhor momento para conversar.

– Preciso ir buscar o Taco na casa da Lina e do Aaron.

Ela assentiu.

– Acho que vou acordar Olly e ir até a casa do meu pai – disse ela, confirmando que havia coisas muito mais urgentes a serem resolvidas. – Vai ser um longo dia.

– Quer que eu vá com você? – perguntei.

– Eu adoraria que você conhecesse meu pai, mas talvez em um momento mais tranquilo – disse ela, e pareceu refletir um pouco. – E se a gente ligar para a Lina e perguntar se ela pode trazer o Taco? Você deveria ficar em casa hoje, descansar.

Assenti, engolindo em seco.

– É, acho que você tem razão.

– Eu sempre tenho. Então… você vai ligar e pedir pra ela vir?

Revirei os olhos.

Ela riu, aquele som mágico.

– Não me faça brigar com você por isso, Lucas Martín. Eu vou ganhar.

Foi minha vez de sorrir.

– Não me ameace com uma proposta tão tentadora, Rosalyn Graham.

Ela abriu a boca, mas antes que pudesse dizer alguma coisa, uma voz diferente soou.

– Rosie? – disse Olly, do sofá, jogando um balde de água fria no que quer que estivesse rolando entre a gente. – Está acordada?

VINTE E SEIS

Lucas

Ficar sozinho no apartamento me deixou com tanto tempo livre que eu nem sabia o que fazer.

Rosie saiu com Olly logo que ele acordou, e, por mais que eu estivesse inquieto por não ir junto, entendi por que ela achava que isso não era uma boa ideia.

Rosie, o irmão e o pai precisavam daquele tempo em família. E eu precisava muito de um tempo para me acalmar depois do que estive prestes a fazer com Rosie naquela manhã.

Além disso, achei que Lina fosse trazer Taco logo depois que Rosie saísse. Mas é claro que, como boa Felícia que era, ela remarcou. E agora o plano era Lina trazer Taco mais tarde quando fosse nos buscar para levar as coisas de Rosie de volta para o apartamento dela. Porque ela ia embora naquele dia. Ia voltar para casa.

E eu ia junto, mas, infelizmente, não como eu gostaria. Ia só ajudar, embora não fosse lá muito útil. Mas eu... precisava ir até lá. Me certificar de que estivesse tudo certo e bem-feito. Ver com meus próprios olhos que ela ficaria segura. Bem.

Mentiroso, afirmou uma voz na minha cabeça. *O que você quer é uma desculpa para passar mais tempo com ela. Uma desculpa para arrastá-la de volta para cá, com você, se qualquer coisa no apartamento dela estiver minimamente fora de lugar.*

Sim. *Sim*. Porque depois de beijá-la e dormir ao lado dela, era difícil ignorar essa parte de mim, essa emoção vibrando dentro de mim que desejava Rosie. Desejava *muito*.

E só de pensar eu… fiquei duro de novo. Como tinha acontecido o dia todo, mas pior, porque agora minha cabeça estava ocupada pensando que Rosie voltaria para o apartamento dela e não nos veríamos mais.

Com um suspiro trêmulo, olhei para o relógio e percebi que ainda tinha algum tempo antes que Rosie voltasse da Filadélfia e Lina chegasse com Taco.

Um banho. Gelado. Eu precisava me acalmar antes que qualquer uma das duas aparecesse.

Corri para o banheiro e, olhando bem para o espelho, apontei um dedo para o meu reflexo e disse, como se fosse ajudar em alguma coisa:

– *Contrólate, Lucas*. Você está agindo feito um idiota com tesão e não dá pra ser assim.

Mas nem minha expressão parecia menos angustiada nem meu pau menos duro.

Balançando a cabeça, abri o chuveiro – com a temperatura mais gelada possível – e entrei embaixo da água, fechando os olhos no instante em que ela bateu nos meus ombros.

Eu não deveria estar me sentindo desse jeito por uma mulher que eu tinha conhecido semanas antes. Uma mulher a quem prometi que estaria segura comigo. Uma mulher que tinha se tornado uma das minhas amigas mais próximas. *A minha amiga mais próxima*.

Como isso tinha acontecido?

Rosie me afetava de um jeito que mais nenhuma mulher tinha conseguido. Eu queria fazer as coisas por ela, toda e qualquer coisa, se ela deixasse. Queria garantir que ela estivesse bem. Mais que bem: *feliz*. Que conquistasse todos os seus sonhos. Que fosse cuidada, valorizada.

E, *meu Deus*, eu queria transar com ela. Venerar seu corpo. Dar-lhe prazer. Com as mãos. Com a boca. Com o pau se tivesse essa sorte. Queria tratá-la como ela merecia ser tratada, como um presente.

Não dava para fugir. Tudo aquilo estava borbulhando sob a superfície do meu ser, exigindo ser aplacado.

Senti minha mão descendo, eu… Meu Deus. Fazia tanto tempo que eu não aliviava um pouco a pressão.

Morar com Rosie no apartamento de Lina tinha muitas vantagens, mas também uma grande desvantagem: a falta de cômodos. De paredes. Privacidade. Tínhamos provado isso naquela manhã.

A imagem de Rosie se remexendo no meu colo surgiu diante dos meus olhos, fazendo minha pele pegar fogo. Deslizei a mão para baixo, instigado pela água escorrendo pelo meu corpo. Incapaz de me conter, finalmente me entreguei ao desejo avassalador que vinha tentando manter sob controle durante horas e segurei meu membro.

Deixei escapar um gemido.

Meu Deus, eu estava muito duro. Fiquei chocado por não ter explodido quando Rosie aninhou o corpo em mim. Quando prendi o corpo dela sob o meu.

Com a respiração entrecortada, me acariciei, da base ao topo, e minhas pernas quase cederam.

Colocando a outra mão nos azulejos gelados e escorregadios do chuveiro, continuei me tocando com movimentos lentos e firmes que me fizeram fechar os olhos de aflição e alívio. Tortura e prazer.

Minha mente evocou imagens daquela manhã, quando a bunda de Rosie me acariciou. Me imaginei virando-a de barriga para baixo, me preparando para fazê-la gritar como tinha prometido. Minha mão percorria toda a minha ereção, mantendo o ritmo enquanto eu imaginava o gosto dela, seu corpo macio sob o meu, sua pele rosada, a curva dos lábios quando eu finalmente lhe desse o orgasmo que nós dois desejávamos.

Me vuelve loco.

Rosie me deixava louco. Só de pensar nela eu já ficava assim. Eu diria isso a ela. E faria ela se contorcer de desejo quando eu sussurrasse essas palavras em espanhol do jeito que ela adorava. Eu...

– *Lucas?*

A voz de Rosie atravessou a névoa, me envolvendo como fumaça.

– Rosie? – respondi, desejo e surpresa na minha voz ao dizer o nome dela.

Sem parar de mover a mão, porque eu simplesmente não era capaz, me virei. Rosie estava na porta do banheiro, de casaco, as chaves penduradas na mão. Seu rosto era de um tom escuro de rosa que eu quis experimentar com minha língua. Ela estava paralisada. Os olhos fixos na mão que envolvia meu pau.

– Rosie, *mi ángel...*

Virei o corpo, deixando que ela me visse por inteiro, porque eu estava ao seu dispor. Não senti vergonha ao dizer:

– É isso que você faz comigo.

Vi sua garganta tremer e seu corpo todo reagir àquela visão. Eu, nu, me tocando embaixo da água. O verde em seus olhos se liquidificou. O rubor se espalhou. Sua boca formou um *O* lindo com o qual eu já fantasiava. Na minha pele, ao redor da minha ereção.

Fiquei ainda mais duro.

– Não dá mais pra parar – falei, a voz rouca, desesperada, obrigando minha mão a diminuir a velocidade.

Rosie me encarou.

– Não para.

Seu olhar vidrado confirmou que ela não estava horrorizada com minha falta de controle. Nem um pouco. Ela estava excitada. Lisonjeada. Cheia de desejo.

– Ouvi um grito, achei que você estivesse com dor.

Deixei a testa repousar na porta de vidro, e uma risada amarga escapou de meus lábios.

– Eu estou com dor, *ángel*.

Me afastei, endireitando as costas, olhando em seus olhos, dando um show, se era isso que ela queria.

– Tanto que tive que me aliviar.

Ela se mexeu e seu olhar voltou à minha mão, que subia e descia pela ereção. E eu me toquei com mais força, me levando cada vez mais ao limite. Seu olhar desceu mais, e vi o choque, a preocupação em seus olhos quando ela se deparou com a cicatriz no meu joelho.

– Olha pra cá – ordenei.

Eu estava pronto para explodir como uma bomba e queria Rosie comigo.

Ela obedeceu. E logo levou a mão distraída ao peito, repousando a palma entre os seios.

– Está gostando, Rosie? – perguntei, extasiado com a alegria em seu rosto. – De me ver assim? Gostando de saber que isso é culpa sua?

Ela assentiu.

– Muito.

Porra.

– Rosie – deixei escapar entre os dentes. – *Rosie.* As coisas que eu quero dizer pra você. *Fazer* com você.

Ela engoliu em seco, e ficamos suspensos no tempo por um longo momento. Então, bem, bem devagar, ela deixou as chaves caírem no chão. Abriu o casaco, revelando a camisa xadrez que a vi vestir naquela manhã. Com muita delicadeza, como se não tivéssemos pressa, e ela não soubesse que eu estava prestes e me contorcer de puro prazer, ela deixou o casaco cair no chão.

– Já passamos do ponto da timidez. Pode falar tudo – disse ela, olhando nos meus olhos de um jeito que me deixou louco. – Quero ouvir. Quero que você me veja do mesmo jeito que eu estou vendo você.

Um gemido retumbou no meu peito, subindo pela minha garganta e deixando meus lábios em uma explosão.

– Quer que eu te diga como acariciar esse seu corpo delicioso do jeito que eu faria? Quer dar um show só pra mim e me deixar louco como só você consegue?

Ela assentiu, os olhos descendo até minha mão e voltando ao meu rosto.

Senti meus dentes comprimindo meus lábios, a fera à solta, rompendo e se libertando da coleira.

– Abre a camisa.

Rosie obedeceu, puxando o colarinho com tanta força que os dois primeiros botões caíram no chão, revelando um sutiã de algodão. Soltei um grunhido de desespero ao ver isso.

– Agora coloca a mão no seio de novo.

Ela obedeceu e minha pulsação disparou, meu pau latejando na mão.

Rosie gemeu, acariciando o seio sem tirar os olhos de mim.

– Acho que você também está com dor, né?

Soltei o ar pelo nariz, meus olhos varrendo seu corpo e bebendo seus movimentos desesperados, querendo sair do chuveiro.

– Você está sofrendo e não podemos deixar isso acontecer.

Ela assentiu, e eu engoli em seco, desejando que fosse a minha mão em seu seio. Os meus dedos nela. A minha língua naquele pico rosado que eu precisava ver.

Falei com a voz mais grave:

– Abaixa o sutiã.

E o que saiu foi apenas um sussurro rouco quando continuei:

– Me deixa ver você, *hermosa*.

Ver os seios dela, ver Rosie ali, ofegante, com a camisa meio aberta, poderia ter me deixado de joelhos, mas fez outra coisa ceder: meu autocontrole.

Cerrando os dentes, abri a porta de vidro com uma das mãos enquanto me acariciei com a outra. Ela voltou a abaixar o olhar, e soltou um gemido.

– Faz isso com o seu mamilo. Com a palma e depois com os dedos.

Rosie seguiu as instruções e soltou mais um gemido, fechando os olhos por um instante e voltando a abri-los e fixá-los em mim com um desejo que eu sabia que era o mesmo que estava gravado no meu rosto.

– Eu preciso de mais – murmurei.

Dei um passo à frente, pronto para sair do chuveiro e transar com ela no chão como um animal, deixando de lado todos os motivos pelos quais eu não deveria fazer isso. Mas Rosie avançou ao mesmo tempo em um arroubo de desejo, tirando os sapatos e vindo na minha direção. Em um segundo ela se juntou a mim embaixo do chuveiro, encharcando as roupas. Então colocou a mão no meu peito e minha visão ficou nublada.

Encostei ela contra os azulejos, e ela abriu o zíper da calça, revelando a renda branca da calcinha.

Um rosnado deixou meus lábios e, por instinto, impulsionei o quadril contra minha mão.

– Já que você quer assistir, então assiste de perto.

Eu estava ofegante, minha mão se movimentando ao longo da extensão pulsante.

– Você quer que eu te guie, então coloca dois dedos dentro de você, por favor. *Por favor*. Faz isso antes que eu faça.

Ela colocou a mão dentro da calcinha e, ah, o gemido que soltou me levou tão perto do limite que me senti gotejar.

– Toca o seu clitóris, isso, assim, do jeito que eu faria – instiguei, quase sem reconhecer minha própria voz, nossas mãos se movimentando com urgência. – *Ah, hermosa*, isso, bem assim.

O som da nossa respiração ficou mais alto que o da água caindo, e não consegui não me aproximar, não consegui evitar que minha mão fosse até seu pescoço, se fechando com delicadeza ao redor de sua garganta.

– Tudo bem? – perguntei, observando seu rosto bem de perto. – Me diz se não estiver.

Ela só assentiu de leve, como se fosse incapaz de fazer mais que isso.

– Tudo... Tudo bem, meu Deus...

Nossos movimentos ficaram mais rápidos, mais desesperados, nossos quadris se impulsionando para a frente como se não estivéssemos nos aliviando com as próprias mãos.

– Lucas? – disse ela com a respiração entrecortada. – Vou gozar, meu Deus. Eu... *Lucas.*

Pressionei minhas coxas contra as dela, aumentando bem de leve a pressão dos meus dedos em sua garganta, e me contive até que ela gozasse.

– Goza... – falei, como um rosnado, soltando meu pau e colocando a mão sobre a dela. – Goza exatamente como eu estou fantasiando desde o Halloween. Enfia esses dedos e goza para mim.

Ela explodiu com um gemido, exatamente como eu queria, e diante dos meus olhos suas pálpebras e seu corpo inteiro estremeceram. E, quando sua mão ficou mole com a onda de prazer que a atingiu, eu assumi, finalizando o orgasmo.

Minha testa repousou sobre a dela, e esperei que ela voltasse a abrir os olhos para retomar minhas próprias carícias. Ela lambeu os lábios abertos quando impulsionei o quadril contra minha mão, com força, com mais força do que nunca, minha coluna se contraindo, tudo girando, me levando ao limite.

– É isso que você faz comigo, Rosie.

Ela colocou as mãos nos meus ombros, passando pelo peitoral, as unhas acariciando a pele da minha barriga.

Soltei o ar com força, me tocando desesperadamente, dominado pelo desejo.

– Por favor, *ángel*, me deixa gozar em você.

– *Deixo* – sussurrou ela. – Deixo.

Rosie levantou a camisa, abrindo à força o que restava dos botões, e eu me acariciei mais uma vez antes de explodir. Com um gemido rouco, gozei em sua pele macia, extraindo até a última gota. Desejando estar dentro dela. Desejando que aquilo tivesse durado horas, dias.

– Rosie – sussurrei, me escorando na parede atrás da cabeça dela, ainda me sentindo pulsar, vendo a água lavar sua barriga. – *Estoy a tus pies. A tus pies, hermosa.*

Ficamos ali, embaixo da água, minha testa na dela e nosso peito arfando por um bom tempo, até que fechei o chuveiro e a peguei no colo, sem dizer uma palavra. Rosie percebeu que isso me fez sentir a perna e exigiu que eu a colocasse no chão, mas me recusei. Não me restava muito tempo com ela, o que me deixava imprudente. Talvez tenha sido por isso que, em vez de largá-la, em vez de me afastar dela e conversar sobre o que tinha acabado de acontecer, coloquei Rosie no chão e tirei suas roupas molhadas. Beijei seus lábios mais uma vez. Ajudei-a a vestir uma roupa seca, e depois deixei que ela fizesse o mesmo comigo.

Porque o tempo estava contra mim. Tudo estava. Talvez sempre tivesse sido assim.

VINTE E SETE

Rosie

– Eu mal encostei no meio-fio. Falando assim parece que eu passei por cima de um... esquilo, sei lá.

Eu ri.

– Um esquilo? Sério? – perguntou Lucas.

Lina olhou para ele irritada.

– Pode acontecer – disse Lina, depois passou a sussurrar, olhando para Taco. – Eu não queria usar um c-a-c-h-o-r-r-o como exemplo, tá?

Taco choramingou ao meu lado, e o homem para quem eu fiquei olhando fixamente durante quase todo o caminho até minha casa murmurou baixinho:

– Que seja. Eu não vou acobertar você pro Aaron. Eu gosto dele e tenho certeza de que estaria quebrando algum código de camaradagem.

– Ah – falei. – Eu também não vou te acobertar, desculpa.

Lina revirou os olhos.

– Aaron sabia o que estava fazendo quando me emprestou o carro. Foi ele que disse que eu não deveria ter medo do trânsito de Nova York, *espertinhos.*

Lucas passou a mão nas minhas costas, acendendo todas as minhas terminações nervosas com o mais breve dos toques.

– Claro – disse ele, pegando a mala que estava pendurada no meu ombro. – É Nova York que deveria estar morrendo de medo – continuou, olhando para mim. – Dela.

Deixando escapar uma risada, balancei a cabeça. Aqueles dois eram ridículos, e eu jamais ia deixar que ele pegasse minha mala.

Lucas estreitou os olhos.

– Engraçado – comentou Lina, em frente ao porta-malas do carro. – Parece que alguém comeu palhacitos no café da manhã.

Lucas ignorou o comentário e se abaixou para pegar a mala que estava aos meus pés.

Eu também ignorei, primeiro porque não tinha entendido direito a piada e segundo por estar ocupada demais lançando mais um olhar irritado para Lucas. Falei em voz baixa:

– Você não deveria carregar peso, Lucas.

Ele pareceu pronto para discutir comigo, mas disse:

– É, tem razão.

– Já disse, eu sempre tenho razão – retruquei, pegando a alça da mala. – Solta.

– Não – disse ele, pegando a mala assim mesmo. – Você tem razão, mas isso não quer dizer que eu vou deixar você subir com esse peso todo.

Ele deu de ombros, e foi a minha vez de estreitar os olhos, fazendo uma careta bem irritada.

– Esse olhar não vai me impedir, Rosie.

Ele se aproximou e disse baixinho, para que só eu ouvisse:

– Só está me deixando com tesão.

Arregalei os olhos.

Eu não esperava que ele dissesse aquilo, mas gostei. Muito. *Demais.*

Eu queria as mãos dele em mim de novo, como naquela manhã, só que dessa vez eu queria mais. Dessa vez, eu queria Lucas por inteiro.

Lucas aguçou o olhar.

– Não me olha assim, *hermosa.* Você só está piorando as coisas.

Lina tossiu alto e, quando olhei para ela, seus olhos eram duas fendas.

– O que vocês dois estão sussurrando?

– Eu estava dizendo que estou feliz por estarmos vivos – respondeu Lucas muito rápido.

Seu rosto, no entanto, me dizia outra coisa. Então ele se virou para a prima e disse:

– Você não concorda que somos sortudos, *Sra. Velozes e Furiosos?*

– Rá – respondeu Lina. – Engraçadíssimo.

Com um suspiro, virei para minha melhor amiga.

– Aqui – falei, colocando minha chave na mão dela. – Vai subindo, a gente pega o resto.

Para meu espanto, Lina não questionou. Ela simplesmente chamou Taco e foi em direção à escada.

Peguei a mala mais leve que encontrei, a que tinha um travesseiro, pendurei no ombro de Lucas e depois peguei a mala que ele achou que fosse levar.

– Pronto – declarei, dando tapinhas em seu peito. – Pode subir, Martín número dois.

Ele segurou meu pulso, e uma sensação selvagem e poderosa inundou meu corpo sob seu toque. Olhei para ele, o peso e a luxúria se dissipando levemente quando seus lábios formaram um biquinho lindo.

Eu ri.

– Deixa de ser resmungão – falei, tentando manter ó tom leve. – Você não pode ganhar sempre. Agora suba.

Ele zombou.

– Eu sou um amor – disse ele.

O olhar de Lucas desceu até os dedos que envolviam meu braço e ele levou minha mão até seu peito, bem em cima do coração.

– Eu só... quero ajudar.

Não era só questão de querer, ele precisava ajudar. E eu entendia isso.

Então, espalmei a mão no peito dele e a deixei ali por um tempo, para que ele sentisse meu toque através da roupa. Só quando ele já parecia tão distraído quanto eu com aquilo, eu disse:

– Você aqui comigo. É só o que eu preciso de você.

Eu estava olhando direto para ele, então foi impossível não ver a mudança em sua expressão.

Ele provavelmente queria falar sobre o que tinha acontecido naquele dia, ou na noite anterior, porque não tínhamos conversado, e deveríamos. Só que, mais uma vez, aquele não era o momento. Então limpei a garganta e disse:

– Vamos? Lina deve estar se perguntando por que estamos demorando tanto.

Subimos.

Pouco mais de duas horas depois, já tínhamos subido com todas as minhas coisas e limpado a bagunça que os empreiteiros tinham deixado para trás.

– Estou morta – resmungou Lina, sentada no canto do sofá. – Isso valeu por uns três meses de exercícios pelo menos.

Eu ri e Lucas zombou dela, incrédulo.

– Acho que os vários intervalos de dez minutos que você fez para comer Pringles cancelam o exercício, *mi prima*.

– Nossa, mas que estraga-prazeres – disse Lina, jogando as mãos para o alto. – Você está com um mau humor daqueles, Lucas. Eu nem sabia que você *sabia* ser mal-humorado assim.

Lina não estava mentindo: Lucas não parecia ele mesmo. Estava bufando e resmungando e mal sorria.

– Talvez seja bom você tirar um cochilo quando chegar em casa, *sí*? Está parecendo um bebê que precisa dormir.

– Eu dormi bem essa noite – disse ele, olhando para mim do outro lado da sala. – Na verdade, dormir é a última coisa que eu quero agora.

Meus batimentos aceleraram, porque vi o que reluzia naqueles olhos castanhos. Senti na pele.

Lina deu uma tossidinha.

Me obriguei a desviar o olhar e juntei a palma das mãos.

– Muito bem. Muito obrigada pela ajuda, gente – falei, levantando.

Taco cutucou minha perna com a cabeça. Agachei e dei um beijo estalado nele.

– Você também, por ser o mais lindo de todos.

Lucas soltou um grunhido, e Taco imediatamente foi até ele, que pareceu relaxar um pouco.

Lina estava sentada no sofá e de repente me dei conta de que não havia motivo para eles ficarem. Não havia motivo para Lucas ficar. Ele voltaria para o apartamento de Lina. E em breve para a Espanha.

Uma sensação de pânico rodopiou dentro de mim, me deixando meio sem ar. Soltei a primeira coisa que me veio à mente.

– Querem comer alguma coisa? A geladeira está vazia, mas posso pedir uma pizza.

Virei para minha melhor amiga, porque se eu olhasse para Lucas talvez fizesse alguma coisa bem idiota. Tipo pular no colo dele e implorar que não fosse embora.

– É o mínimo que eu posso fazer.

Lina soltou um suspiro, unindo as mãos embaixo do queixo.

– Prometi pro Aaron que o buscaria na InTech quando a gente acabasse aqui – disse ela, ficando de pé. – E aproveito todas as oportunidades de tirar ele de lá cedo. Um dia vou ter que arrancar aquela bundinha da cadeira antes que ele e o computador virem uma coisa só.

Assenti, me perguntando se dizia ou não para Lucas que ele devia ficar se quisesse. Que eu queria muito que ele ficasse.

Mas então Lina voltou a falar.

– É melhor a gente ir. Eu deixo você em casa antes de ir para Manhattan, Lucas. É caminho.

– Claro – falei, porque o que mais eu poderia dizer?

Eu nem sabia se Lucas queria ficar, e ele não falava nada.

Pegando o celular na mesinha de centro, conferi a hora.

– Ah, claro. É melhor vocês irem mesmo se…

– Estou com fome – disse Lucas, bem casualmente. – Pizza parece uma boa ideia.

Minha cabeça virou na direção dele tão rápido que quase fiquei tonta e vi que ele me olhava nos olhos com determinação.

– Pede uma no Alessandro's no caminho – sugeriu Lina, pegando o casaco e a bolsa. – O pedido já vai estar pronto quando eu te deixar lá.

Os olhos de Lucas não deixaram os meus quando ele falou:

– Talvez eu esteja com fome agora.

Meu coração disparou, o pobre órgão indefeso quase saindo pela boca.

– Você não vai comer pizza no carro do Aaron, Lucas – disse Lina, bufando. – Ele vai te matar, e, por mais que esteja um saco hoje, você ainda é meu primo favorito.

Vi Lucas respirar bem lentamente pelo nariz, quase como se estivesse reunindo forças. E, pela primeira vez, fiquei chocada ao vê-lo explodir.

– Você é tão distraída assim, Lina?

Tive que conter uma arfada.

– *Lucas.*

Minha melhor amiga estreitou os olhos para o primo mais uma vez.

– Viu só? Você está um porre hoje.

Lucas fechou os olhos e disse:

– Desculpa. Desculpa... *Soy un gilipollas.*

– É mesmo, mas aceito as desculpas – disse Lina, parando na frente dele. – E, pro seu governo, eu não sou cega, tá? Eu vi você mancando pela casa e também vi Rosie perguntar de cinco em cinco minutos como você está.

Isso me fez arregalar os olhos.

– Também estou sentindo uma energia sexual absurda entre vocês. Então, a não ser que queira conversar agora mesmo sobre todas essas coisas, vou te levar pra casa. E, se parar de ser um babaca, talvez eu não te encha de perguntas sobre por que o Aaron fica todo quieto quando eu falo de você. E, acredite, eu quero muito fazer isso, porque é a primeira vez que meu marido está praticamente guardando um segredo de mim, embora seja fofo ele acobertar você por uma espécie de camaradagem, mesmo assim eu fico triste por ser deixada de fora.

Lucas levantou e abraçou Lina.

– *Soy un idiota* – disse. – Me desculpa. Você tem razão. Talvez eu precise mesmo de uma soneca.

As palavras de Lina me deixaram com um aperto no peito. Eu estava sendo uma péssima amiga por esconder aquilo dela.

– É melhor vocês irem – falei com delicadeza, tentando evitar que meus pensamentos obstruíssem minha voz. – Talvez eu pule a pizza e vá direto pra cama mesmo. Estou morta.

Os dois Martíns interromperam o abraço, e de repente eu estava nos braços da minha melhor amiga.

– Não estou brava – disse ela, só para mim. – Você vai me contar tudo, eu sei que vai. E eu vou estar lá quando você estiver pronta, tá?

Um ruído estrangulado deixou minha garganta.

– Tá.

Meu Deus, ela era mesmo a melhor.

Quando Lina me soltou, Lucas estava ali, como se estivesse esperando na fila para ganhar seu abraço. E eu... Argh. Eu não via a hora de me jogar em cima dele. Sentir seu calor, seu cheiro, sua força. Ele me abraçou e senti um beijo silencioso na lateral da cabeça, perto do ouvido.

– *Buenas noches, hermosa* – sussurrou ele.

Taco, aninhado aos meus pés, soltou um ganido.

Mas eu não disse nada para nenhum dos dois e provavelmente foi melhor assim. Porque provavelmente eu teria dito algo idiota, do tipo "Fica".

Fica para sempre.

Então me limitei a ficar olhando Lucas, Lina e Taco irem embora, e alguns minutos depois eu estava sozinha. De novo. Exatamente como eu estava antes daquele cara aparecer na minha vida e de algum jeito se tornar... insubstituível.

– Muito bem – falei para o apartamento vazio. – Estou sozinha. E isso é bom. Está tudo bem.

Mas não estava tudo bem. Não de verdade.

Porque eu já estava com saudade dele, e isso era loucura. Era... ridículo. Absolutamente ridículo. Mas tinha algo pulsando dentro de mim, exigindo ser libertado.

E de repente foi como se uma lâmpada acendesse dentro da minha cabeça. Uma lâmpada conectada ao coração. Peguei a bolsa, tirei o notebook e me joguei de volta no sofá. Abri meu manuscrito e fiz a única coisa que eu sabia fazer: escrevi sobre tudo aquilo com o que eu não sabia... lidar. Sobre as coisas que eu não sabia processar. Cada medo na minha cabeça, cada emoção poderosa que estava em fúria no meu coração, cada pergunta assustadora e cada certeza sufocante. Cada esperança. Eu simplesmente sentei ali e coloquei tudo no arquivo. Libertei todos aqueles sentimentos na história para decifrá-los da forma que eu era mais habilidosa: escrevendo.

Horas depois, eu estava na cama. Bem acordada.

Acabei, sabe-se lá como, trabalhando até depois da meia-noite e achei que a exaustão do dia e da sessão produtiva de escrita me nocauteariam. Mas não.

Fiquei encarando o teto do quarto. E conferindo o celular de vez em quando. Desejando que a tela acendesse com uma mensagem ou uma ligação. Desejando ter coragem suficiente para pegá-lo e tomar a iniciativa.

Mas a tela continuou apagada. O aparelho em silêncio.

E eu não ousava fazer nada para mudar isso e estava ficando louca.

Fechando bem os olhos, soltei um gemido.

Havia tantas regras tácitas sobre como as mulheres deviam se comportar com os homens por quem estavam interessadas... Homens que tinham beijado e queriam beijar de novo e de novo e de novo. Mas nesse caso era Lucas. Era eu. E eu não achava que essas regras se aplicavam a nós dois.

Eu já tinha visto Lucas pelado, lindo e imponente embaixo da água, se masturbando. Sofrendo de desejo por mim. Vulnerável. Poderoso.

E antes disso eu tinha beijado esse homem na chuva, sem me importar com nada que não fossem seus lábios nos meus.

Dançara com ele ao som da *nossa* trilha sonora, rodopiando em seus braços e me embriagando com o som de sua risada.

Eu o consolara quando ele teve pesadelos, desejando ser capaz de afastar o medo que ele sentia.

Eu havia deixado que ele segurasse minha mão quando precisei de conforto. Eu tinha permitido que algo que começou como um experimento se tornasse real.

As regras não se aplicavam.

Eu era uma mulher adulta. Não precisava de um motivo para mandar mensagem para ele. Lucas era meu amigo. Um dos meus melhores amigos. E também o homem em quem eu não conseguia parar de pensar.

Estendi a mão para pegar o celular.

– Dane-se...

E no mesmo instante a tela acendeu.

Com o coração na boca, me enrolei com o edredom na pressa de pegar o celular e caí no chão.

– Merda!

De onde eu estava, esparramada no tapete, estiquei o braço e peguei o aparelho na mesinha de cabeceira, sem me dar ao trabalho de voltar para a cama. Era uma mensagem.

Lucas: Talvez eu tenha ansiedade de separação.

Meus lábios se esticaram, formando o sorrisinho torto mais ridículo de todos os tempos, e corri para digitar uma resposta.

> **Rosie:** Achei que isso só acontecesse com animais de estimação.

> **Lucas:** Você está acordada.

> **Lucas:** Acordei você?

> **Rosie:** Não. Eu estava acordada. Passei horas trabalhando.

> **Lucas:** Fico feliz. Quantas palavras?

> **Rosie:** Muitas ☺

> **Lucas:** Essa é a minha garota.

> **Lucas:** Mas você deve estar exausta. Melhor eu deixar você dormir.

A vibração nas costelas subiu até as têmporas e inventei uma desculpa para mantê-lo na conversa.

> **Rosie:** Não se preocupe. Meu cérebro ainda está agitado e não consigo dormir.

> **Rosie:** Você podia… me fazer companhia? Talvez?

> **Rosie:** Até eu pegar no sono.

> **Lucas:** 😇 Ah, é? Você ia gostar disso?

> **Rosie:** Ia.

Lucas: Bom, você está com sorte, porque sou uma excelente companhia.

Lucas: Na maior parte do tempo.

Rosie: Eu sei.

Rosie: O tempo todo. Mesmo quando está rabugento.

Uma foto apareceu na tela. Era uma selfie, e ele estava franzindo a testa. Fazendo um biquinho.

Lucas: Rabugento assim?

Lucas: Acho que continuo charmoso. Sexy, até.

Continuava. Sempre.
Mais uma mensagem.

Lucas: Não quer me distrair um pouco também?

Lucas: Me manda uma foto.

Lucas: Pra acalmar minha ansiedade.

Lucas: Estou com medo de esquecer seu rosto.

Rosie: Você está… dando em cima de mim, Lucas Martín?

Lucas: Está funcionando?

Com uma risadinha nervosa, tirei uma selfie e mandei.

Lucas: Isso é… o chão? Por que você está deitada ao pé da cama?

Ops. Meu cérebro que só pensava em Lucas não tinha se dado conta disso.

Mais uma foto dele apareceu na minha tela. Uma foto mais de longe, como se ele tivesse esticado o braço para que eu visse que ele estava deitado na cama. Em cima das cobertas. Sem camisa. O peito glorioso à mostra, a tatuagem aparecendo no canto da tela.

> **Lucas:** É assim que se usa uma cama, Ro. A gente deita em cima.

> **Rosie:** Obrigada pela aula, professor.

> **Lucas:** O que eu posso dizer? Sou especialista nos muitos usos de uma cama.

> **Rosie:** Ah, é?

Ah, é?

Sério, Rosie? Ah, é?

Eu podia ter respondido algo muito, muito melhor. Mais sexy. Mas meu cérebro estava... disperso.

> **Lucas:** Não fique tão surpresa.

Esperei, pensando em alguma resposta. Mas ele foi mais rápido.

> **Lucas:** Se esqueceu de hoje de manhã? Porque eu não esqueci.

> **Lucas:** Na verdade eu não penso em outra coisa.

> **Lucas:** Quer dizer, também pensei naquele banho. Em você gozando tão linda.

Fiquei olhando para aquela palavra na tela, o calor se acumulando entre minhas pernas. Eu só não sabia como responder àquilo.

Meu cérebro tentou encontrar uma boa resposta, alguma coisa, qualquer coisa, que eu pudesse dizer. Aquilo era bom, um pouquinho de *sexting*. E eu escrevo romances, já tinha escrito cenas de sexo. Sabia ser sexy. Sabia ser ousada. Era boa naquilo.

Mas nada me veio à cabeça. Nada. Só cenas daquela manhã, nós dois na cama, embaixo das cobertas. Daquele banho, do corpo dele nu, ele gozando na minha barriga. Que foi a experiência mais quente, mais erótica da minha vida, e eu…

Talvez eu tenha passado um bom tempo pensando porque Lucas escreveu de novo.

Lucas: Rosie?

Rosie: Ainda estou aqui.

Lucas: Desculpa. Eu sou um idiota. Eu não estava tentando fazer sexo por telefone ou por mensagem com você, eu juro.

Rosie: Não estava?

Lucas: Não.

Bom, isso era decepcionante, na verdade, porque eu teria topado as duas opções. Eu só precisava… de um pouco mais de tempo.

Lucas: Eu mandei mensagem porque estou morrendo de saudade. O apartamento está quieto demais. Vazio demais. Mesmo com o Taco aqui. Nada se encaixa. Quero você de volta.

Meu peito se encheu tanto que doeu.
Quero você de volta.
Era exatamente como eu estava me sentindo na minha própria casa. De tanto que ele me deixou mal-acostumada. Seria possível que nós dois estivéssemos sentindo exatamente a mesma coisa?

Rosie: Eu também estou com saudade.

Então, como eu claramente não tinha nenhum instinto de autopreservação no que dizia respeito àquele homem, enviei as palavras que eu queria que ele ouvisse. A verdade que eu queria que ele visse, que eu queria gritar para ele até ficar rouca.

Rosie: Também quero você de volta, Lucas. Queria que você estivesse aqui comigo. Na minha cama.

Lucas: ...

Lucas: Queria que você não tivesse dito isso.

Rosie: Por quê?

Os três pontinhos dançaram na tela por alguns segundos e depois desapareceram.

Bem quietinha, esperei um minuto.

Então dois. Três, cinco, dez, quinze.

Trinta minutos.

Lucas não respondeu.

Talvez tivesse... pegado no sono.

Ou talvez tivesse ficado com fome e levantado pra fazer um lanche. Conhecendo Lucas, um lanche envolveria algo mais sofisticado que abrir um pacote de cereal e uma caixa de leite, mesmo à uma da manhã.

Ou talvez...

– Meu Deus – falei para o quarto vazio. – Olha no que você está pensando, Rosie.

Soltei um palavrão ao perceber que não só estava sendo ridícula, como também estava em pé, andando de um lado para o outro em frente à cama, prestes a me causar uma bela dor de cabeça.

De repente o som do interfone soou pelo apartamento, me assustando e me fazendo largar o celular. A tela se acendeu aos meus pés.

Lucas: Sou eu.

Deixei o aparelho ali porque a única coisa que me importava era a porta. Porque... ele estava ali.

Corri até a entrada e, quando deixei ele entrar no prédio e abri minha porta, a respiração ofegante não tinha nada a ver com a corrida.

O rosto mais lindo que já vi na vida apareceu no corredor depois de alguns segundos. E o homem que de alguma maneira tinha se tornado minha pessoa favorita em Nova York – no país, no mundo inteiro – veio até mim.

– Por isso – disse Lucas.

E disse com aquele seu sorriso típico, feliz, cheio de luz e com o poder de me dar aquele frio na barriga. De fazer minha pele se arrepiar e meus nervos vibrarem.

– Pra que eu não viesse correndo até aqui, sem ser convidado, aparecendo à sua porta depois da meia-noite. Por isso eu queria que você não tivesse dito que estava com saudade.

Meu coração estava em festa.

– Você disse que estava com saudade – repetiu ele, como se ainda estivesse processando minhas palavras.

E, sem pensar, sem nem saber como, me joguei nos braços dele. Eu o teria escalado, como se ele fosse uma árvore, se não soubesse que sua perna não aguentaria. Mas ainda assim me entrelacei nele o melhor que pude. Inspirei, acolhendo seu cheiro, sentindo os músculos fortes embaixo das camadas de roupa que ele usava para se proteger do frio de Nova York. Acolhendo aquele homem por inteiro.

– Acho que foi a melhor coisa que eu já disse na vida – falei.

As palavras vazavam de mim e jorravam sobre ele, sobre o coração dele, onde eu queria me enterrar. Então, falei algo que talvez não devesse, mas eu não conseguia mais me conter:

– E repito se isso fizer com que você fique. Repito cem milhões de vezes.

Lucas me abraçou mais forte e o suspiro longo que soltou aqueceu a pele do meu pescoço.

Agora que eu estava exposta, que ele havia quebrado minha casca, continuei:

– Senti sua falta no instante em que você saiu daqui. E senti sua falta durante muito tempo antes disso, Lucas.

Senti um rosnado profundo ressoar em seu peito, um som que me encheu de ansiedade, de desejo, do que quer que fosse aquilo que estava crescendo entre nós.

De repente ele me abraçou pela cintura e nos fez entrar, fechando a porta atrás de nós. No segundo seguinte, fui pressionada contra ela.

Lucas colocou os braços ao lado da minha cabeça, me prendendo contra a superfície de madeira.

– Repete – disse ele, olhando nos meus olhos. – É que ninguém nunca sentiu tanto minha falta ou me desejou tanto. Repete.

Minha boca ficou seca quando vi a expressão em seu rosto. O jeito como seus olhos escureceram, e sua mandíbula formou uma linha reta.

– Senti sua falta, Lucas. Muita. Por favor, fica aqui comigo. Passa a noite aqui.

Essa noite e todas as outras.

Ele colocou a mão direita no meu rosto e fez carinho na minha bochecha com o dedo, descendo até meu lábio inferior, deslizando sobre ele.

– Se eu ficar… – disse ele de olhos fechados, a respiração trêmula. – Eu já vi você desmoronar diante dos meus olhos, Rosie. E mal tive a chance de tocar você. Se eu ficar, nós vamos transar.

Estremeci ao pensar no quanto eu queria que ele cumprisse esse aviso.

– Ótimo.

– Preciso que você escute uma coisa – disse ele, e seu olhar ficou mais severo. – Eu vou embora em uma semana, e eu estava falando sério quando disse que não posso… Minha vida está um caos, Rosie. Eu não tenho nada a oferecer. Mas eu… eu sou egoísta no que diz respeito a você. E vou te dar minha boca se você quiser. Meu toque, meu corpo. Não é muito, certamente é menos do que você merece, mas, se você quiser isso, se você me quiser…

Dei um beijo nele.

Interrompendo aquelas palavras.

Eu não precisava delas. Não precisava de mais nada, só dele.

E teria dito isso se ele não tivesse retribuído meu beijo com uma urgência que se equiparava à minha.

Então eu o beijei. Beijei como queria havia tanto tempo, finalmente deixando de lado tudo o que me segurava até esse momento. Porque ele estava indo embora e talvez aquilo fosse tudo que eu viria a ter dele. Então, simplesmente aceitei.

Puxei Lucas para perto com um desespero que eu nunca tinha sentido antes, desejando seu corpo contra o meu enquanto ele tomava minha boca. Ele me envolveu pela cintura, colando o quadril no meu e me empurrando contra a porta. Deixei escapar um gemido, e Lucas aproveitou para me dar um beijo de língua.

Minha cabeça girava a cada sensação que inundava meu corpo, me deixando sem equilíbrio. Puxei seu casaco, querendo tirar aquela barreira extra, mas ele não se mexeu.

Murmurei quando ele roçou a boca pelo meu pescoço bem devagar, mordiscando, e logo esse murmúrio virou um gemido alto.

Com a boca colada à minha orelha, sem se afastar da minha pele, que já estava supersensível, ele disse:

– Esse som…

– Que som? – me esforcei para perguntar.

Seus dentes tocaram o lóbulo, puxando-o.

Minha reação foi imediata. Um novo gemido subiu pela minha garganta.

– Esse – sussurrou ele. – Eu faria qualquer coisa pra ouvir esse som, Rosie.

– Que coisas? – sussurrei.

Mas tudo o que eu queria era dizer: *Por favor. Faz tudo. Agora.*

Seu quadril pressionou o meu em resposta, e o desejo que percorria meu corpo era tanto que fiquei sem ar. *Duro.* Ele estava muito duro e era grande.

– Coisas como comer você aqui em pé contra essa porta, agora mesmo.

Eu queria gritar para ele ir em frente.

Mas, antes que minhas palavras saíssem, sua boca refez o caminho de volta até a minha, deixando meus braços totalmente arrepiados. Ele ficou com a boca bem perto da minha, mas sem encostar.

Sem me beijar.

Por que ele não estava me beijando?

Ele passou o nariz do meu.

– Eu cheguei bem perto de transar com você hoje à tarde – confessou ele, falando em voz baixa. – De comer você no chão daquele banheiro.

Soltei um gemido, puxando suas roupas mais uma vez, mas ele não se mexeu.

Tudo o que ele fez foi puxar meu lábio inferior entre os dentes e dizer:

– Você quer ouvir o que mais eu estou prestes a fazer?

– Quero.

– Quero abaixar o shortinho desse pijama que está me enlouquecendo…

Ele falava bem baixo, com a boca perto da minha.

– A calcinha também.

Seus lábios deslizaram pela minha mandíbula.

– Só para poder meter bem fundo em você, tão fundo até você não sentir mais nada, só a mim.

Fechei os olhos ao ouvir essas palavras.

– Faz isso – implorei, ouvindo o desejo absurdo na minha voz. – Tudo isso. Por favor.

– Não.

Ele mordiscou minha orelha mais uma vez, fazendo meus dedos dos pés se contorcerem.

– Ainda não.

Suas palavras eram uma tortura, tirando de mim a possibilidade, a ideia de ter aquilo naquele instante. De tê-lo o mais rápido possível.

– Sabe o que vou fazer antes disso?

Meus olhos se abriram a tempo de ver seus lábios formarem um sorrisinho lento. Era um sorriso novo. Não o sorriso feliz e luminoso de sempre; era obscuro. Sensual. Um aviso e uma promessa. Uma que eu queria que ele cumprisse.

– Esta noite….

Antes que as palavras seguintes viessem, eu soube que não tinha mais volta, que depois daquela noite eu nunca mais seria a mesma, porque teria ele para mim, inteiro.

– Esta noite vou levar você pra cama. Meter em você profunda e lentamente. E não vou me contentar com esse gemido lindo. Eu vou fazer você gritar meu nome, Rosie.

No instante em que aquelas palavras deixaram seus lábios, Lucas se revelou. E, se eu achava que já tinha desmoronado, não poderia estar mais enganada.

Ele me levantou mais uma vez e, antes que eu pudesse protestar, antes que eu pudesse sequer pensar, Lucas enrolou minhas pernas em volta do seu quadril enquanto caminhava até meu quarto.

Meu coração disparou. Meu desejo ferveu. E só me dei conta de ser jogada em cima do edredom.

Ele inclinou a cabeça bem devagar, e seus olhos percorreram meu corpo de cima a baixo. De um jeito que eu nunca tinha sido observada. Como se fosse me comer viva.

Com os lábios abertos, finalmente vi Lucas se livrar do casaco. Então, ele pegou a barra do moletom e o tirou em um único movimento.

Ele não usava nada por baixo.

Um ruído de desejo subiu pela minha garganta porque eu já tinha visto Lucas nu, eu já tinha visto as entradas em seu quadril e cada músculo definido flexionado, mas não assim. Nem mesmo mais cedo, no chuveiro. Não com aquele brilho obscuro em seus olhos ou aquele sorriso malicioso.

– Sem camiseta?

Ele deu uma risadinha suave, cúmplice.

– Eu saí com pressa. Até agora não sei como consegui deixar uma mensagem pedindo pro Aaron buscar o Taco. Ele deve estar me odiando, mas não consigo me importar.

Minha garganta ficou seca. Ele ficou sério e deu um passo à frente.

Parou à beira da cama e disse:

– Vem cá.

Sem perder um segundo, fiquei de joelhos e rastejei até ficar na frente dele.

Lucas me olhou, e algo se rompeu, se suavizou. Ele passou o dorso dos dedos no meu rosto e disse:

– Essa pele rosada… *Eres hermosa.*

Ele se aproximou, o rosto inclinado para baixo olhando nos meus olhos.

– Estou louco pra ver seu corpo inteiro dessa cor.

Sentada de joelhos, estiquei os braços para cima. Dando sinal verde para o que ele quisesse fazer.

Lucas não hesitou. Ele aceitou minha oferta e puxou minha camiseta.

Uma respiração trêmula deixou seus lábios enquanto seus olhos percorriam meu corpo. Observando meus seios.

– *Me robas el sentido* – murmurou. – Você me deixa sem ar.

Estendi as mãos, repousando-as em seu peito com muita delicadeza, e fui descendo, memorizando o mapa da pele quente e retesada sob meus dedos. Gravando tudo. E, quando minhas mãos alcançaram o cós de sua calça, me inclinei levemente, roçando os lábios no meio de seu peito. Então, pressionei-os contra seu coração. Parti para as costelas, perto da tatuagem e, sem pensar, beijei a crista da onda com a boca aberta, deixando a língua percorrer o belo desenho.

A barriga de Lucas se contraiu, tensa, e senti que ele estremeceu.

Olhei para ele, e a confissão escapou:

– Eu quis fazer isso desde a primeira vez que vi sua tatuagem.

Ele soltou um gemido e de repente me puxou para cima, tomando meus lábios. Depois, sussurrou:

– Você tem fantasiado com isso? Comigo?

Assenti.

– Todos os dias. Todas as noites antes de dormir. Todas as vezes que fecho os olhos.

Ele soltou o ar com força.

– E o que mais você imaginou fazer comigo?

Arrastei as mãos ao longo do cós de sua calça e deixei que meus polegares traçassem as fendas em seu quadril. Então finalmente levei meus dedos até o botão e ouvi Lucas sibilar.

– Hoje, quando vi você no chuveiro – falei, elaborando o movimento e sentindo o calor intenso que emanava dele –, queria que fosse a minha mão. Ou a minha boca.

O quadril de Lucas se impulsionou para cima, e eu soube que era um reflexo.

Olhei em seus olhos e acrescentei:

– Queria que você tivesse gozado dentro de mim.

Ele levou as mãos ao meu rosto, entrelaçando os dedos no meu cabelo enquanto eu abria o zíper.

Passei a mão sobre o tecido esticado da cueca boxer preta, e Lucas soltou um suspiro.

– Humm… então você gostou de ver eu me tocando – disse ele, se movimentando contra minha mão. – Mas queria que tivesse sido você.

Assenti.

Seus dedos puxaram meu cabelo um pouquinho mais forte.

– Então coloca ele pra fora e me mostra.

Abaixei sua cueca, lambendo os lábios ao vê-lo livre. Sem pensar, fechei a mão naquela extensão, acariciando-o de cima a baixo bem devagar, querendo dar todo o prazer a ele. Fazê-lo se sentir bem. Maravilhoso.

Lucas emitiu um rosnado e arqueou as costas.

– De novo... Mais forte, *hermosa*. Não seja tímida.

Obedeci, acariciando com firmeza, vendo seu membro inchar ainda mais na minha mão.

Ele soltou mais um gemido, dessa vez alto e breve, e foi meu último aviso antes que suas mãos soltassem meu cabelo e fossem até meu ombro, me fazendo voltar até o meio da cama.

– Chega de brincadeira – disse ele, os braços repousando ao lado da minha cabeça e beijando meus lábios com firmeza.

Então, sua boca viajou pelo meu corpo e ele puxou meu short com os dentes. Em um movimento rápido, me deixou só de calcinha, e sua cabeça pairou logo acima da junção entre minhas coxas. Sua boca percorreu a costura da minha calcinha, os dentes roçando o tecido, e minhas costas se arquearam ao sentir o contato. Minha cabeça rodou.

– Lucas... – falei, com um suspiro, quase gozando na hora.

Senti a língua dele roçar meu clitóris por cima do tecido fino da calcinha.

Então, ele a puxou para o lado, vendo como eu estava molhada e mergulhando na minha carne.

– Meu Deus...

Soltei um gemido. E, quando ele continuou, eu só conseguia repetir essas duas palavras.

– *Meu Deus*.

Senti sua respiração na minha pele.

– Deus, não – disse ele, antes passar a língua em mim de cima a baixo. – Lucas.

Gemi quando o senti afastar meus joelhos, as palmas repousando na parte interna das minhas coxas para que eu mantivesse as pernas bem abertas enquanto sua língua descia mais uma vez.

– Fala.

Soltando mais um gemido, ergui o quadril.

– Eu disse que quero ouvir você dizer meu nome bem alto – repetiu ele, enfiando a língua de novo, e de novo, e de novo. – Fala.

Ele tirou uma das mãos da minha coxa, e seu polegar começou a traçar círculos ao redor do meu clitóris, e meu corpo entrou em êxtase.

– Lucas.

Eu estava ofegante, trêmula.

Então ele fez uma coisa com a língua que eu nunca tinha experimentando, e de repente meus braços voaram para trás, se agarrando à primeira coisa que encontraram, um travesseiro. Eu impulsionei o quadril contra sua boca, instigando Lucas a ir mais rápido, mais fundo, e quando ele fez isso, minha boca se abriu, o grito pronto para sair e, exatamente como Lucas tinha prometido, gritei seu nome.

Os espasmos do orgasmo foram cedendo, meu corpo foi relaxando, e ele ficou de joelhos e segurou o pau, ainda olhando para mim.

– Eu poderia gozar agora mesmo, só de sentir seu gosto e de ver você assim.

Antes que eu pudesse entender como aquelas palavras pareceram me trazer de volta à vida, ele levantou da cama e se livrou da calça e da cueca.

Quando voltou a se acomodar entre minhas pernas, Lucas deixou a ereção repousar em mim, e o contato, ele nu, sua pele na minha, me deixou sem ar.

– Vem – falei, tão sem fôlego que mal reconheci as palavras. – Eu tomo anticoncepcional. A última vez que fiz os testes estava tudo bem e faz muito tempo que não tenho ninguém. Você disse que também não teve ninguém.

Lucas estremeceu, os olhos fixos no meu rosto ao levar a ponta inchada até a minha entrada e deslizá-la ao longo da fenda.

– Estou limpo também. Nunca transei sem camisinha, Rosie.

Ele pareceu perdido em pensamentos, então me olhou com uma expressão nova. Uma expressão que eu amei e que me deixou apavorada.

Por isso eu disse:

– Eu sei o que eu estou fazendo. Sei o que vou receber. Quero tudo que estou vendo à minha frente.

Vi a mandíbula dele se contrair e fiz questão de olhar em seus olhos ao dizer:

– Quero você dentro de mim, Lucas. Aceito o que você tiver pra me dar.

Lucas gemeu ao ouvir minhas palavras e, sem quebrar o contato visual, deslizou para dentro de mim em um movimento firme e profundo.

Fechei os olhos, o prazer percorrendo meu corpo, me fazendo arquear as costas.

– Não – disse ele, com a voz firme. – Olha pra mim, Rosie.

E, como eu estava entregue, meus olhos se abriram. Olhei em seus olhos no instante em que ele segurou minhas coxas e se impulsionou mais uma vez, ainda mais fundo.

– Está gostando? É gostoso me sentir dentro de você?

– Muito – respondi, movimentando meu quadril contra o dele. – É muito gostoso.

– Não é o bastante – disse ele, empurrando mais uma vez e me fazendo ver estrelas. – Isso aqui não é só um sexo gostoso.

Não respondi, não consegui com ele aumentando o ritmo. Então estiquei os braços, trazendo-o para baixo, e nossas bocas se fundiram.

Ele soltou um grunhido e sua movimentação ficou mais intensa, me empurrando na cama. Tanto que ele teve que segurar minha cintura.

Ele ficou de joelhos, fazendo minhas costas se arquearem com a mudança de posição, mas eu o queria ainda mais fundo dentro de mim. Mais rápido. Mais forte. Eu só queria… ele. Seu peso. Seu corpo. Em. Cima. De. Mim.

De repente, aquelas mãos que estavam na minha cintura, me puxando para ele, me viraram de barriga para baixo. Meu rosto pousou nas cobertas, e minhas mãos se agarraram a elas quando ele voltou a me penetrar por trás.

– Esse tempo todo eu li você como se fosse meu livro favorito, Rosie. Eu memorizei cada detalhe seu.

Ele levantou meu quadril, para que nós dois ficássemos de joelhos.

– Está sentindo bem fundo? Está mais que só gostoso agora?

Meu Deus, estava.

– É isso. Eu vou apagar da sua memória todos os babacas que já tiveram você e que não te mereciam.

Ele colocou a mão no meu pescoço e, diferentemente da pressão leve e deliciosa daquela tarde, Lucas apenas me segurou no lugar. Com a outra mão, ele acariciava meus seios, tudo isso sem diminuir o ritmo. Me levando cada vez mais perto do limite. Me fazendo gemer, totalmente entregue.

– Isso. Assim… Mais alto.

Obedeci.

– *Vamos, hermosa* – sussurrou ele no meu ouvido, entrando e saindo de dentro de mim, por trás. – Se entrega. Goza, Rosie. Goza em mim bem gostoso.

Ele levou a mão ao meu clitóris, fazendo movimentos circulares com os dedos enquanto continuava me comendo como eu tinha pedido.

– Lucas, eu...

Não concluí a frase, porque ele meteu mais uma vez, rápido, e senti ele pulsar dentro de mim, senti o gemido deixar seus lábios, e gozei junto com ele. Gritando seu nome mais uma vez. A última vez.

Ele me agarrava pela cintura, me mantendo colada nele, enquanto gozávamos juntos.

Após um instante de felicidade, ele beijou meu queixo. Então, sem sair de dentro de mim, guiou nossos corpos até que estivéssemos deitados de lado.

Eu me agarrei em seus braços, porque não queria mesmo soltar.

Soltei um gemido de prazer, e ele uma risada fácil, feliz.

Suspirando profundamente, satisfeita, virei em seus braços até ficar de frente para ele. Analisei cada detalhe de seu rosto: o sorriso, as rugas nos cantos dos olhos, os lábios que eu já queria beijar mais uma vez.

– Tudo bem?

– Nunca estive melhor.

Ele me beijou com uma delicadeza que teria me deixado de joelhos se eu não estivesse deitada.

– Mas eu é que deveria fazer essa pergunta.

– Por quê?

– Porque eu quero – disse ele, beijando meu nariz. – Porque você merece que perguntem.

Ele era mesmo o melhor.

– Mas...

Ele me interrompeu com mais um beijo, dessa vez na boca.

– Da próxima vez, vou deixar você no comando. Vou ficar vendo você cavalgar em mim.

Lucas falou com tanta simplicidade, tanta naturalidade, que eu quis virá-lo de barriga para cima e obrigá-lo a cumprir a promessa. Mas, em vez disso, perguntei:

– Da próxima vez?

– Se você me quiser – disse ele, curvando os lábios para baixo. – Acho que não consigo ficar longe de você, Rosie. Não agora que senti seu gosto. Não agora que já tive você. Não agora que só tenho mais uma semana para sentir você junto de mim.

Quis fazer muitas perguntas naquele momento.

O que vai acontecer depois que você for embora?

O que vamos fazer?

Você também está sentindo essa força pulsando bem no meio do peito?

Mas boa parte de mim não queria ouvir a resposta para nenhuma dessas perguntas. Eu queria viver para sempre naquele momento, bem ali. Queria ter aquela *próxima vez* que ele mencionou e todas as vezes depois dela. Enquanto ele estivesse comigo. Mesmo que fosse só por uma semana. Eu não queria que Lucas fosse obrigado a definir o que nós éramos, não depois de ter passado por tudo que ele passou, de ter perdido tanto.

Então disse a única coisa que poderia dizer:

– Então não faz isso. Não fica longe de mim.

VINTE E OITO

Rosie

Algumas coisas eram capazes de me despertar com nada mais que um sopro. A primeira era o cheiro de fumaça, gravado no meu cérebro desde que o Sr. Brown decidiu colocar uma peruca no micro-ondas pela manhã. Não, nunca perguntei por quê. Só encarei a experiência como uma lição de vida e segui em frente.

A segunda, no entanto, era um jeito muito mais agradável de despertar para o dia – ou para a noite: panquecas.

E era esse o cheiro que preenchia meu apartamento naquele momento.

Meu estômago roncou com uma ansiedade deliciosa.

Ansiedade que logo se transformou em um tipo de fome diferente quando estendi a mão pela cama e imediatamente fui lembrada de quem tinha ocupado aquele espaço ao meu lado. Me abraçando a noite toda. Beijando minha nuca. Me envolvendo em seus braços como se nunca mais quisesse soltar.

Lucas.

Uma onda de desejo percorreu meu corpo, se acomodando no meu ventre e me tirando da cama com um propósito. Peguei a primeira peça de roupa que encontrei por ali – o moletom dele – e vesti.

Nunca a distância entre meu quarto e a cozinha pareceu tão grande.

Quando finalmente cheguei à porta da cozinha, uma música tomava conta do ambiente. Uma que eu nunca tinha ouvido – Lucas nunca havia colocado para tocar –, mas o ritmo era animado.

Me concentrei no homem ao fogão, com uma espátula cor-de-rosa na mão e o avental amarrado na cintura. Ele estava de cueca, trocando o peso de uma perna para a outra em sincronia perfeita com a música e dando uma reboladinha de vez em quando.

E… Meu Deus. Meu pobre coração batia aos trancos e barrancos, cheio de emoção ao vê-lo, com a certeza absoluta de que eu estava tão envolvida por aquele homem que não tinha nem graça.

Eu devo ter feito algum som, porque Lucas virou. Seu sorrisinho torto me pegou totalmente desprevenida, e balbuciei qualquer besteira tipo:

– Oi.

Seus olhos encontraram os meus com a mesma emoção com que ele tinha me olhado na noite anterior, quando falou que não conseguia mais ficar longe de mim.

– *Buenos días, Bella Durmiente.*

E então me ele olhou de cima a baixo, bem devagar, e o sorriso mudou. Não desapareceu, mas ficou meio sério, concentrado, enquanto ele observava minhas pernas com atenção.

– Peguei a primeira coisa que vi – falei, quase sem fôlego, apontando para o moletom. – Tudo bem?

– Claro – respondeu ele, ligeiro, a voz grave e rouca. – Por favor, fique com ele, use o tempo todo.

Ele inspirou o ar devagar, como se precisasse de mais oxigênio.

– Quer saber? Que tal você ficar com todos os meus moletons? Camisetas, calças também. Pode ficar com tudo, não me importo. Prefiro ver as minhas roupas em você que em mim.

– Mas aí o que você vai vestir? – perguntei com malícia.

– A gente pensa nisso depois – respondeu ele, ainda distraído.

A risada que eu estava segurando escapou, e eu pareci uma adolescente apaixonada grudenta.

– Combinado – respondi, encantada por exercer aquele poder todo sobre ele. – Mas só se você continuar dançando.

Fui até as cadeiras que ficavam em volta da mesa da cozinha, puxei uma e me deixei cair nela. Apoiei os cotovelos na mesa e o queixo nas mãos, esperando.

– Estou pronta para assistir.

Ele deu um sorrisinho delicioso.

– Ah, você estava vendo, é?

Assenti.

– Gostou?

Fingi pensar um pouco.

– Acho que dou nota... nove.

Ele colocou a espátula no balcão, deu um passo em minha direção e começou a balançar o quadril de um lado para o outro, ao ritmo da nova música.

– E agora? – perguntou ele, repetindo o último rebolado. – Qual é o veredito?

Analisei seus movimentos fazendo graça.

– Ah, agora dou nove e meio. Mas provavelmente porque você subornou o júri me dando *todas* as suas roupas.

Ele soltou uma gargalhada profunda.

Lucas deu mais um passo na minha direção.

– Você está me desafiando, Ro? Está me zoando só porque eu fiquei um pouquinho distraído quando vi você desfilando com a minha roupa, pronta para comer?

– Ah, foi fofo, vai? – falei, meu coração acelerando conforme ele se aproximava. – Muito fofo.

Lucas parou na minha frente e se abaixou um pouco. Estendeu o braço e colocou a mão na beirada da cadeira, bem embaixo de mim. Então, puxou a cadeira – comigo em cima – em sua direção. Fiquei bem embaixo dele.

Ele colocou uma das mãos no encosto, atrás da minha cabeça.

– Você me distrai, Rosie – falou, a boca alguns centímetros acima da minha quando olhei para cima. – Não importa o que eu esteja pensando ou fazendo, sua presença sempre me distrai.

Ele passou o nariz no meu, nossos lábios mal se tocando.

– Você tem esse poder sobre mim.

Soltei o ar, trêmula, querendo que ele chegasse mais perto, que me comesse bem ali, naquela cadeira. Lucas me beijou no canto da boca.

– Já quero você de novo. Quero muito... – sussurrou ele.

E foi impossível não perceber seu braço se contraindo ao lado da minha cabeça, se segurando para não fazer o que eu queria tanto que ele fizesse.

– Uma olhada, Rosie. É o que basta. Foi o que bastou.

Como resposta, eu o beijei. Porque era o melhor tipo de resposta que eu poderia dar. Ele soltou um gemido do fundo da garganta, levando a mão à minha nuca, inclinando ainda mais minha cabeça para poder abrir meus lábios.

Envolvendo o pescoço dele com meus braços, Lucas de algum jeito me levantou, e nós dois ficamos em pé. Com o outro braço, ele envolveu minha cintura, me mostrando o quanto estava duro, o quanto eu mexia com ele, o quanto me desejava, exatamente como tinha dito. Então eu o abracei com mais força ainda, gemendo. Odiando o moletom grosso que eu vestia. Deixando-o sentir o quanto eu também o desejava.

Lucas interrompeu o beijo, olhando nos meus olhos, um milhão de emoções dançando nos dele.

– Por mais que isso seja bom – disse quase com indiferença, como se aquilo não me deixasse ainda mais vulnerável e excitada. – Não vou deixar nosso café da manhã queimar. Ainda não superei ter perdido aquelas pizzas.

Meus ombros despencaram e soltei os braços quando assenti e me preparei para voltar à cadeira, porque, já que não íamos nos beijar – ou fazer *outras* coisas quentes –, eu me contentaria com um show de culinária. Mas Lucas não soltou minha cintura. Em vez disso, ele me virou e me levou até o fogão.

Ele se posicionou atrás de mim, e senti sua respiração na têmpora.

– Isso não quer dizer que vou soltar você – murmurou junto ao meu ouvido, colocando a espátula na minha mão. – Primeiro, café da manhã. Depois, vamos buscar o Taco.

Vamos. Nós, juntos.

– Lucas? – perguntei com um sorriso ridiculamente enorme. – Você e o Taco vão ficar aqui? Comigo?

– Só se você nos aceitar.

– Aceito.

Ele deu um beijo na minha cabeça e, com o coração cantando, vi a panqueca marrom que chiava na frigideira.

– Você acha que conseguimos salvar essa?

Ele pegou a tigela de massa, esticando o braço e colocando o bíceps na minha cara. *Gostoso.*

– Vamos descartar essa e começar de novo.

– O chef é quem manda.

– Ah – disse ele, jogando fora a panqueca quase queimada. – Adoro quando você fala sacanagem pra mim, Rosie.

Um copo de água apareceu ao lado do meu notebook.

Bom, não que ele tenha se materializado do nada. Eu *percebi* que foi colocado ali em algum momento.

Por Lucas.

De sexta em diante não saímos mais de casa, a não ser por algumas horas quando fomos buscar Taco e as coisas de Lucas depois de concordarmos que ele não ia dormir em lugar nenhum que não fosse na minha cama. Se bem que dizer que estávamos dormindo era certo exagero. Não que eu estivesse reclamando. Provavelmente estaria pendurada nele naquele instante se não tivesse que trabalhar. Afinal, eu ainda tinha um prazo de pouco menos de três semanas a cumprir e, por mais que meu progresso tivesse sido ótimo desde o início do experimento com Lucas, eu ainda tinha um trabalho a fazer. Palavras a escrever.

– Você não pode relaxar agora, Ro. Falta tão pouco – dizia ele quando eu sugeria passarmos mais tempos juntos.

Mas ele tinha razão. Faltava tão pouco que já sentia a faixa da linha de chegada rasgando no meu peito.

Então, embora os dias de Lucas em Nova York, na minha casa, estivessem chegando ao fim, eu trabalhava de manhã e à tarde enquanto ele relaxava em algum lugar, lendo um dos muitos livros que eu tinha, sempre me levando água ou um lanchinho. Almoçávamos e jantávamos juntos, passeávamos com Taco no final da tarde e nos aninhávamos no sofá todas as noites. E transávamos. E era mais que bom. Um sexo alucinante. O melhor da minha vida.

Mas o lembrete de que ele ia embora era uma constante no fundo da minha mente, como um zumbido que eu não conseguia ignorar, mas com o qual tinha aprendido a conviver. Afinal, eu não podia deixar que isso atrapalhasse o tempo que tinha com ele. Eu não faria isso. Então, pela primeira vez na vida, decidi não fazer planos. Aproveitar o momento. Aproveitar aquele homem. Se era para durar uma semana, eu aceitaria uma semana. Eu lidaria com as consequências quando não tivesse mais jeito.

– Rosie? – chamou uma voz bem baixinho.

Uma sensação deliciosa me dominou quando percebi que Lucas estava bem atrás de mim, falando ao meu ouvido e me trazendo de volta ao presente.

– Oi? – respondi, me deleitando com seu cheiro ao meu redor.

Ele apoiou as mãos na mesa, me prendendo. Meu Deus, eu amava quando ele fazia isso.

– Você estava viajando, Ro.

– Como você sabe?

Ele passou o nariz no meu rosto, fazendo minha pele se arrepiar.

– Você ficou olhando fixamente pro copo – disse ele, rindo baixinho. – Por um tempão.

– Eu estava pensando.

Ele se aproximou um pouco mais, repousando o queixo no meu ombro.

– Em mim? Em nós dois?

Meu rosto corou, e meu coração disparou porque o palpite dele estava muito perto da verdade.

– Talvez.

– Eu estava pelado? – perguntou ele.

Mordi o lábio.

– É possível.

– Você estava pelada?

– Com certeza.

Ele soltou um "humm".

– São meus pensamentos favoritos.

Virei bem rápido, dei um beijo nele e voltei a olhar para a tela do notebook. Para o manuscrito.

Lucas deve ter ficado um pouco atordoado porque não disse nada por um tempinho. Parecia... precisar de um momento para se recuperar.

Dei um sorrisinho para mim mesma.

– Então, Rosie – disse ele, finalmente –, quando você vai me deixar ler? Estou ansioso desde que terminei o primeiro.

Nem tentei esconder o quanto isso me deixou feliz.

– Não está pronto ainda.

Ele demorou um pouco para responder.

– Nem uma provinha? Um... trechinho. Hoje é terça-feira, você deve isso a seus fãs, e eu sou o maior deles. Hashtag Time Rosie. Hashtag Trechinho de Terça. Hashtag Beijo de Sexta.

Virei a cabeça bem devagar.

– Onde você aprendeu isso?

Ele abriu um sorrisinho torto exagerado e orgulhoso, descaradamente lindo, como ele.

– Eu dou meus pulos. Você já deveria saber que sou bom de pesquisa.

– É, você tem razão – falei.

Então, virei e dei mais um sorrisinho para mim mesma porque, uau, Lucas tinha mesmo pesquisado as gírias da galera dos livros? Por minha causa?

– Sinto muito por ter subestimado você, Matthew McConaughey. Mas não vai ter trechinho nenhum.

De jeito nenhum.

Eu estava muito orgulhosa dessa primeira versão, mas não sabia se queria que Lucas lesse algo que era tão… inspirado nele. Em nós dois.

– Nem uma olhadinha em uma cena picante? Se quiser, eu posso ajudar com um pouquinho mais de inspiração.

Um calor delicioso preencheu meu ventre, mas balancei a cabeça.

– Tudo bem então – disse ele, soltando um suspiro dramático. – Quantas palavras faltam?

Meus lábios se curvaram, incontroláveis.

– Não muitas.

Ele abraçou minha cintura por trás, enterrando o rosto no meu pescoço.

– Essa é a minha garota – disse, e meu coração batia forte como na primeira vez que ele disse essas palavras. – Tenho tanto orgulho de você, Ro. Muito mesmo.

A frase, sabe-se lá por que, me deu a sensação de ter conquistado algo importante.

Alguma coisa maravilhosa.

Extraordinária.

Essa era a importância que ele tinha para mim.

– Tudo graças a você – falei, com um suspiro, perdida em pensamentos. – À sua ajuda. Ao nosso experimento.

– Foi tudo você, *hermosa*. Eu não escrevi uma palavra. Você escreveu.

Era a última noite de Lucas em Nova York. Nos Estados Unidos. No meu apartamento, na minha cama, no meu fuso horário. E, a cada segundo que nos aproximava mais da manhã seguinte, eu ia ficando mais murcha.

E meu coração também.

Durante a semana que passamos juntos no meu apartamento, não falamos sobre o que aconteceria depois que Lucas e Taco entrassem naquele avião e voltassem para a Espanha. Para sempre. Era como se nenhum de nós quisesse estourar a bolha de felicidade em que estávamos. O que provavelmente foi um erro.

Provavelmente não, com certeza.

Mas o que eu podia dizer? Como poderia abordar o assunto? Oi, Lucas, eu me apaixonei por você. E sei que sua vida está um caos, e sei que está se esforçando para aceitar o que você perdeu e quem você é agora, mas e a gente?

Isso seria muito egoísta.

Só de pensar em sobrecarregar Lucas com essa conversa eu me sentia mal. Tudo o que eu queria era protegê-lo, fazer com que as coisas ficassem melhores para ele, queria que ele encontrasse seu caminho e prosperasse em sua nova vida, e eu sabia que isso – um relacionamento à distância com uma pessoa que ele conhecia havia poucas semanas – não facilitaria nem um pouco.

Ou facilitaria?

Eu não sabia mais de nada. E isso me deixava absurdamente triste.

Então, sim. Eu estava murcha.

E Lucas percebeu. É claro.

Por isso passou a noite toda tentando me fazer sorrir. Não se segurou nem na frente de Aaron e Lina quando nos encontramos para o jantar de despedida. Segurou minha mão, fez carinho nas minhas costas, sussurrou no meu ouvido e... agiu como o homem que eu queria que ele fosse na minha vida. Como se fosse meu.

No banheiro, escovando os dentes em frente ao espelho, dei uma olhada no celular.

Várias mensagens de Lina, o que era compreensível. Ela sabia que havia alguma coisa entre a gente, e eu devia uma explicação a ela. Mas isso podia ficar para o dia seguinte, era o que eu esperava. E ela também poderia me dar colo se não estivesse brava demais comigo. Dois coelhos com uma cajadada só.

Bloqueando o aparelho, coloquei-o em cima da pia com a tela virada para baixo e fiquei olhando para o nada até terminar e ir para a cama.

Voltei para o quarto e encontrei Lucas fechando a mochila. Taco a seus pés. Fiquei com raiva de mim mesma, do tempo, por passar tão rápido, do destino por cruzar nossos caminhos só para depois arrancá-lo de mim.

O que ele diria se eu pegasse aquela mochila idiota, corresse até a janela e a jogasse lá embaixo?

O que ele diria se eu pedisse para ele ficar? Ele não podia ficar mais que três meses sem visto, mas eu podia escondê-lo. E esconder Taco também.

O que ele diria se eu dissesse que não ligava para o que ele achava que podia ou não me dar? Que eu aceitaria o que quer que fosse? Que me mudaria para a Espanha? Que…

– Ei.

A voz dele me assustou.

Havia algo em seu rosto que parecia… dor. Preocupação.

Lucas se aproximou e me abraçou pela cintura em um movimento quase instintivo.

– No que você está pensando? – perguntou ele.

– Sinceramente?

Ele assentiu.

– Estava me perguntando se você ficaria muito ou pouco irritado se eu jogasse sua mochila pela janela.

Ele soltou uma risada, e nem isso melhorou meu humor.

– E você quer uma resposta sincera?

– Sempre.

– Eu não ficaria tão irritado assim – disse ele, aninhando e erguendo meu rosto para que eu o olhasse nos olhos. – Acho que nunca seria capaz de ficar irritado com você, Rosie.

Franzi a testa e, sem desfazer o bico, perguntei:

– Por quê?

Seu polegar percorreu meu lábio inferior, tirando aquele biquinho do meu rosto.

– Porque tudo o que você faz tem um motivo. Então, se você jogasse todas as minhas coisas fora, eu saberia que não seria algo irracional. Eu pegaria meu casaco e tentaria salvar o que quer que me restasse com um sorriso no rosto.

Uma pressão que eu conhecia muito bem subiu do meu peito até meu rosto, se acumulando atrás de minhas pálpebras.

– Seria bem irracional da minha parte.

– Talvez – admitiu ele. – Mas não teria importância, porque eu saberia o significado por trás disso. O porquê. E seria um motivo suficiente para sorrir.

Soltei o ar com força.

– Bom, fico feliz que você esteja feliz.

Lucas riu baixinho, e isso me fez bufar.

– Você acha isso divertido?

Dando um passo para trás, tentei cruzar os braços, mas Lucas se abaixou, passando os lábios nos meus e matando minha intenção de ir a qualquer lugar que não fosse diretamente para os seus braços.

Um beijo lento e suave, que me deu vontade de chorar.

Quando paramos para respirar, me esforcei para fazer minhas cordas vocais funcionarem.

– Lucas?

– Quê? – respondeu ele, o castanho de seus olhos fervendo com uma seriedade que não estivera ali até então.

– Acho que não vou conseguir me despedir de você.

Porque não seria só uma despedida. Seria vê-lo sair da minha vida sem poder fazer nada para impedir. Seria perceber o quanto era injusto que o tempo não estivesse do nosso lado. O quanto eu queria que ele ficasse.

– Eu… acho que não vou conseguir ir até o aeroporto e ver você ir embora. Eu… – gaguejei, fechei os olhos e balancei a cabeça. – Não consigo, Lucas. Eu…

Senti seus lábios na minha testa, colados na minha pele por um bom tempo.

– Tudo bem, Ro – sussurrou ele. – Não precisa ir. Eu entendo.

Mas eu não queria que ele entendesse.

Queria que brigasse comigo. Que me obrigasse a dizer as palavras que eu ainda não tinha pronunciado em voz alta, porque ele precisava delas.

Que me dissesse que não iria embora, ou que a gente não ficaria apenas na lembrança. Que, por mais que ele não soubesse como seria sua nova vida, queria que eu estivesse nela. *Precisava* que eu estivesse nela.

Mas eu não podia obrigá-lo a dizer essas coisas. E entendia que ele não dissesse.

Isso me deixava arrasada, mas eu jamais iria obrigá-lo a colocar meu coração antes de si mesmo.

– Tá bom – respondi, com um suspiro.

E, quando abri os olhos, eu não estava pronta para ver o que me encarava de volta.

Havia uma emoção inundando o rosto de Lucas, seus olhos, sua expressão naquele momento. Como se ele estivesse sofrendo ainda mais que eu. Como se não suportasse a ideia de ir embora. Como se me amasse.

Sem dizer uma palavra, ele pegou minha mão e me levou até a cama.

E, sem dizer uma palavra, eu fui.

Eu deitei de barriga para cima e, deitado ao meu lado, ele apoiou as mãos ao lado da minha cabeça.

Nossos olhares se encontraram e, nesse momento, eu seria capaz de jurar que ele me olhava com um sentimento que eu não queria reconhecer em voz alta. Uma emoção poderosa e arrebatadora que espelhava a minha.

– Do que você precisa? – perguntou ele, beijando o canto dos meus lábios. – Eu te dou, Rosie.

A resposta era tão simples, tão óbvia, que eu nem entendi por que ele perguntou.

Eu me agarrei a ele de um jeito quase desesperado e disse:

– De você.

Porque era só dele que eu precisava.

VINTE E NOVE

Lucas

Apoiei os cotovelos sobre os joelhos e deixei que minha cabeça caísse entre os ombros. Fechando os olhos, disse a mim mesmo pela centésima vez que tinha feito a coisa certa.

A única coisa que podia ter feito.

Rosie não era a única que estava sofrendo com a ideia de dizer adeus. Eu também estava. Eu... acho que não teria conseguido se não tivesse saído como saí.

Escondido enquanto ela ainda dormia.

Eu era um covarde.

Mas era uma questão de sobrevivência.

Eu não podia dar a Rosie o que ela merecia. Eu era... um homem sem planos. Sem vida. Sem propósito. *Sin oficio ni beneficio*, como diria minha *abuela*.

E, se eu tivesse ficado mais um minuto naquela cama com ela, toda macia e quente e maravilhosa, eu não teria saído de lá nunca mais. O que só teria adiado o que estava por vir: Rosie encontraria alguém que pudesse lhe dar tudo o que ela queria e desejava. Tudo o que nós tínhamos *e* estabilidade. Alguém com um plano, um futuro. Alguém com a vida organizada.

Eu não queria que Rosie se contentasse comigo. E não me permitiria usá-la, usar o que tínhamos, para ignorar a realidade.

Olhando para o balcão mais uma vez, finalmente vi meu destino no painel logo acima, indicando que o check-in estava aberto.

– Porra, até que enfim – resmunguei baixinho, mesmo sabendo que a culpa era minha por ter chegado ao aeroporto tão cedo.

Em vez de aproveitar mais tempo com Rosie.

Com um suspiro que não foi de alívio, levantei, peguei a mochila do chão e chamei Taco:

– *Vamos, chico.*

Então fui para a fila antes que ficasse longa demais.

Dando uma olhada no celular enquanto esperava, mandei uma mensagem para minha irmã, que tinha chegado à Espanha no dia anterior. Com a diferença de fuso horário, eu sabia que devia ser por volta da hora do almoço lá.

Lucas: No aeroporto. Pode nos buscar?

Lucas: Podemos passar a noite na sua casa?

Charo: Primeiro, sou babá do seu cachorro. Agora dos dois?

Revirei os olhos; ela estava se fazendo de difícil só para não perder o costume. Eu conhecia minha irmã.

Charo: A abuela também se enfiou aqui em casa hoje. Então vamos buscar vocês. Vou levar sanduíches pro aeroporto. Sei que andar de avião te deixa com fome. Jamón ou chorizo?

Lucas: Jamón.

Charo: Que tal por favor e obrigado?

Lucas: Por favor. Obrigado.

Lucas: E por que a abuela está com você?

Charo: Grosso. Espero que tenha comprado um presente pra ela. Pra mamá também.

Lucas: Ah.

Ah, mierda. Não me lembrei de comprar nada para ninguém. Nem o chaveiro do Empire State Building que *mamá* tinha pedido.

Charo: Ah? Só isso?

Lucas: Como assim?

Charo: Primeiro você diz por favor e obrigado sem ser sarcástico. Depois, nem tenta fazer uma gracinha tipo "estou levando eu mesmo, eu sou o presente". Nem veio com seu charminho de sempre.

Lucas: Desculpa.

Charo: … E agora está pedindo desculpa?

Charo: Você está bem?

Era uma pergunta complicada, que eu não tinha energia para responder sozinho, menos ainda por mensagem de texto com Charo. Comecei a digitar uma resposta.

Lucas: Estou bem. Só cansado, conversamos quando eu chegar, beleza? Vou pousar às…

– Lucas!

Minha cabeça levantou da tela e franzi a testa porque não podia ser a voz que eu achava que era. A voz dela. Ela não poderia…

– Lucas! Espera!

Virei.

Meus olhos percorreram a multidão atrás de mim, pulando de cabeça em cabeça, de rosto em rosto, até se concentrarem em apenas um. No único rosto que jamais passaria despercebido por mim. Nem mesmo em um terminal de aeroporto lotado.

E aí tudo desacelerou.

Como se fosse um sonho, Rosie veio abrindo caminho pelo mar de pessoas agitadas.

O cabelo lindo e cacheado balançando, os olhos de um verde ardente, as bochechas coradas e aqueles lábios carnudos que eu tinha memorizado. Ela estava com uma camiseta de manga curta que eu tinha usado para dormir – minha camiseta –, a parte da frente enfiada na calça e... Meu Deus, por que ela não estava de casaco? Era novembro e o ar lá fora estava congelando.

– Lucas!

Ela veio se aproximando enquanto eu parecia uma estátua. Um completo idiota, vendo-a correr na minha direção, e ouvindo Taco latir com alegria.

– Ah, meu Deus. Você ainda está aqui. Graça a Deus.

Seus últimos três passos pareceram uma névoa. Como se ela não fosse real, e aquilo não pudesse estar acontecendo. Eu devia estar vendo coisas.

– Rosie?

Mas, em vez de responder, ela se jogou em cima de mim, aterrissando no meu peito, e foi como se o chão sob meus pés finalmente tivesse se assentado. Tudo ao redor desapareceu.

Eu a abracei, inspirei seu cheiro, tão feliz por tê-la nos braços, por poder fazer tudo o que eu estava arrependido de não ter feito mais uma vez.

Ela olhou para cima, encontrando meu olhar com aqueles olhos que eu jamais esqueceria.

Incapaz de me conter, abaixei a cabeça e a beijei. Satisfeito por ganhar mais um beijo daqueles lábios.

Quando paramos um segundo para respirar, aproveitei para sair da fila, sem me importar em perder o lugar. Olhei em seus olhos.

– Rosie, o que você está fazendo aqui?

Ela estremeceu em resposta, e eu tirei a jaqueta e coloquei sobre seus ombros. Ela balançou a cabeça, mas não reclamou. Ótimo. Eu queria que ela estivesse aquecida. Em segurança.

Rosie deu um passo para trás, hesitante.

– Eu... Eu não consegui, Lucas.

Não gostei da distância entre nós, mas tive a sensação de que ela precisava disso.

– Eu pensei que você não quisesse se despedir – falei. – Por isso vim embora.

Mentiroso, você que não suportou a ideia de se despedir dela.

– E você tem razão – disse ela, e vi Rosie engolir em seco. – Não posso. Não consigo me despedir de você, Lucas. É por isso que estou aqui.

Franzi a testa, sentindo que tinha mais. Algo mais.

Ela pegou o celular do bolso de trás da calça. Desbloqueou e procurou alguma coisa.

– Aqui – disse, mostrando a tela.

Era uma foto. Uma selfie minha e do Taco em uma praia. Uma foto antiga. De muito antes do acidente e antes de termos nos conhecido. Eu...

– Aqui – repetiu ela. – Eu tenho isso no celular desde que você postou no Instagram.

A respiração dela acelerou, o ar deixando sua boca em expirações longas.

– Eu... meio que seguia você, Lucas, sem seguir de verdade. Eu olhava todo dia para ver se você tinha publicado alguma coisa nova, ia pra cama pensando nas fotos, em você, no seu rosto, no Taco também.

De repente eu também comecei a sentir dificuldade para respirar.

– Foi assim por meses – acrescentou ela. – E aí você não apareceu no casamento, e eu fiquei muito mal por ter perdido a chance de te conhecer pessoalmente. Fiquei arrasada de verdade, mas disse a mim mesma que estava sendo idiota, que era só um crush on-line bobo.

Rosie balançou a cabeça.

– Mas eu estava me enganando. Eu... eu nunca deixei de pensar em você, Lucas.

Minha boca se abriu e fechou, mas nada saiu. Eu só... O que mais eu poderia dizer? Eu estava realmente tentando processar tudo o que ela estava me dizendo, o quanto me fazia bem ouvir aquilo, o quanto minha cabeça e meu coração pareciam se expandir.

– Você está me achando muito doida? Uma *stalker*? – sussurrou Rosie. – Porque, se estiver, você precisa me dizer antes que eu...

– Não – respondi finalmente, ligeiro. – Não. Meu Deus. Não.

Coloquei as mãos em seu rosto.

– Estou lisonjeado, Rosie. Eu... Eu nunca acharia você doida. Amo que você tenha gostado do que viu. Amo que tenha me desejado.

Beijei sua testa.

– Lisonjeado é o mínimo, *hermosa*.

– Tá – murmurou ela. – Isso é bom. Isso é muito bom.

– Eu não estava mentindo, Rosie – falei, segurando seu queixo para que ela me olhasse. – Tudo que eu disse no terraço sobre nós dois, se tivéssemos nos conhecido no casamento… Era tudo verdade. Você entende?

Seu olhar se encheu de alguma coisa, uma emoção que me deixou sem ar. Lembrava o jeito com que ela havia me olhado segundos antes de pedir que eu a beijasse.

– Lucas – disse ela, olhando nos meus olhos. – Estou feliz que tenha dito isso. Porque eu…

Rosie fechou os olhos brevemente e logo voltou a abrir.

– Esse é o meu gesto grandioso.

Meu coração martelou na minha caixa torácica.

– Eu disse a mim mesma centenas de vezes que não deveria fazer isso, mas não posso deixar de fazer – disse ela, me olhando com milhões de emoções diferentes naqueles olhos lindos. – Fica comigo, Lucas. Fica. Eu quero você. Faz tanto tempo que eu quero você e… Eu sei que você não pode ficar aqui sem visto, que você usou até o último segundo. Então, eu vou com você se você quiser. Eu compro uma passagem agora. Eu…

Ela balançou a cabeça.

– Eu não fiz malas nem trouxe nada comigo, mas não tem problema, eu posso comprar tudo quando chegar à Espanha. Eu só preciso de você, Lucas. Eu quero *você*. Quero encontros não experimentais com você. Quero beijar você na chuva mais um milhão de vezes, quero dançar com você na cozinha todas as manhãs. Quero te comprar uma caixa de cronuts sempre que precisar agradecer por alguma coisa, e não só porque somos amigos.

Meu coração deu um solavanco.

Meus pulmões pararam de funcionar e nenhum ar entrava ou saía.

Minhas mãos caíram nas laterais do meu corpo.

E eu… Eu não sabia como ainda estava em pé.

Então, Rosie deu o último golpe.

– Mas porque somos mais. Porque somos tudo. E podemos fazer isso, seja aqui ou na Espanha.

Pisquei surpreso várias vezes, sentindo tudo dentro de mim se partir.

Um grande estrondo.

Rosie deve ter sentido também, porque sua expressão murchou e ela deu um passo para trás.

– Rosie – dei um jeito de dizer, e a palavra quase não saiu.

Estendi a mão para tocar seu rosto, mas ela balançou a cabeça. Porque ela sabia. Eu não precisava dizer. Ela me conhecia.

– Você não pode deixar sua vida para trás e vir comigo. Eu…

Ela deu mais um passo para trás, só alguns centímetros dessa vez, mas foi o bastante para que todo o sangue deixasse meu rosto.

Eu precisava abraçá-la. Eu… não suportava vê-la magoada, sabendo que a culpa era minha.

– Rosie, *hermosa* – eu disse, estendendo a mão outra vez.

Ela balançou a cabeça e senti uma bola alojada no peito, interrompendo o fluxo de ar.

– Rosie… Eu…

Eu não conseguia fazer as palavras se formarem, subirem até minha boca e deixarem meus lábios. Tudo em mim gaguejava, vendo aquela mulher maravilhosa desmoronar. Por minha causa.

Por tudo o que eu não conseguia dizer em voz alta. Por tudo o que eu não podia lhe dar.

– Tudo bem – sussurrou ela.

Mas não estava tudo bem.

– Está tudo bem. Isso foi egoísta da minha parte, imprudente. Eu sei que coloquei você em uma situação difícil – disse ela, e vi sua garganta tremer. – Eu sabia que isso era a última coisa da qual você precisava agora. Você mesmo disse que não estava disponível pra relacionamentos, né? Que não namorava. Eu só achei que… Eu achei que isso talvez tivesse mudado. Por minha causa.

– Rosie.

Pela primeira vez o nome dela pareceu errado na minha língua, como se eu não tivesse mais o direito de pronunciar aquelas cinco letras. Como se eu tivesse perdido esse direito no instante em que hesitei.

– Eu…

Quero. Não tem nada que eu queira mais do que você, eu desejava dizer.

– Eu não posso.

Não posso te obrigar a fazer isso. Não posso deixar que você mude sua vida por mim. Não quando não tem nada esperando por mim na Espanha.

Mas as palavras não saíam, uma ansiedade e um medo paralisantes me invadiram.

Uma única lágrima escorreu pelo seu rosto, matando alguma coisa dentro de mim. Apagando uma luz, trazendo apenas trevas.

Consegui dar um passo à frente, abri a boca para implorar a ela que não chorasse, mas ela me impediu erguendo uma das mãos.

– Eu sabia o que eu estava fazendo. Foi muito bom viver essa semana com você, ainda que fosse a última. Então saiba, Lucas Martín, que não me arrependo do que vivemos. E também não me arrependo do que acabei de fazer.

Ela abaixou o braço, envolvendo a própria cintura.

– Eu só queria que você me quisesse tanto quanto eu quero você.

Mas eu quero.

Eu quero você com todas as células do meu corpo. Cada terminação nervosa. Cada osso. Cada grama do que eu sou.

– Boa viagem, Lucas – sussurrou ela.

Então, Rosie virou, e, mesmo quando Taco choramingou e cutucou minha perna sem parar, eu não me mexi. Fiquei ali plantado no lugar, tentando respirar e vendo Rosie se afastar vestida com o meu casaco.

TRINTA

Rosie

Fiquei olhando para a parede do quarto de hóspedes do meu pai.

Com um suspiro, me preparei para uma nova onda de lágrimas, mas ela não veio.

Acho que eu já tinha esgotado minhas reservas – o que era de se esperar depois de passar horas e horas chorando. Em minha defesa, segurei o choro enquanto estava saindo do aeroporto. Não derramei nenhuma lágrima no caminho de volta ou no trem até a Filadélfia. Nem quando percebi que estava com o casaco dele, seu cheiro ao meu redor.

Só quando subi os degraus da casa do meu pai meus olhos começaram a arder, me preparando para o que estava por vir. E assim que meu pai abriu a porta eu desmoronei.

Ele me abraçou como fez centenas de vezes quando eu era criança, e eu só chorei. Soltei tudo.

Eu ainda não fazia ideia de por que tinha ido procurá-lo, por que tinha ido até a Filadélfia. Era algo que eu nunca tinha feito depois de adulta. Nem uma vez. Sempre que eu levava um fora, ou quando um relacionamento dava errado, eu procurava Lina, devorava um pote de sorvete, ficava uns dias na fossa e depois bola pra frente.

Mas essa vez não era como as outras. Parecia que alguém tinha me partido ao meio. Me desmontado e deixado todas as peças espalhadas longe demais umas das outras para que eu pudesse encaixá-las de volta.

E, depois de ficar um tempão olhando para aquela parede, me dei conta de que nada do que eu tinha vivenciado até ali era sofrimento.

Isto era sofrimento.

Então imagino que tenha sido por esse motivo que eu tinha vindo para cá. No lugar onde eu teria o tipo de colo do qual não precisei por anos. *O colo do meu pai.*

Antes que as lágrimas acabassem, abri outra porta. Aquela que dava acesso a tudo que eu estava escondendo do meu pai e de Olly. Então contei a eles sobre o primeiro livro, sobre como foi quando aquela oportunidade se abriu para mim e de como aquilo fez com que eu me sentisse feliz, abençoada e completa como nunca. Contei que tinha pedido demissão do trabalho, expliquei que havia escondido isso deles – que tinha mentido para eles – porque estava apavorada, paralisada pela pressão que eu havia colocado em mim mesma. Pelos riscos. Pela possibilidade de eles não entenderem o quanto aquele sonho era importante para mim. Mas os dois se limitaram a ouvir. Exatamente como um pedacinho de mim, o que não estava tomado pelo medo e pelas inseguranças, sabia que eles dois fariam.

– Feijãozinho – disse meu pai quando eu terminei. – Por que você achou que precisava esconder isso de mim?

Solucei e respondi:

– Eu estava morrendo de medo que você ficasse decepcionado comigo. Com medo por mim, sendo que eu já estava com bastante medo por nós dois. Eu… não queria ouvir alguém dizer que eu tinha cometido um erro na única vez em que resolvi me arriscar. Eu… eu achei que você não fosse entender. Achei que talvez fosse me julgar, sei lá.

– É claro que estou com medo – respondeu ele. – Estou morrendo de medo por você e sempre vou estar, Feijãozinho. Mas esse medo faz parte de amar alguém. A gente quer que a pessoa prospere, que tenha sucesso, que realize todos os sonhos, mas também quer protegê-la. Amenizar qualquer golpe que possa vir. Mas eu nunca ficaria decepcionado com você.

Ele fez uma pausa e então acrescentou:

– E sempre vou me esforçar para entender, Feijãozinho.

Eu o abracei bem apertado.

– Mesmo que nunca tenha lido um livro romântico na vida?

– Bem, existe uma primeira vez para tudo. E quem se importa com a opinião de um velho como eu? – perguntou ele, suspirando. – Você não deveria ter escondido isso de mim.

Realmente.

E também não deveria ter escondido de Lucas o que eu realmente sentia por ele. Que eu o amava. Ainda que isso não mudasse nada.

A vida é curta demais, frágil demais para guardarmos segredos, vivermos meias verdades. Mesmo quando acreditamos estar protegendo aqueles que amamos. Ou nos protegendo. Protegendo nosso coração. Porque a realidade é que, sem sinceridade, sem verdade, nunca se vive plenamente.

E eu estava começando a entender isso.

– Agora quanto a esse rapaz – disse meu pai em seguida.

O que me fez lembrar de um tempo em que tudo era muito mais simples, porque eu era só o Feijãozinho e meu pai era capaz de consertar tudo fazendo waffles para o jantar.

Mas eu não era mais criança, e Lucas não era um garoto cujo nome eu tinha rabiscado no diário.

Lucas era o homem por quem eu tinha me apaixonado. O homem por quem tinha ido até o aeroporto na tentativa de me tornar minha própria protagonista de romance. Mas, nesta história, o herói pegou o avião e me deixou aqui embaixo de coração partido.

Uma batida me assustou, fazendo meu olhar se direcionar à porta.

– Rosie, *cariño* – disse Lina.

Ela surgiu de repente e estava ali, me olhando de um jeito que só uma melhor amiga olha. Como se estivesse prestes a matar quem quer que tivesse me magoado, mas também dar um tapa na minha cabeça se *eu* tivesse feito algo idiota.

– Seu pai me ligou. E, uau, Joe não mentiu. Você está péssima mesmo.

Não sei se foi a expressão em seu rosto – ou o fato de que eu estava precisando da minha melhor amiga ao mesmo tempo que a havia afastado por minha própria idiotice –, mas desatei a chorar mais uma vez.

Lina correu até a cama e antes que eu me desse conta do que estava acontecendo eu estava dentro do abraço dela.

Ela esperou enquanto eu soltava tudo, de novo, como tinha feito com meu pai, só que era diferente. Porque era a Lina, e ninguém no mundo me entendia melhor do que ela.

Depois de um tempo, deitamos de lado, o corpo dela estendido ao lado do meu, e eu contei tudo. Fiz o que eu deveria ter feito quando percebi que estava me apaixonando pelo primo dela. Quando terminei, Lina ficou quieta, seu rosto exibindo compreensão.

– Me desculpa, Lina – murmurei, a voz rouca e áspera de tanto falar e chorar. – Eu não queria ter escondido isso de você. Não por tanto tempo, mas tudo aconteceu tão... rápido.

Ela estendeu a mão e segurou a minha.

– Eu entendo, tá? – disse ela, dando de ombros. – Talvez eu tenha sido um pouco... dura com a ideia de vocês dois ficarem juntos. E isso não foi justo nem com você nem com ele.

– Acho que não tem mais importância.

– Tem, sim, Rosie. Você é a minha melhor amiga e eu te amo – disse ela, e apertou minha mão. – Então é claro que tem importância. Além disso... é difícil ficar brava com você quando você está chorando. Seria como chutar um cachorrinho fofo e muito triste.

O comentário só me fez lembrar de Taco, de Lucas. Suspirei.

– Estou bem longe de ser fofa, e nós duas sabemos disso.

Ela inclinou a cabeça para o lado.

– É, tem razão. Você sempre chorou feio. Mas eu te amo mesmo assim.

Isso não me arrancou uma risada, mas me senti um pouquinho mais... leve. Porque, no fim das contas, eu tinha minha melhor amiga. E isso nunca ia mudar. Nem mesmo depois de eu ter escondido algo assim dela.

Lina pareceu pensativa.

– Posso fazer uma pergunta?

Assenti.

– Como você achou que isso ia dar certo? – perguntou ela, ficando séria. – Como você achou que esse... experimento levaria a qualquer outro desfecho que não fosse esse?

Era uma ótima pergunta.

– Eu estava desesperada, Lina. Pedir demissão da InTech pra escrever me deixou ainda mais pressionada. Eu me senti arrastada por uma corrente. Por uma coisa que eu não conseguia controlar. E quanto mais aumentavam os riscos, mais eu travava. Então, quando Lucas se ofereceu...

Minha respiração falhou com a lembrança daquele sorriso.

– Eu quis dizer sim. Porque era ele, mas também porque eu queria que funcionasse. Talvez de algum jeito eu soubesse que ele faria dar certo.

E acho que parte de mim sempre soube que, desde que fosse ele... eu teria inspiração. Eu me apaixonaria.

– Mesmo depois de ter assistido de camarote à minha experiência com esse negócio de fingir estar apaixonada e coisa tal – disse ela –, você ainda assim achou que fazer teatrinho com alguém de quem você *talvez* gostasse não fosse confundir os seus sentimentos?

– Meus sentimentos não estão confusos, Lina.

Minha amiga franziu as sobrancelhas, mas, antes que ela perguntasse, eu mesma falei, porque não havia mais sentido em esconder nada dela.

– Eu amo o Lucas, Lina. Estou apaixonada por ele. Não tem nada de incerto ou confuso no que eu estou sentindo.

Lina ficou alguns segundos sem falar, e algo em seu olhar mudou, a ficha caindo.

– E ajudou? – perguntou ela. – O Lucas fez a diferença no seu livro?

– Fez – respondi, e, meu Deus, acho que o reservatório não estava vazio coisa nenhuma, porque senti vontade de chorar de novo. – Muita mesmo. Ele...

Balancei a cabeça.

Ela apertou minha mão.

– Me conta.

– Ele é mágico, Lina. É generoso e gentil. É um doce e ao mesmo tempo firme. Ele conseguiu fazer com que eu me sentisse mais leve, conseguiu deixar tudo melhor. Ele tem o sorriso mais lindo. E você provavelmente não quer ouvir isso, mas o sexo com ele é uma coisa que eu nunca experimentei antes, uma coisa...

A pressão no meu peito aumentou, fazendo tudo parecer mais difícil.

– Lucas é o melhor homem que eu já conheci, e eu... queria muito que ele me quisesse tanto quanto eu o quero. Por um segundo pensei que talvez isso pudesse ser possível, mas agora...

Mas meus olhos voltaram a arder e, se eu terminasse aquela frase, precisaria respirar fundo para não chorar.

Lina piscava sem parar e vi que seus olhos também estavam marejados.

– Não ouse chorar também – falei, com uma risada entrecortada.

– Meu Deus, Rosie. Eu não fazia ideia – disse ela, balançando a cabeça. – Mas acho... acho que de alguma forma faz sentido.

Franzi a testa.

– O que faz sentido?

– Você sabe que eu desconfiei que vocês estivessem se pegando desde a primeira vez que vi vocês juntos, né?

Eu abri a boca para falar, mas ela me interrompeu levantando a mão.

– Talvez tenha sido por isso que eu rejeitei tanto a ideia. Mesmo depois de ouvir o Aaron dizer centenas de vezes que vocês provavelmente não estavam *só* transando.

Ela deu de ombros.

– Eu não acreditei até ele me contar o que o Lucas fez pra você no terraço. Sabia que o Aaron ajudou com as fotos e o bolo? Sem nem me falar nada? Foi naquele momento que eu soube. E, depois disso, foi difícil não perceber como o Lucas estava… diferente.

– Diferente? – Soltei um suspiro.

– O jeito com que ele agia perto de você. O jeito como ele te olhava.

Meu rosto deve ter se enchido de dor, porque Lina ficou branca.

– Desculpa, isso não está ajudando – disse ela, depressa. – Tá, mas e aí, o livro dois está pronto?

Estava, quase todo. O que mostrava o quanto Lucas tinha mudado tudo.

– Está.

– Vai me deixar ler?

– Vou. Eu te mando hoje à noite quando chegar em casa.

– Estou tão orgulhosa de você, Rosie.

Ela chegou mais perto e me deu um beijo no rosto. Quando voltou à posição de antes, olhou para mim por um instante, com cara de quem estava se divertindo.

– Não acredito que você correu atrás dele no aeroporto que nem uma heroína de romance.

Resmunguei, não porque estivesse arrependida – eu faria tudo de novo –, mas porque sabia que, mesmo depois de anos, Lina nunca me deixaria esquecer aquilo.

– Não foi a ideia mais inteligente que já tive.

Sorrimos, mas por pouco tempo.

– Ele pelo menos te deu um bom motivo?

A pergunta dela pareceu rodopiar na minha cabeça e, mesmo depois de pensar por um bom tempo, não encontrei uma resposta decente, então dei a melhor que consegui:

– Antes do nosso primeiro encontro experimental, ele prometeu que não se apaixonaria.

Mudei de posição para apoiar a cabeça em seu ombro.

– Talvez... talvez eu não devesse ter esquecido isso.

Lina não disse nada, e eu também não.

Ficamos deitadas na cama, em silêncio, até que meu pai entrou e perguntou:

– Waffles? Olly está colocando a mesa.

TRINTA E UM

Lucas

Meu celular tocou de novo, exibindo o nome da pessoa que eu tinha evitado nas últimas três semanas. E, como aconteceu todos os dias durante 21 dias, parou de tocar e uma mensagem de texto iluminou a tela.

Lina: Gallina.

Covarde.

Eu concordava.

Não que isso fosse me fazer atender.

Primeiro porque minha prima tinha razão: eu era um covarde. O maior que ela já tinha visto, como dizia sua mensagem do dia anterior. Então por que negar?

Segundo porque eu não estava exatamente animado para falar sobre como Lina arrancaria as minhas bolas. Não queria ouvir que ela ia me matar com requintes de crueldade e que ficaria com Taco. Não queria ouvi-la dizer que eu nunca mereci Rosie.

Porque eu sabia que ela estava pensando tudo isso e também sabia que ela estava certa.

Eu não merecia Rosie e teria ajudado Lina a me chutar se tivesse ânimo para levantar a bunda do sofá da *abuela*. Embora ela provavelmente estivesse prestes a me despachar a qualquer momento. Talvez até ajudasse Lina me dando um tapa na cabeça.

– *Como un alma en pena* – disse minha *abuela* no dia anterior. – *Pululando por la vida.*

Como uma alma triste, vagando por aí.

Ela não estava errada.

Passando as mãos no cabelo, tentei parar de pensar nisso tudo. Mas então meu celular acendeu com mais uma notificação, e, como sempre, peguei o aparelho na hora. Caso fosse ela.

Lina: Me liga, é importante. Aconteceu uma coisa.

Desesperadamente, meus dedos voaram pela tela do aparelho, e em menos de dois segundos eu estava fazendo o que não tinha conseguido fazer durante semanas.

– O que foi? – falei quando Lina atendeu. – O que aconteceu? A Rosie está bem?

Silêncio.

– Lina, não brinca comigo – pedi, sem reconhecer minha própria voz. – Me fala, o que houve?

Uma gargalhada do outro lado da linha.

– Eu sabia que isso era a única coisa que faria você me ligar – disse ela, bufando. – Eu deveria ter feito isso há vários dias, mas acho que estava tentando ser legal.

Resmunguei, percebendo que tinha sido enganado.

Só que meu coração continuava acelerado, e eu não conseguia me acalmar. Era difícil afastar o pânico de pensar em alguma coisa acontecendo com Rosie, ou ignorar o fato de que, estando em outro continente, eu não podia fazer nada.

– Está tudo bem com ela?

Lina bufou.

– Eu não vou responder isso.

– *Lina, te lo juro...* – Odiei meu tom ríspido. – Ela está bem ou não?

Lina soltou o ar lentamente, carregado de algo que parecia empatia. Raiva também.

– Se acalma, tá legal? Não aconteceu nada.

Só depois de ouvir isso, minha respiração desacelerou. Só um pouco.

– Pelo menos não aconteceu nada além de *você*.

Engolindo em seco, tentei me segurar para não dizer algo do qual eu me arrependeria. Eu sabia muito bem o quanto tinha magoado Rosie. Nada que eu pudesse dizer mudaria isso. Eu já me odiava o bastante. Jamais esqueceria a expressão no rosto dela, ou me perdoaria por ter sido a causa disso. Por ter feito com que ela sofresse por um segundo que fosse.

Provavelmente percebendo a mudança no meu humor, Taco veio e pousou a cabeça no meu joelho. Fiz carinho atrás das orelhas dele e ganhei um latido rápido em agradecimento.

– É o Taco? – perguntou Lina, e seu tom ficou animado. – Dá um beijo nele por…

– Não.

– Argh. Não estou gostando muito de você no momento, Lucas.

Era recíproco.

– O que você quer, Lina? Além de quase me causar um ataque cardíaco e me dizer uma coisa que eu já sabia.

– Bom, pelo menos você sabe que é um babaca, já é um bom começo. Achei que estaria em negação, mas pelo visto não. Ótimo, porque…

– Lina – resmunguei. – Sério, não estou com energia pra isso. Foi por isso que não retornei suas ligações.

Mais um suspiro longo dela.

– Por essa eu não esperava, mas você parece tão arrasado quanto ela. Se não mais.

Algo se agitou dentro de mim, e eu não merecia perguntar, ou saber, mas as palavras deixaram meus lábios antes que eu pudesse impedir.

– Ela está…

Mal consegui completar a frase.

– Arrasada?

Lina hesitou, fazendo eu me remexer inquieto.

– Bom, essa pergunta é bem difícil, primo. Como *você* está?

Arrasado seria pouco. As duas coisas que me sustentavam eram o Taco, que mal saía do meu lado, e *abuela*, cuja paciência obviamente estava por um fio.

– Estou bem.

– Ah, é? Você está *bem*? – perguntou Lina com a voz mais grave, imitando a minha. – Bom, a Rosie também está bem. Aliás, ela não me contou o que aconteceu com você. Minha melhor amiga é assim, leal que chega a doer.

A lembrança daquele rosto lindo olhando para mim, me pedindo para ficar, para vir comigo, surgiu diante dos meus olhos. E eu... meu Deus, eu queria quebrar alguma coisa. Fiquei sem fôlego. Eu não merecia a lealdade dela.

Taco cutucou minha perna, exigindo atenção. Mais carinho na cabeça.

– *Lo sé, chico* – murmurei. – Bom, Lina, se isso é tudo, eu...

– Uau – retrucou ela, indignada. – Sério. Você é ainda mais idiota do que eu pensava.

– Eu não tenho tempo pra isso...

– Não.

A mudança em seu tom de voz foi óbvia. Eu ia ouvir o que ela queria me dizer. E, se eu desligasse, ela encontraria outro jeito.

– Você sabe que merece ouvir que está sendo um idiota. Por isso não teve coragem de atender ou retornar minhas ligações. Porque você não quer ouvir a verdade. Porque, se ouvir a verdade, talvez você acorde e veja as coisas de um jeito diferente e talvez seja obrigado a abrir essa sua cabeça dura.

Contraí a mandíbula.

Implacável, ela continuou:

– Eu te avisei, Lucas. Eu avisei: *se você magoar a Rosie, eu mato você.* Rosie é minha melhor amiga. Ela é a minha família aqui em Nova York. Ela era tudo o que eu tinha antes do Aaron.

Uma pausa, e percebi que ela estava tentando se controlar.

– E eu não estava brincando. Eu *deveria* matar você. Mas eu disse tudo isso quando achei que vocês só estavam transando e se divertindo.

– Não era só isso – resmunguei. – *Nunca* foi só isso.

– Eu sei – admitiu ela. – Agora eu sei. E esse é o único motivo pelo qual eu talvez não tente te matar. Porque agora eu sei a história toda.

Fiquei quase com medo de perguntar.

– A história toda?

– Sim, Lucas. O *experimento* de vocês – disse ela, e seu tom de voz mudou, como se Lina não conseguisse mais esconder o que estava sentindo. – Rosie me contou. Contou tudo. Tudo o que você fez por ela. Todos os encontros. A loja de discos? O Alessandro's? O *terraço*?

Fechei os olhos. Eram muitas lembranças.

– Eu... eu não queria que isso tivesse acontecido, Lina. Eu não queria magoá-la. Eu nunca...

Minha voz falhou.

– Ela é... muito mais que... Ela é a *Rosie*.

Ficou difícil respirar, e as lágrimas que eu lutei tanto para evitar encheram meus olhos. O melhor que consegui fazer foi repetir minhas palavras.

– Eu não queria que isso tivesse acontecido.

Minha prima ficou em silêncio por um bom tempo. Tanto que achei que era tudo, que tinha acabado, que Lina tinha falado tudo o que queria e agora eu estava sozinho.

Mas então ela soltou um suspiro, e o som foi tão triste que eu mesmo quase desliguei.

– Lucas... – Ela hesitou, e consegui imaginá-la balançando a cabeça. – Você não achou mesmo que depois disso tudo ela se apaixonaria loucamente por você?

Meu mundo parou.

Como quando a vi no aeroporto correndo na minha direção. Ou quando do a beijei e nem senti a chuva caindo sobre nós – nem me importei com isso. Ou quando ela me disse que sentia minha falta e eu fui correndo até ela no meio da madrugada.

Mas dessa vez era diferente, porque a gravidade, o significado do que eu estava ouvindo era... era demais.

Ela se apaixonaria loucamente por você?

Meus membros estavam dormentes.

Senti um aperto no peito.

Eu não sabia mais se estava sentado, em pé ou deitado no chão. Não sabia nem se o celular tinha escorregado da minha mão, até que a voz de Lina conseguiu romper a névoa de algum jeito.

– Você está me dizendo – continuou ela – que a levou ao Zarato, conseguiu convencer a dona a deixar que você usasse a estufa no terraço, pendurou luzinhas, instalou um projetor para recriar a noite em que ela gostaria que vocês tivessem se conhecido e não pensou que isso pudesse acontecer?

Eu mal ouvia as palavras da Lina, elas simplesmente entravam e saíam, minha cabeça ainda processando – paralisada – o que ela dissera antes.

– Está me dizendo que teve o trabalho de reproduzir o bolo do meu casamento… e, sim, Aaron me contou que ajudou você com isso, e, acredite, ele pagou caro por guardar esse segredinho… Você achou que podia dançar com ela, beijá-la na chuva como um Sr. Darcy moderno e que ainda assim ela não se apaixonaria por você?

Lina me deu abertura para dizer alguma coisa, mas fui lento demais.

– Está me dizendo que ela foi atrás de você no aeroporto…

– Lina – finalmente consegui dizer. *Implorar.*

Ela esperou que eu continuasse.

Mal consegui recuperar o fôlego antes de falar, e talvez por isso as palavras saíram em uma rajada de ar.

– Ela me ama? Ela disse isso? Rosie disse que está apaixonada por mim?

Segundos se estenderam pela eternidade.

– Lucas, você está de brincadeira?

– Responde.

– Meu Deus – resmungou ela. – Está, Lucas. É claro que a Rosie te ama. Ela está apaixonada por você.

Ela está apaixonada por você. Ela está apaixonada por mim.

– Por que você acha que ela foi correndo até a porcaria do aeroporto e se ofereceu pra te seguir aonde quer que você fosse? Aquele foi o gesto grandioso dela, e, acredite, por mais que a Rosie ame romances, ela nunca fez nada assim. Por ninguém. Nunca. A Rosie pensa em tudo; planeja tudo. E ignorou as próprias regras por você.

E eu não disse nada quando ela fez isso. Só parti seu coração.

– Eu não tenho nada para oferecer a ela, Lina. Nada mesmo.

Porque a vida não era fácil, como dizer sim e ficar com ela. A vida não era simples, como seguir o coração e esperar pelo melhor.

Que tipo de homem Rosie teria ao lado dela todos os dias? Um cara que não correspondia às expectativas. Um cara que não tinha nada a oferecer. Sem futuro, sem planos.

– Ela não quer nada de você. Ela só quer *você*. Ela te ama, Lucas. É tão difícil assim de entender? – disse Lina depois de um instante.

Eu entendia e não entendia.

Porque *eu* não era o bastante. Talvez fosse naquele momento, mas não seria depois de um tempo.

– Eu não sou o bastante pra ela.

– Nossa, Lucas – disse ela, suspirando. – Você não entende mesmo, né?

Eu não tinha uma resposta, porque Lina nem sabia a história inteira. A não ser que Rosie tivesse contado, o que eu duvidava. Ela nunca faria isso, eu confiava totalmente nela. Eu...

– A Rosie...

Lina hesitou, como se não tivesse certeza de que deveria falar.

– Ela vai me matar se descobrir que eu te contei isso, mas... ela escreveu um livro para você.

O chão sob meus pés voltou a tremer.

– Ela fez *o quê*?

– O livro. Eu li o primeiro, claro. E ele é bom. Ela...

– Eu sei – falei, com a voz rouca.

Eu também tinha lido. Já tinha decorado àquela altura.

– Mas esse novo? Essa história que você de algum jeito inspirou com o experimento?

Uma pausa, e senti meu coração batendo nas têmporas, nos ouvidos.

– Meu Deus, esse livro me deixou totalmente sem ar. Eu não me lembro de sorrir tanto, chorar tanto ou sentir meu peito tão apertado com uma história, e eu...

Lina hesitou, deixando a frase incompleta.

– E você o quê?

– Eu vi você naquelas páginas, Lucas. Era você. Não sei como ela conseguiu, como ela transformou uma coisa boa em algo tão incrivelmente lindo, mas foi o que ela fez. O livro é uma carta de amor. Pra você.

TRINTA E DOIS

Rosie

Antigamente eu amava o Natal.

Quando era criança, eu mal podia esperar por essa época do ano. E isso não tinha nada a ver com presentes ou o estoque infinito de doces. Sempre foi pela magia. Pelo amor no ar, como um pó mágico, polvilhado sobre tudo e todos, fazendo o mundo parecer um pouco mais iluminado. Um lugar melhor.

Achei que isso fosse passar em algum momento, talvez antes do ensino médio. Era natural deixar de ficar tão animada com coisas como montar a árvore ou tirar do armário o velho pijama com estampa de Papai Noel. Achei que fosse ficar mais irritada com a neve que cobria a cidade, ou com a loucura de comprar os presentes. Mas isso nunca aconteceu.

Meu amor pelo Natal nunca desapareceu.

Até este ano.

Pela primeira vez na vida, a época já batia à minha porta e eu não estava nem aí.

Não montei árvore. Deixei o pijama vermelho e verde na gaveta. Finalmente vi a neve como ela é – uma coisa que deixa tudo enlameado e cinzento. E não comprei presentes para ninguém.

Cheguei a ficar tentada a fazer as malas e ir para um lugar bem longe, algum lugar onde as pessoas não celebrassem o Natal.

Sim. Contra todas as probabilidades, eu tinha me transformado no Grinch. Meu coração, que antes estava cheio de sentimentos confusos, agora não passava de um fosso a céu aberto. E o pior? Não era nem amargura. Não era raiva ou frustração; era desesperança. Era uma ironia e tanto, eu acho, porque não consegui nem virar o Grinch rabugento e irritado, mas uma versão triste e de coração partido dele.

Como percebi naquele dia em que fui para a casa do meu pai depois do aeroporto, pela primeira vez na vida eu estava de coração partido. Partido de verdade. E demorei para... lidar com isso, para aprender a conviver com a sensação de ter perdido um futuro que eu mal tive tempo de imaginar. Para aprender a viver sentindo a falta dele.

Porque eu sentia falta de Lucas.

E também sentia falta de estar apaixonada pela ideia do amor.

Porque agora eu era uma engenheira que tinha virado escritora de romances e mal conseguia sobreviver à época mais mágica e romântica do ano.

A ironia não passou batida.

Ainda assim, de algum jeito consegui passar pelos feriados do fim do ano sem desabar, saindo de casa só duas vezes – no dia de Ação de Graças e no dia de Natal – para fingir que estava bem. E, no fim, meu Grinch interior e eu vimos todos desmontando suas árvores e suspiramos de alívio. *Finalmente.*

Só que, depois disso, sem entender muito bem como, eu estava mais uma vez diante de tudo que eu vinha tentando evitar.

O Ano-Novo.

A *porcaria* do Ano-Novo.

E ali estava eu, no meio da festa mais chique que minha melhor amiga conseguiu encontrar, com um vestido de festa e um salto alto que ela tinha escolhido para mim. Segurando a taça que ela havia colocado na minha mão. E tentando, sem sucesso, sorrir para todas aquelas pessoas bêbadas de esperança e novas resoluções.

– Mais champanhe, Rosie?

– Claro – respondi, distraída. – É bom pra afogar.

Lina riu.

– Afogar o quê?

A pobre Rosie Grinch.

– Nada.

Ela encheu minha taça, e reparei na garrafa em sua mão.

– Onde você conseguiu essa garrafa?

– Tenho meus contatos – disse Lina, sorrindo e servindo o líquido dourado até a borda. – Agora bebe.

Olhei para ela com os olhos semicerrados.

– E a sua taça?

– Ah!

Ela levantou a mão e percebi que estava sem. Lina não estava bebendo?

– O champanhe é só pra você, amiguinha. Pra você se soltar um pouco.

Estreitei ainda mais os olhos e vi Lina revirar os dela.

– Não me olha assim, não estou tentando embebedar você – disse e, depois de uma pausa, ela murmurou baixinho: – Juro.

Antes que eu tentasse entender essa última parte, Aaron voltou. Ele se colocou atrás de esposa, como sempre, passando um dos braços em sua cintura daquele jeito orgânico e natural que teria feito a Rosie de dois meses antes suspirar. A pobre Rosie Grinch só desviou o olhar.

Sem qualquer aviso, veio um lampejo de lembrança: Lucas, em pé atrás de mim, como Aaron tinha acabado de fazer com Lina. Mas não estávamos em uma festa chique; estávamos na minha cozinha, preparando o café da manhã, e Lucas ria, o som ecoando de seu peito e me fazendo sorrir.

Argh.

Será que algum dia eu deixaria de sentir falta dele?

O que eu estava fazendo ali?

Peguei o celular e vi que horas eram. Quinze para a meia-noite. E eu iria embora em dezesseis minutos. Daria um "uhul!" para o novo ano e desapareceria. Eu tinha prometido isso para mim mesma e para Lina.

Olhei para minha melhor amiga, que me observava com um sorriso enorme e assustador.

– Humm… – resmunguei, franzindo a testa. – Do que você está rindo tanto?

Ela não respondeu e empurrou minha taça para perto da minha mão.

As pessoas ao redor começaram a se agitar, a atmosfera ficando mais inquieta enquanto elas procuravam a pessoa que beijariam ao final da contagem regressiva.

Peguei minha taça e virei, engolindo tudo de uma vez.

– Está tudo bem, meu amor – disse Lina, acariciando minha mão livre. – Vai acabar logo.

Sim, porque eu iria para casa me esconder embaixo do edredom.

– Tá legal.

Por algum motivo, olhei para Aaron, que também estava sorrindo. Então olhei de novo, observando-os por um instante.

– Vocês dois estão… *bem*?

Os sorrisos idênticos se alargaram ainda mais, e me perguntei se os dois não estariam doidões. Porque Aaron nunca sorria assim, como um… maníaco, a não ser no dia em que eles tinham se casado, e porque Lina ficava dizendo umas coisas esquisitas, me olhando de um jeito estranho. E aquilo tudo estava me assustando.

A não ser… a não ser que estivessem só doidões de tanta vida e tanto amor e o que quer que aquela noite idiota representasse.

– Estou feliz que vocês estejam… felizes.

Olhei para o celular mais uma vez. Dez minutos.

– Posso pegar mais champanhe?

– Como está o Olly, aliás? – perguntou Lina, ainda com aquele sorriso psicótico, enquanto enchia minha taça. De novo.

Eu sabia o que estava rolando – ela estava me entretendo, me distraindo, porque era o que tinha feito desde o começo da noite –, mas, mesmo assim entrei na onda. Pelo menos Olly era um assunto que me trazia algum consolo.

– Está bem. Feliz por estar em casa.

– O Joe finalmente aceitou o que aconteceu?

– Demorou um pouco, mas sim. Sobretudo porque, independentemente do que tenha acontecido, Olly está de volta.

Lina assentiu, seu olhar ficou mais terno.

– Seu pai é um pedação de pão.

Aaron riu.

– Amor, não faz sentido quando você traduz literalmente. Você quer dizer que o Joe é um doce.

Minha melhor amiga revirou os olhos.

– Sim, e a Rosie entendeu assim mesmo. Vocês sempre entendem muito bem o que eu digo.

Sorri porque, ao contrário do que ela pensava, na verdade eu não fazia ideia do que ela queria dizer. Eu só sabia que era algo bom, porque Lina adorava meu pai.

– Olha só – disse Lina, apontando um dedo para mim. – Eu até arranquei um sorrisinho minúsculo dela. É o primeiro em semanas!

O sorrisinho minúsculo desapareceu.

– Enfim – falei, dando de ombros. – Consegui uma entrevista para o Olly com o empreiteiro que fez a obra no meu apartamento.

Eu vinha conversando com Aiden pelo telefone após o Sr. Allen ter me passado o contato dele, e ele disse que precisava de mais mão de obra e estava pensando em contratar aprendizes. Então perguntei se ele estaria aberto a contratar alguém sem experiência. Ele disse que sim, e, quando mencionei Olly, ele não pareceu apenas interessado, mas empolgado com a ideia.

– Isso é incrível, Rosie – disse Lina com uma palminha. – Vamos torcer pelo melhor. E, se o Olly precisar de dicas, o Aaron pode ajudar a prepará-lo para a entrevista. Se o Olly mandar bem com o Aaron, tenho certeza que ele consegue qualquer trabalho. Você sabe como o Aaron pode ser assustador e…

– Engraçadinha.

Aaron a interrompeu com um beijo rápido na testa, deixando minha melhor amiga um pouco atordoada. Então, ele virou para mim.

– Mas, de verdade, Rosie, se você achar que pode ajudar, fala pra ele me procurar.

– Obrigada, Aaron – falei com sinceridade.

Eu sabia que Aaron tinha bastante experiência com entrevistas e, embora a InTech e a empresa do Aiden fossem completamente diferentes, qualquer ajuda era bem-vinda.

– Acho que é uma boa ideia, sim, mas vou deixar o Olly decidir como ele quer se preparar.

Sem qualquer aviso, as luzes se apagaram e um único feixe iluminou uma tela instalada no alto de uma das paredes.

Aplausos soaram ao nosso redor, sinalizando o momento pelo qual todos esperavam.

Todos menos eu, claro.

Lina colocou as mãos unidas sob o queixo, o sorriso se alargando como nunca, e me obriguei a sorrir para ela com alguma emoção que não fosse tristeza. Eu não achei que tivesse conseguido, mas a expressão de Lina não mudou, então acho que não foi tão ruim assim. Então, ela pegou minha mão e me arrastou para longe da mesa e para o meio da multidão agitada.

– A gente precisa mesmo fazer isso? – perguntei.

– Precisa, sim – disse ela, dando tapinhas na minha mão.

Dois números dourados apareceram na tela, um e zero, e quase deu para sentir o gosto da ansiedade de todos à minha volta.

Tá, só mais alguns segundos e estou livre.

Minha melhor amiga se colocou entre mim e o marido, e as pessoas passavam por nós, dando a volta, e provavelmente passariam entre nós se deixássemos, querendo chegar mais perto da tela, ou procurando quem queriam ter ao lado quando a contagem zerasse.

Lina virou a cabeça e olhou nos meus olhos. Havia alguma coisa em seu olhar, algo que eu não conseguia decifrar. Ela me olhou como nunca tinha olhado, como… como se fosse capaz de andar sobre brasas por mim. Como se estivesse se segurando para não me abraçar. Seus olhos se encheram de lágrimas, e exatamente um segundo antes de a contagem regressiva começar, ela disse:

– Faça um pedido, Rosie. Talvez ele se realize.

Um pouco surpresa com aquelas palavras, fechei os olhos quase sem perceber e ouvi a contagem regressiva sem conseguir tirar as palavras de Lina da cabeça.

Dez!

Faça um pedido.

Nove!

Talvez ele se realize.

Oito!

Eu não queria nada. Nada… só uma coisa.

Sete!

Uma pessoa.

Seis!

A única que eu queria com todas as minhas forças que estivesse ali. Comigo.

Cinco!

O homem por quem eu estava perdidamente apaixonada.

Quatro!

O homem que eu queria poder beijar naquela noite. E todas as noites depois dessa.

Três!

E, com os olhos ainda fechados, senti alguém segurar minha mão. O toque era firme, forte. Familiar.

Dois!

Meu coração disparou, voltando à vida após meses adormecido.

Fui puxada para a frente com delicadeza, ao encontro de um peitoral.

O cheiro de sabonete e água do mar, fazendo tudo dentro de mim se solidificar e tremer. Vibrar com a possibilidade.

Um!

Senti o ar preso na garganta quando a respiração de alguém veio na minha boca.

Um beijo de leve no maxilar.

Então, quando pensei que não poderia ser verdade, que minha mente devia estar me pregando uma peça porque aquilo era demais, quatro palavras foram sussurradas no meu ouvido:

– Abra os olhos, *hermosa*.

Feliz Ano-Novo!

Abri os olhos, e... *Meu Deus.*

Um soluço subiu pela minha garganta. Eu não sabia por que ou como, pois achava que já tivesse chorado todas as lágrimas que havia dentro de mim, mas ali estava eu, chorando porque meu pedido estava bem na minha frente. Meu único pedido.

Lucas.

E havia tanta coisa que eu não entendia, tanta coisa para descobrir, mas eu era uma boba apaixonada e tinha sentido sua falta com todo o meu ser, então não pude fazer nada a não ser me jogar nos braços dele. Desconfiei dos meus olhos, da minha sanidade, das batidas no meu peito, sentindo as lágrimas descerem. Lágrimas de felicidade, lágrimas de tristeza, lágrimas de todos os tipos. Porque ele estava ali. De alguma forma, ele estava na minha frente, com um terno preto, o cabelo desgrenhado e os olhos mais calorosos que eu já tinha visto.

Lucas tinha voltado? Como? Por quê?

Suas mãos seguraram meu rosto, aquele sorriso estampado no dele.

– Não chora, Rosie.

Ele encostou a testa na minha, e esse toque pareceu desesperado, pareceu implorar.

– Chega de lágrimas, chega.

Com a atenção toda nele, eu não sabia de onde vinham os pontinhos coloridos ao nosso redor. Eu só sabia que Lucas estava ali comigo. E me abraçava como eu queria que ele tivesse feito aquele dia no aeroporto.

Senti as palavras roçarem a pele da minha têmpora quando ele disse:

– Feliz Ano-Novo, *ángel*. Senti tanto sua falta.

Abri a boca e segurei Lucas pelos pulsos, meus dedos se fechando ao redor deles, sentindo sua pulsação sob a pele quente.

– Lucas – sussurrei. – Você está aqui. Por que você está aqui?

Ele encostou a testa na minha, chegando ainda mais perto e causando um arrepio que percorreu minha coluna de cima a baixo.

– Estou aqui porque eu te amo. Porque achei que me afastar fosse a coisa certa, Rosie. Porque eu não me sentia digno de você. De nós dois. E voltei porque estou pronto pra rastejar o quanto for preciso pra ter você de volta.

Um som além da minha compreensão subiu pela minha garganta.

Ele segurou meu rosto com ainda mais firmeza.

– Me afastar de você foi a coisa mais difícil que eu já fiz na vida. Mas agora eu entendo, agora eu sei que não podia querer você sem primeiro querer me tornar um homem melhor. Sem antes querer chegar lá sozinho.

Ele passou o nariz no meu, seus lábios tão perto dos meus, pairando com a promessa de um beijo de que eu precisava desesperadamente.

– Mas agora não vou mais a lugar nenhum. Se você me aceitar de volta.

As pontas de seus dedos se emaranharam no meu cabelo quando ele inclinou minha cabeça para trás e olhou para mim.

– Você me aceita? Você ainda me quer?

A pergunta me deixou tão sem fôlego que eu não consegui dizer absolutamente nada.

– Eu tenho tantas coisas pra dizer, Rosie. Tantas coisas pra explicar, mas…

Ele parou de falar e se aproximou ainda mais, seu toque ficou mais urgente, sua voz mais grave com o desejo que também senti crescendo em mim.

– Eu preciso de você. Preciso que me aceite de volta pra que eu possa te mostrar.

– *Lucas* – falei, finalmente. – Será que você pode… parar de falar e me beijar? Por favor.

Não precisei olhar para ele, vê-lo, para saber que ele estava sorrindo quando me beijou. Porque, quando nossos lábios finalmente se tocaram, eu senti. Senti no âmago aquele sorriso lindo, sua gentileza, sua generosidade, sua honestidade, seu amor. Senti tudo o que fazia dele *ele* e tudo o que eu tanto amava. Tudo o que fez com que eu me apaixonasse loucamente por ele.

Lucas me beijou com mais intensidade, dizendo com isso o quanto tinha sentido minha falta, o quanto estava arrependido, o quanto precisava de mim e me desejava. E eu aceitei tudo. Guardei no lugar seguro onde já estava tudo que ele me dera e que eu achava ter perdido para sempre. Só que agora essas lembranças e momentos não doíam mais. Agora a nossa história só me enchia de felicidade. Me fazia flutuar.

Quando paramos de nos beijar, vi Lucas me olhando como se estivesse diante de algo precioso. Algo inestimável. Algo do qual ele não pensava em abrir mão jamais.

– Você acabou de matar a pobre Rosie Grinch – murmurei, e minha voz falhou.

Lucas riu.

– Senti tanto a sua falta, Rosie. Tanta falta dessa boca.

Seu polegar roçou meu lábio inferior.

– Desses olhos.

Subiu até minha sobrancelha.

– Desse rosto lindo.

Ele abaixou a cabeça, encostando os lábios no meu pescoço.

– Mas, acima de tudo, senti falta disso. – Lucas espalmou a mão no meu peito, onde meu coração batia descontroladamente, querendo sair, querendo me deixar e ir com ele. – E, embora eu saiba que não tenho mais nenhum direito sobre ele, eu quero muito que esse coração seja meu. Meu Deus, eu quero muito mesmo.

Lucas fez uma pausa, como se fosse impossível continuar.

– Espero poder tê-lo de volta.

Minhas mãos percorreram seus braços, até chegar a seu rosto. Coloquei seu cabelo para trás.

– Ele já é seu – falei, olhando para ele, deixando que visse no meu rosto. – Sempre foi e sempre será.

Só percebi que ele estava prendendo a respiração quando seu peito relaxou, e ele soltou o ar, estremecendo.

– Que bom – disse ele, deixando o rosto repousar na minha mão. – Que ótimo. Porque senão o que está prestes a acontecer seria um pouco estranho.

Antes que eu pudesse dizer qualquer coisa, ouvi a música que estava tocando.

Aos poucos, minha atenção foi voltando para tudo o que havia ao redor. O Ano-Novo. A festa. Lina e Aaron. Confetes espalhados por todo lado. O primeiro verso da música que tinha marcado o início de algo antes que eu soubesse para onde aquilo tudo levaria.

Olhei para Lucas mais uma vez, encontrando aquele par de olhos castanhos cheios da mesma emoção que inundava meu peito. Mal consegui falar, alguma coisa estava entalada na minha garganta.

– Nossa música. A trilha sonora de Rosie e Lucas.

Lucas deu de ombros, sorrindo, e abaixou a cabeça, roçando os lábios na minha orelha.

– Eu disse pra você fazer valer.

Um arrepio percorreu meus braços, e meu corpo inteiro ganhou vida com aquele toque simples.

– Dança comigo, Rosalyn Graham?

– Danço – respondi. Então repeti, só para garantir. – É claro que danço.

Ele posicionou os braços, uma das mãos viajando até minha nuca e deslizando no meu cabelo.

– Sei que não é uma música pra dançar juntinho, mas acho que não consigo ficar nem mais um segundo longe de você.

Lucas inclinou minha cabeça para trás e me beijou outra vez. Com vontade. Com sinceridade. Sem dizer nada, mas me dando um pedacinho de si ao qual eu não tinha acesso antes. Meus braços se uniram atrás de seu pescoço e não consegui fazer mais nada a não ser puxá-lo para mim e deixar que ele tivesse acesso a tudo o que por acaso ele ainda não tivesse de mim.

Ele me deu um beijo delicado no queixo.

– Eu queria que não estivéssemos no meio de uma festa – admitiu ele, baixinho e só para eu ouvir. – Queria ter você só pra mim nesse momento. Mas isso vai ter que esperar de qualquer jeito, porque tem muitas coisas que eu preciso que você ouça antes.

Já me acalmando, assenti, deixando que Lucas nos guiasse em um balanço suave,

– Pode falar. Fala tudo que você quiser.

– Eu deixei você sem nenhuma explicação no aeroporto – disse ele, engolindo em seco. – E peço desculpas por isso. Peço desculpas por ter magoado você e por, de alguma forma, ter deixado você acreditar que o que eu sentia por você não era forte o bastante, poderoso o bastante pra que eu ficasse. Eu deixei você achar que não era o bastante pra mim e nunca vou me perdoar por isso.

Minhas mãos agarraram sua nuca, meus dedos deslizando por seu cabelo suave.

– Lucas, você não precisa pedir desculpas por isso.

E ele não devia pedir desculpa. Não devia mesmo.

– Eu peguei você de surpresa porque eu queria muito que você entendesse o que sinto. Mas sei que foi coisa demais, e cedo demais também – falei.

– Não foi. Por isso eu preciso que você me escute, Rosie. Porque você… – Seu rosto se contraiu. – Porque você já era tudo. Você *é* tudo pra mim. Não está vendo?

– Então…

Hesitei, com medo de perguntar. Porque eu tinha ensaiado a pergunta tantas vezes que não sabia mais o que esperar.

– Por que você foi embora daquele jeito?

– Eu tinha certeza de que estava fazendo a coisa certa. Nunca duvidei que você me quisesse, mas não achei que fosse me querer pra sempre. Achei que você estivesse se contentando comigo. E, se eu não acreditava que era o homem pra você, por que você acreditaria?

Ouvir aquilo acabava comigo. Como aquele homem gentil, atencioso e generoso podia pensar isso de si mesmo?

– Deixei a Espanha arrasado, e já fazia um tempo que eu estava assim. Era como se o chão tivesse desaparecido sob os meus pés, Rosie. Eu fiquei sem a única coisa que sabia fazer, sem a pessoa que sabia ser. Eu não podia oferecer só isso a você, sabe?

Ele balançou a cabeça.

– Você merece alguém que a desafie e que ao mesmo tempo divida o peso das coisas com você e coloque o mundo a seus pés. E, se eu… se eu mal conseguia andar sem ceder ao meu próprio peso, como eu poderia fazer tudo isso por você?

Subi na ponta dos pés e beijei o canto de seus lábios, para dizer que eu estava ouvindo e entendia.

– Mas aí – continuou Lucas, e sua voz falhou com a emoção que ele não conseguiu conter. – Aí eu li o seu livro. O livro que você escreveu enquanto estávamos morando juntos, enquanto estávamos juntos. O livro que nasceu dos nossos encontros.

Meus lábios se abriram, meu coração acelerou no peito.

– A Lina me mandou, falou que eu precisava ler e… *Meu Deus*. Tudo o que eu não acreditava que eu fosse, tudo que eu jamais poderia pensar que você via em mim, estava lá. Eu me vi pelos seus olhos. Você me *amava*. E saber que alguém como você podia me amar mesmo eu não estando inteiro me deu vontade de querer mais. De ser mais. Fez com que eu quisesse ser um homem melhor pra mim mesmo. Um homem que valesse a pena, pra mim e pra você. Pra provar que você estava certa. Me fez querer merecer esse amor que você está disposta a me dar, Rosie. E é isso que estou fazendo. Ou tentando fazer.

Havia mais alguma coisa em seu olhar, algo feroz, apaixonado, algo que só vislumbrei algumas vezes durante o tempo que passei com ele.

– Eu perdi tanto tempo sentindo pena de mim mesmo, pensando no que eu tinha perdido, que não vi o que eu ainda tinha. O que eu poderia ter.

Ele levou a mão ao meu rosto.

– Voltei para a fisioterapia. Só fiz algumas sessões, mas estou comprometido. Também busquei ajuda em relação aos meus ataques de pânico, aprendendo a processar o que aconteceu. Finalmente contei pra todo mundo lá em casa sobre o acidente, pedi desculpas por ser um idiota e… pensei em você, Rosie. Todos os dias, todas as noites. Até que aquilo que você disse naquela noite com a Alexia e a Adele, no apartamento da Lina, surgiu na minha cabeça. Uma coceirinha no começo, um zumbido no fundo da minha mente. E do nada, de repente fez sentido. Acho que sempre fez.

– O quê?

– Gastronomia. Eu estava cego demais pra enxergar. Teimoso, sem esperança. Ainda acho que estou um pouco velho pra isso, e sei que pode dar errado, mas estou determinado a tentar. Porque é isso que eu quero. Tirando você, é o que está me fazendo sonhar com um futuro de novo.

Mais lágrimas escorreram, a felicidade enchendo meu peito.

Ele continuou:

– Entrei em contato com a Alexia, e ela disse que vai me ajudar. Vou me inscrever na faculdade, Rosie. Aqui em Nova York.

Eu pulei em seus braços, encostando o rosto em seu pescoço, e ele riu. Soltou uma risada profunda e sincera.

– Vai demorar um pouco pra providenciar tudo: os documentos pro visto, a matrícula e tudo mais – disse ele, no meu ouvido. – Então espero que nesse primeiro momento você esteja disposta a ter um relacionamento à distância comigo, *ángel*. Estou rezando por isso porque...

– Sim, Lucas. *Sim* – eu disse, e o beijei. – Eu posso ir à Espanha quantas vezes for, escrever de lá. E vamos enfrentar a distância. Mesmo que eu sinta sua falta todos os dias. Pelo tempo que precisar.

Ele riu de novo, e era um som glorioso.

– Estamos falando de meses de sexo por telefone, *ángel*.

Dei um sorrisinho torto.

– Não consigo pensar em um jeito melhor de usar nossos celulares.

Os olhos de Lucas se encheram com um encanto que me deixou sem fôlego, o tipo de fascinação que tinha o poder de mudar uma vida. Ele colocou as mãos nos meus ombros e me virou. Senti sua cabeça abaixando, então ele disse:

– Ótimo, porque lembra que eu disse que isso ia ficar estranho se você não me aceitasse de volta?

Ele apontou para a tela onde tinham projetado a contagem regressiva.

Pisquei e, com uma nova onda de lágrimas de felicidade, tive dificuldade de ver o que estava na tela. Bem ali, na minha frente, ela dizia:

Rosalyn Graham,
Aceita ser minha melhor amiga?
Minha colega de apartamento.
Minha Dancing Queen.
Minha parceira ~~de experimento~~ de vida.
Meu coração.
Aceita ser minha, como eu sou completa e
desesperadamente seu?

E ouvi as palavras "Eu te amo, Rosie" dos lábios do homem que eu amava, sussurradas no meu ouvido.

– Eu te amo como nunca amei ninguém. E vou te amar pelo resto da vida se você deixar.

E, antes que eu pudesse me dar conta do que estava fazendo, virei em seus braços e olhei em seus olhos, com o *sim* mais fácil que já falei na vida.

EPÍLOGO

Pouco mais de um ano depois...

Lucas

– Tem certeza de que pegou tudo? – perguntou ela, mais uma vez. – Que todas as suas coisas estão nas caixas que a Charo vai mandar e que colocou o essencial na mochila?

– *Hermosa* – falei, meu sorriso largo como nunca –, eu só preciso de você comigo.

– Você não vai se importar se esquecer suas meias? – perguntou ela com uma voz mais doce que açúcar. – Sua cueca? É muito chato ter que repor cuecas.

– Não dou a mínima.

E não era mentira.

– São menos camadas pra você tirar de mim.

Ela soltou um suspiro suave. Eu conhecia muito bem aquele som. Estava bem familiarizado com ele, com o que significava. Aprendi nas muitas, muitas ocasiões em que tivemos de recorrer ao celular durante o tempo que passamos separados.

Tentávamos nos encontrar o máximo possível, mas não era o bastante. Nunca seria. Eu ainda contava cada dia que ela não estava ao meu lado.

Dez semanas, cinco dias e quatorze horas desde a última visita.

E, dessa vez, não fiquei só sem ela, mas sem Taco também, porque Rosie o levou junto quando voltou para Nova York.

– Eu sei, *ángel* – falei baixinho para que o taxista não ouvisse. Não que eu me importasse, mas porque minhas palavras eram só para ela. – Também estou morrendo de vontade de tocar você. De colocar as mãos em você. De sentir você embaixo de mim.

Mais um suspiro, mas, dessa vez, diferente. Era o suspiro que dizia que ela sentia falta de muito mais do que só o meu toque. E eu estava exatamente na mesma situação. Eu sentia falta de tudo nela.

– Bom – disse Rosie finalmente. – Pelo menos espero que não tenha esquecido a escova de dente, porque compartilhar uma seria um passo e tanto.

Rosie estalou a língua, e o fato de ela ter me provocado em vez de dizer o que nós dois estávamos pensando – o quanto o relacionamento à distância era difícil e o quanto odiávamos aquilo – me fez querer saltar do táxi, no meio do trânsito, e ir correndo até ela.

O que, depois de ter seguido o plano de fisioterapia religiosamente, eu conseguia fazer sem mancar ou sem maiores consequências. De vez em quando.

– *Hermosa*, não existe nenhum passo para o qual não estejamos prontos.

E não existia mesmo. Eu já teria me casado com ela se morássemos no mesmo fuso horário. Ter ido embora naquele dia mais de um ano antes era algo que eu ainda não tinha conseguido esquecer nem aceitar. Eu quase perdi Rosie, o amor da minha vida, ao tentar protegê-la e me proteger também, finalmente consegui entender depois das muitas sessões necessárias de terapia. Mas, como disse a Dra. Vera, o importante não é esquecer, mas se perdoar e se esforçar para ser melhor. E tentei fazer isso todos os dias. Também aprendi a viver com meu eu do presente sem me ressentir do que tinha perdido. E tinha absoluta certeza do que desejava para o futuro.

Rosie. A pessoa que eu sempre quis. E agora eu enfim me sentia pronto para aceitar tudo o que ela tivesse para me dar. Estava contando os segundos para começar uma vida nova ao lado dela, em Nova York, e cursar gastronomia para construir um futuro novo para mim enquanto ela prosperava em sua carreira de escritora. Enquanto construíamos um futuro juntos.

– Então você está no táxi – perguntou Rosie, me trazendo de volta para a conversa. – A caminho do aeroporto?

– Estou, sim.

Mas eu não estava a caminho do aeroporto; estava a caminho da casa dela. Fazia uma hora que eu tinha aterrissado em Nova York, embora Rosie achasse que eu ainda nem tinha embarcado.

– Nossa, as últimas dez semanas já foram as mais longas da minha vida, meu Deus do céu. E ainda tenho que esperar mais uma noite inteira. Não é justo.

Avistei o prédio de Rosie.

– Estou quase chegando, Rosie.

– Eu sei – disse ela, suspirando. – Mas eu queria você aqui agora.

O táxi estacionou.

– E o que vai fazer quando me encontrar, *ángel*?

Ela soltou uma risada profunda e sensual.

– O que eu *não* vou fazer, né?

Peguei a carteira e paguei o motorista.

– Descreve pra mim.

– Vou pular nos seus braços – disse ela, sem hesitar.

Pendurei minha mochila surrada de sempre no ombro e fui até o prédio dela. Empurrei a porta, que descobri que estava aberta. Pensando em providenciar alguém que a consertasse depois, entrei.

– Vou te cobrir de beijos. Sua boca, seu pescoço, suas pálpebras, suas orelhas, tudo o que eu puder alcançar.

– Tudo? – perguntei, subindo as escadas.

– Aham, cada pedacinho em que eu conseguir colocar a boca – confirmou ela, e eu soltei um "humm". – Então, só quando eu estiver satisfeita, vou sair de cima de você com muito cuidado, puxar a barra da sua camiseta e tirar pra começar a me dedicar em deixar você...

Bati na porta.

Ouvi o latido animado de Taco.

E, pelo celular, ouvi Rosie inspirar.

– A me deixar o quê?

– Sem roupa – murmurou ela.

E soltou o ar, trêmula. A emoção obstruiu sua voz quando ela acrescentou:

– Lucas?

– Rosie?

– Seu voo – respondeu ela, e eu ouvi tudo naquelas duas palavras: a surpresa, o alívio, o amor, a alegria. – Você disse que era hoje. Que chegaria amanhã.

– Disse – confirmei. – E não menti. Meu voo era hoje. Mas eu não aguentei esperar, Rosie. Então consegui um voo antes.

– Conseguiu?

– Consegui, *hermosa*.

Ouvi passos leves. Ligeiros. Tão desesperados quanto eu estava por ela.

– Eu não podia esperar nem mais um segundo pra te ver, Rosie. Pra beijar você, pra acordar todas as manhãs ao seu lado pelo resto dos meus dias. Pra cozinhar pra você e lembrar você de beber água quando estiver concentrada demais escrevendo. Pra ouvir você chamar meu nome sempre que eu estiver dentro de você. Eu não podia esperar nem mais um segundo pra começar nossa vida nova juntos. Já esperei demais. Esperei uma vida inteira sem saber. Então por que você não abre logo essa porta e me deixa mostrar como vai ser?

AGRADECIMENTOS

Caramba, então aconteceu mesmo, hein?

Dizer que os últimos doze meses foram uma loucura seria um completo eufemismo. E, acredite, não falo da boca pra fora. Se está chegando agora e esta é a primeira vez que ouve a meu respeito, você não deve fazer ideia do que eu estou falando, e tudo bem – apenas AGRADEÇO por me confiar seus sonhos literários e espero que tenha amado Rosie e Lucas tanto quanto eu. Mas se sabe a que estou me referindo… isso quer dizer que estava por aqui há mais ou menos um ano. Significa que você escolheu ler meu livro de estreia, *Uma farsa de amor na Espanha*, e se apaixonou por ele a ponto de indicá-lo para outras pessoas. Para fazer a mágica acontecer. E, sim, provavelmente você gritou pra todo mundo (inclusive pra mim) o que acha do nosso rabugento amante de barrinhas de granola caseira: Aaron Blackford. E isso significa que, graças a VOCÊ, ao seu amor e entusiasmo, estou aqui digitando estes agradecimentos sentada em meu escritório de autora em tempo integral, em vez de no notebook da empresa, produzindo nas horas vagas de um trabalho que não me fazia feliz e levando uma vida em que parecia faltar alguma coisa. Obrigada por tudo. OBRIGADA a cada um de vocês.

Ella, oi. Sei que você vai revirar os olhos, mas foi você quem deu início a tudo isso. Você está ao meu lado desde aquele primeiro manuscrito ruim de *Uma farsa de amor na Espanha* e, mesmo ele sendo ruim (não consigo deixar de enfatizar o quanto era ruim), você ainda assim me incentivou. Porque esse é o tipo de pessoa que você é. É por isso que eu te amo e valorizo tanto sua amizade. E é por isso que você nunca vai se livrar de mim e dos meus agradecimentos. NUNCA.

Jessica, você segurou minha mão, me impulsionou, me guiou em meio a toda a loucura, me disse quando era hora de relaxar e fazer uma pausa, e me fez reconhecer os momentos em que eu deveria ter orgulho de mim mesma. Sinceramente, acho que eu poderia botar pra quebrar em qualquer lugar com você. Obrigada. Andrea, Jenn e todos da Dijkstra, agradeço pela paciência infinita (e me desculpem por ficar enchendo a caixa de entrada de vocês).

Kaitlin, *acabei* de ler seu bilhete nas provas que *acabei* de receber pelo correio, então estou um pouco emotiva. Não vou repetir o que você ousou escrever sobre mim, mas vou dizer que ser digna da sua confiança e da sua fé nas minhas palavras e no meu trabalho é algo que valorizo mais do que sou capaz de expressar. É algo que ainda estou tentando entender, não vou mentir. Megan, Katelyn, Morgan e a equipe incrível da Atria, vocês vêm trabalhando todos os dias há meses e eu não poderia estar mais grata por tê-los ao meu lado. Graças a vocês eu conquistei coisas com as quais eu jamais tinha sequer sonhado.

Molly e toda a equipe maravilhosa da Simon & Schuster UK, obrigada por sempre serem incríveis e pelo trabalho maravilhoso que estão fazendo. No dia em que eu finalmente vivenciar a experiência de ver meus livros expostos na Waterstones, é provável que eu desmaie.

Sr. B., certa vez você me disse "Não existe ninguém *sortudo*. Para que a sorte encontre a pessoa, antes é preciso trabalhar duro e correr riscos" quando eu estava passando por Um Dia Daqueles, e de alguma forma essa foi a coisa mais tranquilizadora que já me disseram. Eu te amo. Mesmo quando você não me leva flores no dia do lançamento. Ou um bolo temático. Ou, sei lá, um cachorrinho. Sinceramente, não é pedir muito.

E quanto a você, leitor, oi de novo. Muito obrigada mais uma vez. A história da Rosie e do Lucas foi um pouco mais sentimental e muito mais pessoal, e espero mesmo que você tenha gostado. Também espero que se, como Rosie ou Lucas, você estiver se sentindo perdido, ou empacado, nunca, jamais deixe de seguir em frente. Quer dizer, por favor, como Joey diria, você não pode desistir. É isso que um dinossauro faria?